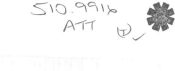

MATHEMATEG FODIWLAIDD HEINEMANN
ar gyfer
SAFON UWCH GYFRANNOL AC UWCH
Mathemateg Graidd C2

Greg Attwood   Alistair Macpherson   Bronwen Moran
Joe Petran   Keith Pledger   Geoff Staley   Dave Wilkins

Heinemann

Inspiring generations

Y fersiwn Saesneg gwreiddiol:
Modular Maths for Edexcel AS and A Level Core Book 2
Cyhoeddwyd gan Heinemann Educational Publishers, Halley Court, Jordan Hill, Rhydychen, OX2 8EJ
Rhan o Harcourt Education

Golygwyd gan: Richard Beatty
Dyluniwyd gan: Bridge Creative Services
Darluniau a chysodi: Tech-set Cyf.
Darluniau gwreiddiol: © Harcourt Education Cyf.

Argraffwyd yn China gan China Translation & Printing Services

Cyhoeddwyd gan y Ganolfan Astudiaethau Addysg (CAA), Prifysgol Cymru Aberystwyth, Yr Hen Goleg, Aberystwyth, SY23 2AX (http://www.caa.aber.ac.uk). Noddwyd gan Lywodraeth Cynulliad Cymru.

Cyfieithydd: Ffion Kervegant
Golygydd: Lynwen Rees Jones
Dylunydd: Owain Hammonds
Argraffwyr: Argraffwyr Cambria

Diolch yn fawr i Huw Roberts am ei gymorth a'i arweiniad gwerthfawr.

ISBN 9781-84521-105-9

Cynnwys

Gair am y llyfr hwn

Cynlluniwyd y llyfr hwn i'ch paratoi yn drwyadl ar gyfer eich arholiad.

Sut y mae defnyddio'r llyfr

Er mwyn eich cynorthwyo i ddefnyddio'r llyfr wrth astudio ac adolygu, defnyddiwch:

- **y lliwiau ymyl** – mae gan bob pennod ei lliw ei hun. Mae hyn yn eich helpu i ddarganfod yr adran gywir yn gyflym.
- **y rhestr gynnwys** – mae hon yn rhestru'r penawdau sy'n nodi prif syniadau'r maes llafur a drafodir yn y llyfr, fel y gallwch ddod o hyd iddynt yn syth. Mae'r rhestr gynnwys fanwl yn dangos pa rannau o'r maes llafur sy'n cael eu trafod ym mhob adran.
- **y mynegai** – yma rhestrir y penawdau sy'n nodi prif syniadau'r maes llafur a drafodir yn y llyfr hwn, fel y gallwch eu darganfod yn syth.

Sut y trefnwyd yr adrannau

- Mae pob adran (e.e. 1.1, 1.2) yn dechrau â gosodiad. Mae'r gosodiad yn dweud wrthych beth a drafodir yn yr adran.

1.3 Gallwch ehangu mynegiad trwy luosi pob term sydd y tu mewn i'r cromfachau â'r term sydd y tu allan.

- Mae rhai adrannau yn cynnwys esboniadau, a fydd yn eich helpu i ddeall y fathemateg sydd y tu ôl i'r cwestiynau sy'n rhaid eu hateb yn yr arholiad.
- Gweithir yr enghreifftiau gam-wrth-gam. Atebion model ydynt, fel y byddech chi'n eu hysgrifennu. Rhoddir awgrymiadau gan arholwyr yn y blychau nodiadau melyn ar ymyl y dudalen.
- Ar ddiwedd pob adran ceir ymarfer gyda digon o gwestiynau i weithio trwyddynt.

Cofio syniadau allweddol

Mae'r prif syniadau y mae angen i chi eu cofio yn cael eu rhestru mewn crynodeb o bwyntiau allweddol ar ddiwedd pob pennod. Gall y gosodiad ar ddechrau adran fod yn bwynt allweddol. Pan fydd pwyntiau allweddol yn ymddangos yn y llyfr, maen nhw'n cael eu nodi fel hyn:

■ Mae ail isradd rhif cysefin yn swrd.

Ymarferion a chwestiynau arholiad

Yn y llyfr hwn mae cwestiynau'n cael eu graddio'n ofalus. Felly maen nhw'n mynd yn fwy anodd er mwyn cyrraedd y safon yn raddol.

- Nodir **hen gwestiynau arholiad** ag [A].
- Mae **ymarferion cymysg** ar ddiwedd pob pennod yn eich helpu i ymarfer ateb cwestiynau ar yr holl bynciau a drafodwyd yn y bennod.
- **Papur arholiad enghreifftiol.** Pwrpas hwn yw eich helpu i baratoi at yr arholiad ei hun.
- Ceir **atebion** ar ddiwedd y llyfr – defnyddiwch yr atebion i wirio'ch gwaith.

1 Algebra a ffwythiannau

Mae'r bennod hon yn dangos i chi sut i wneud rhannu algebraidd a defnyddio theorem y gweddill a theorem y ffactor.

1.1 Gallwch symleiddio ffracsiynau algebraidd drwy rannu.

Enghraifft 1

Symleiddiwch y ffracsiynau hyn:

a $\dfrac{7x^4 - 2x^3 + 6x}{x}$
b $\dfrac{5x^2 - 6}{2x}$
c $\dfrac{3x^5 - 4x^2}{-3x}$

a $\dfrac{7x^4 - 2x^3 + 6x}{x}$

$= \dfrac{7x^4}{x} - \dfrac{2x^3}{x} + \dfrac{6x}{x}$ ———————————— Rhannwch bob term sydd ar ben y ffracsiwn ag x.

Symleiddiwch y ffracsiynau unigol pan fo hynny'n bosibl, fel bod:

① $\dfrac{7x^4}{x} = 7 \times \dfrac{x^4}{x}$

$= 7 \times x^{4-1}$

$= 7x^3$

② $\dfrac{2x^3}{x} = 2 \times \dfrac{x^3}{x}$

$= 2 \times x^{3-1}$

$= 2x^2$

③ $\dfrac{6x}{x} = 6 \times \dfrac{x}{x}$

$= 6 \times x^{1-1}$

$= 6x^0$

$= 6$ ———————————— Cofiwch fod $x^0 = 1$.

Felly mae $\dfrac{7x^4 - 2x^3 + 6x}{x} = 7x^3 - 2x^2 + 6$.

b $\dfrac{5x^2 - 6}{2x}$

$= \dfrac{5x^2}{2x} - \dfrac{6}{2x}$ •——————— Rhannwch bob term ar ben y ffracsiwn â $2x$.

Symleiddiwch y ffracsiynau, fel bod:

① $\dfrac{5x^2}{2x} = \dfrac{5}{2} \times \dfrac{x^2}{x}$

$= \dfrac{5}{2} \times x^{2-1}$

$= \dfrac{5}{2}x$ •——————— Cofiwch fod $x^1 = x$ a hefyd $\dfrac{5}{2}x = \dfrac{5x}{2}$.

② $-\dfrac{6}{2x} = -\dfrac{3}{x}$

Felly mae $\dfrac{5x^2 - 6}{2x} = \dfrac{5x}{2} - \dfrac{3}{x}$.

c $\dfrac{3x^5 - 4x^2}{-3x}$

$= \dfrac{3x^5}{-3x} - \dfrac{4x^2}{-3x}$ •——————— Rhannwch bob term ar ben y ffracsiwn â $-3x$.

Symleiddiwch y ffracsiynau, fel bod:

① $\dfrac{3x^5}{-3x} = \dfrac{3}{-3} \times \dfrac{x^5}{x}$

$= -1 \times x^{5-1}$

$= -x^4$

② $\dfrac{-4x^2}{-3x} = \dfrac{-4}{-3} \times \dfrac{x^2}{x}$

$= \dfrac{4}{3} \times x^{2-1}$ •——————— Mae minws wedi ei rannu â minws yn rhoi plws.

$= \dfrac{4}{3}x$

Felly mae $\dfrac{3x^5 - 4x^2}{-3x} = -x^4 + \dfrac{4x}{3}$. •——————— $\dfrac{4}{3}x = \dfrac{4x}{3}$

Enghraifft 2

Symleiddiwch y ffracsiynau hyn drwy ffactorio:

a $\dfrac{(x+7)(2x-1)}{(2x-1)}$ **b** $\dfrac{x^2+7x+12}{(x+3)}$ **c** $\dfrac{x^2+6x+5}{x^2+3x-10}$ **ch** $\dfrac{2x^2+11x+12}{(x+3)(x+4)}$

a $\dfrac{(x+7)(2x-1)}{(2x-1)}$

$= x+7$

Symleiddiwch drwy rannu pen a gwaelod y ffracsiwn â $(2x-1)$.

b $\dfrac{x^2+7x+12}{(x+3)}$

$= \dfrac{(x+3)(x+4)}{(x+3)}$

$= x+4$

Ffactoriwch $x^2+7x+12$:
$(+3) \times (+4) = +12$
$(+3) + (+4) = +7$
Felly mae $x^2+7x+12 = (x+3)(x+4)$.

Rhannwch y pen a'r gwaelod ag $(x+3)$.

c $\dfrac{x^2+6x+5}{x^2+3x-10}$

$= \dfrac{(x+5)(x+1)}{(x+5)(x-2)}$

$= \dfrac{x+1}{x-2}$

Ffactoriwch x^2+6x+5:
$(+5) \times (+1) = +5$
$(+5) + (+1) = +6$
Felly mae $x^2+6x+5 = (x+5)(x+1)$.

Ffactoriwch $x^2+3x-10$:
$(+5) \times (-2) = -10$
$(+5) + (-2) = +3$
Felly mae $x^2+3x-10 = (x+5)(x-2)$.

Rhannwch y pen a'r gwaelod ag $(x+5)$.

ch Ffactoriwch $2x^2+11x+12$:

$2 \times +12 = +24$

ac mae $(+3) \times (+8) = +24$

$\qquad (+3) + (+8) = +11$

Felly mae $2x^2+11x+12 = 2x^2+3x+8x+12$

$\qquad\qquad\qquad = x(2x+3) + 4(2x+3)$

$\qquad\qquad\qquad = (2x+3)(x+4)$.

Felly mae $\dfrac{2x^2+11x+12}{(x+3)(x+4)}$

$= \dfrac{(2x+3)(x+4)}{(x+3)(x+4)}$

$= \dfrac{2x+3}{x+3}$

Rhannwch y pen a'r gwaelod ag $(x+4)$.

Ymarfer 1A

1 Symleiddiwch y ffracsiynau hyn:

a $\dfrac{4x^4 + 5x^2 - 7x}{x}$

b $\dfrac{7x^8 - 5x^5 + 9x^3 + x^2}{x}$

c $\dfrac{-2x^3 + x}{x}$

ch $\dfrac{-x^4 + 4x^2 + 6}{x}$

d $\dfrac{7x^5 - x^3 - 4}{x}$

dd $\dfrac{8x^4 - 4x^3 + 6x}{2x}$

e $\dfrac{9x^2 - 12x^3 - 3x}{3x}$

f $\dfrac{8x^5 - 2x^3}{4x}$

ff $\dfrac{7x^3 - x^4 - 2}{5x}$

g $\dfrac{-4x^2 + 6x^4 - 2x}{-2x}$

ng $\dfrac{-x^8 + 9x^4 + 6}{-2x}$

h $\dfrac{-9x^9 - 6x^4 - 2}{-3x}$

2 Symleiddiwch y ffracsiynau hyn i'r eithaf:

a $\dfrac{(x + 3)(x - 2)}{(x - 2)}$

b $\dfrac{(x + 4)(3x - 1)}{(3x - 1)}$

c $\dfrac{(x + 3)^2}{(x + 3)}$

ch $\dfrac{x^2 + 10x + 21}{(x + 3)}$

d $\dfrac{x^2 + 9x + 20}{(x + 4)}$

dd $\dfrac{x^2 + x - 12}{(x - 3)}$

e $\dfrac{x^2 + x - 20}{x^2 + 2x - 15}$

f $\dfrac{x^2 + 3x + 2}{x^2 + 5x + 4}$

ff $\dfrac{x^2 + x - 12}{x^2 - 9x + 18}$

g $\dfrac{2x^2 + 7x + 6}{(x - 5)(x + 2)}$

ng $\dfrac{2x^2 + 9x - 18}{(x + 6)(x + 1)}$

h $\dfrac{3x^2 - 7x + 2}{(3x - 1)(x + 2)}$

i $\dfrac{2x^2 + 3x + 1}{x^2 - x - 2}$

j $\dfrac{x^2 + 6x + 8}{3x^2 + 7x + 2}$

l $\dfrac{2x^2 - 5x - 3}{2x^2 - 9x + 9}$

1.2 Gallwch rannu polynomial ag $(x \pm p)$.

Enghraifft 3

Rhannwch $x^3 + 2x^2 - 17x + 6$ ag $(x - 3)$.

①

$$
\begin{array}{r}
x^2 \\
x - 3 \overline{)x^3 + 2x^2 - 17x + 6} \\
\underline{x^3 - 3x^2} \\
5x^2 - 17x
\end{array}
$$

Dechreuwch drwy rannu term cyntaf y polynomial ag x, fel bod $x^3 \div x = x^2$.

Yna lluoswch $(x - 3)$ ag x^2, fel bod $x^2 \times (x - 3) = x^3 - 3x^2$.

Nawr tynnwch, fel bod $(x^3 + 2x^2) - (x^3 - 3x^2) = 5x^2$.

Yn olaf copïwch $-17x$.

②

$$
\begin{array}{r}
x^2 + 5x \\
x - 3 \overline{)x^3 + 2x^2 - 17x + 6} \\
\underline{x^3 - 3x^2} \\
5x^2 - 17x \\
\underline{5x^2 - 15x} \\
-2x + 6
\end{array}
$$

Ailadroddwch y dull. Rhannwch $5x^2$ ag x, fel bod $5x^2 \div x = 5x$.

Lluoswch $(x - 3)$ â $5x$, fel bod $5x \times (x - 3) = 5x^2 - 15x$.

Tynnwch, fel bod $(5x^2 - 17x) - (5x^2 - 15x) = -2x$.

Copïwch 6.

③

$$
\begin{array}{r}
x^2 + 5x - 2 \\
x - 3 \overline{)x^3 + 2x^2 - 17x + 6} \\
\underline{x^3 - 3x^2} \\
5x^2 - 17x \\
\underline{5x^2 - 15x} \\
-2x + 6 \\
\underline{-2x + 6} \\
0
\end{array}
$$

Ailadroddwch y dull. Rhannwch $-2x$ ag x, fel bod $-2x \div x = -2$.

Lluoswch $(x - 3)$ â -2, fel bod $-2 \times (x - 3) = -2x + 6$.

Tynnwch, fel bod $(-2x + 6) - (-2x + 6) = 0$.

Nid oes rhifau ar ôl i'w copïo, felly rydych wedi gorffen.

Felly mae $x^3 + 2x^2 - 17x + 6 \div (x - 3) =$
$x^2 + 5x - 2$.

Yr enw ar hwn yw cyniferydd.

Enghraifft 4

Rhannwch $6x^3 + 28x^2 - 7x + 15$ ag $(x + 5)$.

①

$$\begin{array}{r} 6x^2 \\ x + 5 \overline{)6x^3 + 28x^2 - 7x + 15} \\ \underline{6x^3 + 30x^2} \\ -2x^2 - 7x \end{array}$$

Dechreuwch drwy rannu term cyntaf y polynomial ag x, fel bod $6x^3 \div x = 6x^2$.

Yna lluoswch $(x + 5)$ â $6x^2$, fel bod $6x^2 \times (x + 5) = 6x^3 + 30x^2$.

Yna tynnwch, fel bod $(6x^3 + 28x^2) - (6x^3 + 30x^2) = -2x^2$.

Yn olaf copïwch $-7x$.

②

$$\begin{array}{r} 6x^2 - 2x \\ x + 5 \overline{)6x^3 + 28x^2 - 7x + 15} \\ \underline{6x^3 + 30x^2} \\ -2x^2 - 7x \\ \underline{-2x^2 - 10x} \\ 3x + 15 \end{array}$$

Ailadroddwch y dull. Rhannwch $-2x^2$ ag x, fel bod $-2x^2 \div x = -2x$.

Lluoswch $(x + 5)$ â $-2x$, fel bod $-2x \times (x + 5) = -2x^2 - 10x$.

Tynnwch, fel bod $(-2x^2 - 7x) - (-2x^2 - 10x) = 3x$.

Copïwch 15.

③

$$\begin{array}{r} 6x^2 - 2x + 3 \\ x + 5 \overline{)6x^3 + 28x^2 - 7x + 15} \\ \underline{6x^3 + 30x^2} \\ -2x^2 - 7x \\ \underline{-2x^2 - 10x} \\ 3x + 15 \\ \underline{3x + 15} \\ 0 \end{array}$$

Ailadroddwch y dull. Rhannwch $3x$ ag x, fel bod $3x \div x = 3$.

Lluoswch $(x + 5)$ â 3, fel bod $3 \times (x + 5) = 3x + 15$.

Tynnwch, fel bod $(3x + 15) - (3x + 15) = 0$.

Felly mae $6x^3 + 28x^2 - 7x + 15 \div (x + 5) = 6x^2 - 2x + 3$.

Enghraifft 5

Rhannwch $-3x^4 + 8x^3 - 8x^2 + 13x - 10$ ag $(x - 2)$.

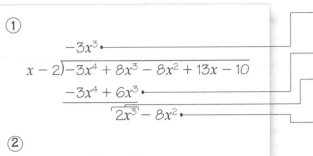

①

$$
\begin{array}{r}
-3x^3 \\
x - 2\overline{)-3x^4 + 8x^3 - 8x^2 + 13x - 10} \\
\underline{-3x^4 + 6x^3 } \\
2x^3 - 8x^2
\end{array}
$$

Yn gyntaf, rhannwch derm cyntaf y polynomial ag x, fel bod $-3x^4 \div x = -3x^3$.

Yna lluoswch $(x - 2)$ â $-3x^3$, fel bod $-3x^3 \times (x - 2) = -3x^4 + 6x^3$.

Nawr tynnwch, fel bod $(-3x^4 + 8x^3) - (-3x^4 + 6x^3) = 2x^3$.

Copïwch $-8x^2$.

②

$$
\begin{array}{r}
-3x^3 + 2x^2 \\
x - 2\overline{)-3x^4 + 8x^3 - 8x^2 + 13x - 10} \\
\underline{-3x^4 + 6x^3 } \\
2x^3 - 8x^2 \\
\underline{2x^3 - 4x^2 } \\
-4x^2 + 13x
\end{array}
$$

Ailadroddwch y dull. Rhannwch $2x^3$ ag x, fel bod $2x^3 \div x = 2x^2$.

Lluoswch $(x - 2)$ â $2x^2$, fel bod $2x^2 \times (x - 2) = 2x^3 - 4x^2$.

Tynnwch, fel bod $(2x^3 - 8x^2) - (2x^3 - 4x^2) = -4x^2$.

Copïwch $13x$.

③

$$
\begin{array}{r}
-3x^3 + 2x^2 - 4x \\
x - 2\overline{)-3x^4 + 8x^3 - 8x^2 + 13x - 10} \\
\underline{-3x^4 + 6x^3 } \\
2x^3 - 8x^2 \\
\underline{2x^3 - 4x^2 } \\
-4x^2 + 13x \\
\underline{-4x^2 + 8x } \\
5x - 10
\end{array}
$$

Ailadroddwch y dull. Rhannwch $-4x^2$ ag x, fel bod $-4x^2 \div x = -4x$.

Lluoswch $(x - 2)$ â $-4x$, fel bod $-4x \times (x - 2) = -4x^2 + 8x$.

Tynnwch, fel bod $(-4x^2 + 13x) - (-4x^2 + 8x) = 5x$.

Copïwch -10.

④

$$
\begin{array}{r}
-3x^3 + 2x^2 - 4x + 5 \\
x - 2\overline{)-3x^4 + 8x^3 - 8x^2 + 13x - 10} \\
\underline{-3x^4 + 6x^3 } \\
2x^3 - 8x^2 \\
\underline{2x^3 - 4x^2 } \\
-4x^2 + 13x \\
\underline{-4x^2 + 8x } \\
5x - 10 \\
\underline{5x - 10} \\
0
\end{array}
$$

Ailadroddwch y dull. Rhannwch $5x$ ag x, fel bod $5x \div x = 5$.

Lluoswch $(x - 2)$ â 5 fel bod $5 \times (x - 2) = 5x - 10$.

Tynnwch, fel bod $(5x - 10) - (5x - 10) = 0$.

Felly mae $-3x^4 + 8x^3 - 8x^2 + 13x - 10 \div (x - 2)$

$= -3x^3 + 2x^2 - 4x + 5.$

Ymarfer 1B

1 Rhannwch:

a $x^3 + 6x^2 + 8x + 3$ ag $(x + 1)$ **b** $x^3 + 10x^2 + 25x + 4$ ag $(x + 4)$

c $x^3 + 7x^2 - 3x - 54$ ag $(x + 6)$ **ch** $x^3 + 9x^2 + 18x - 10$ ag $(x + 5)$

d $x^3 - x^2 + x + 14$ ag $(x + 2)$ **dd** $x^3 + x^2 - 7x - 15$ ag $(x - 3)$

e $x^3 - 5x^2 + 8x - 4$ ag $(x - 2)$ **f** $x^3 - 3x^2 + 8x - 6$ ag $(x - 1)$

ff $x^3 - 8x^2 + 13x + 10$ ag $(x - 5)$ **g** $x^3 - 5x^2 - 6x - 56$ ag $(x - 7)$

2 Rhannwch:

a $6x^3 + 27x^2 + 14x + 8$ ag $(x + 4)$ **b** $4x^3 + 9x^2 - 3x - 10$ ag $(x + 2)$

c $3x^3 - 10x^2 - 10x + 8$ ag $(x - 4)$ **ch** $3x^3 - 5x^2 - 4x - 24$ ag $(x - 3)$

d $2x^3 + 4x^2 - 9x - 9$ ag $(x + 3)$ **dd** $2x^3 - 15x^2 + 14x + 24$ ag $(x - 6)$

e $-3x^3 + 2x^2 - 2x - 7$ ag $(x + 1)$ **f** $-2x^3 + 5x^2 + 17x - 20$ ag $(x - 4)$

ff $-5x^3 - 27x^2 + 23x + 30$ ag $(x + 6)$ **g** $-4x^3 + 9x^2 - 3x + 2$ ag $(x - 2)$

3 Rhannwch:

a $x^4 + 5x^3 + 2x^2 - 7x + 2$ ag $(x + 2)$

b $x^4 + 11x^3 + 25x^2 - 29x - 20$ ag $(x + 5)$

c $4x^4 + 14x^3 + 3x^2 - 14x - 15$ ag $(x + 3)$

ch $3x^4 - 7x^3 - 23x^2 + 14x - 8$ ag $(x - 4)$

d $-3x^4 + 9x^3 - 10x^2 + x + 14$ ag $(x - 2)$

dd $3x^5 + 17x^4 + 2x^3 - 38x^2 + 5x - 25$ ag $(x + 5)$

e $6x^5 - 19x^4 + x^3 + x^2 + 13x + 6$ ag $(x - 3)$

f $-5x^5 + 7x^4 + 2x^3 - 7x^2 + 10x - 7$ ag $(x - 1)$

ff $2x^6 - 11x^5 + 14x^4 - 16x^3 + 36x^2 - 10x - 24$ ag $(x - 4)$

g $-x^6 + 4x^5 - 4x^4 + 4x^3 - 5x^2 + 7x - 3$ ag $(x - 3)$

Enghraifft 6

Rhannwch $x^3 - 3x - 2$ ag $(x - 2)$.

$$
\begin{array}{r}
x^2 + 2x + 1 \\
x - 2 \overline{) x^3 + 0x^2 - 3x - 2} \\
\underline{x^3 - 2x^2} \\
2x^2 - 3x \\
\underline{2x^2 - 4x} \\
x - 2 \\
\underline{x - 2} \\
0
\end{array}
$$

Defnyddiwch $0x^2$ fel bod y gwaith cyfrifo yn cael ei osod yn y drefn gywir.

Tynnwch, fel bod $(x^3 + 0x^2) - (x^3 - 2x^2) = 2x^2$.

Gelwir y rhif sydd dros ben ar ôl rhannu yn **weddill**. Yn yr achos hwn mae'r gweddill = 0, felly mae $(x - 2)$ yn **ffactor** o $x^3 - 3x - 2$.

Felly mae $x^3 - 3x - 2 \div (x - 2) = x^2 + 2x + 1$.

$x^2 + 2x + 1$ yw'r **cyniferydd**.

Enghraifft 7

Rhannwch $3x^3 - 3x^2 - 4x + 4$ ag $(x - 1)$.

$$\begin{array}{r} 3x^2 \qquad - 4 \\ x - 1\overline{)3x^3 - 3x^2 - 4x + 4} \\ \underline{3x^3 - 3x^2} \\ 0 - 4x + 4 \\ \underline{-4x + 4} \\ 0 \end{array}$$

Rhannwch $-4x$ ag x, fel bod $-4x \div x = -4$.

Tynnwch, fel bod $(3x^3 - 3x^2) - (3x^3 - 3x^2) = 0$.

Copïwch $-4x$ a 4.

Felly mae $x^3 - 3x^2 - 4x + 4 \div (x - 1) = 3x^2 - 4$.

Enghraifft 8

Darganfyddwch y gweddill wrth rannu $2x^3 - 5x^2 - 16x + 10$ ag $(x - 4)$.

$$\begin{array}{r} 2x^2 + 3x - 4 \\ x - 4\overline{)2x^3 - 5x^2 - 16x + 10} \\ \underline{2x^3 - 8x^2} \\ 3x^2 - 16x \\ \underline{3x^2 - 12x} \\ -4x + 10 \\ \underline{-4x + 16} \\ -6 \end{array}$$

Nid yw $(x - 4)$ yn ffactor o $2x^3 - 5x^2 - 16x + 10$ gan fod y gweddill $\neq 0$.

Felly mae'r gweddill yn -6.

Ymarfer 1C

1 Rhannwch:
  a $x^3 + x + 10$ ag $(x + 2)$
  b $2x^3 - 17x + 3$ ag $(x + 3)$
  c $-3x^3 + 50x - 8$ ag $(x - 4)$

2 Rhannwch:
  a $x^3 + x^2 - 36$ ag $(x - 3)$
  b $2x^3 + 9x^2 + 25$ ag $(x + 5)$
  c $-3x^3 + 11x^2 - 20$ ag $(x - 2)$

Awgrym ar gyfer cwestiwn 2: Defnyddiwch $0x$.

3 Rhannwch:

   a $x^3 + 2x^2 - 5x - 10$ ag $(x + 2)$

   b $2x^3 - 6x^2 + 7x - 21$ ag $(x - 3)$

   c $-3x^3 + 21x^2 - 4x + 28$ ag $(x - 7)$

4 Darganfyddwch y gweddill wrth rannu:

   a $x^3 + 4x^2 - 3x + 2$ ag $(x + 5)$

   b $3x^3 - 20x^2 + 10x + 5$ ag $(x - 6)$

   c $-2x^3 + 3x^2 + 12x + 20$ ag $(x - 4)$

5 Pan yw $3x^3 - 2x^2 + 4$ yn cael ei rannu ag $(x - 1)$ dangoswch fod y gweddill yn 5.

6 Pan yw $3x^4 - 8x^3 + 10x^2 - 3x - 25$ yn cael ei rannu ag $(x + 1)$ dangoswch fod y gweddill yn -1.

7 Dangoswch fod $(x + 4)$ yn ffactor o $5x^3 - 73x + 28$.

8 Symleiddiwch $\dfrac{3x^3 - 8x - 8}{x - 2}$.

> **Awgrym ar gyfer cwestiwn 8:** Rhannwch $3x^3 - 8x - 8$ ag $(x - 2)$.

9 Rhannwch $x^3 - 1$ ag $(x - 1)$.

10 Rhannwch $x^4 - 16$ ag $(x + 2)$.

> **Awgrym ar gyfer cwestiwn 9:** Defnyddiwch $0x^2$ a $0x$.

1.3 Gallwch ffactorio polynomial drwy ddefnyddio theorem y ffactor:
Os yw f(x) yn bolynomial ac f$(p) = 0$, yna mae $x - p$ yn ffactor o f(x).

Enghraifft 9

Dangoswch fod $(x - 2)$ yn ffactor o $x^3 + x^2 - 4x - 4$ drwy ddefnyddio:

a rhannu algebraidd

b theorem y ffactor

a
$$
\begin{array}{r}
x^2 + 3x + 2 \\
x - 2{\overline{)x^3 + x^2 - 4x - 4}} \\
\underline{x^3 - 2x^2} \\
3x^2 - 4x \\
\underline{3x^2 - 6x} \\
2x - 4 \\
\underline{2x - 4} \\
0
\end{array}
$$

Rhannwch $x^3 + x^2 - 4x - 4$ ag $(x - 2)$.

Gweddill $= 0$, felly mae $(x - 2)$ yn ffactor o $x^3 + x^2 - 4x - 4$.

Felly mae $(x - 2)$ yn ffactor o $x^3 + x^2 - 4x - 4$.

b $f(x) = x^3 + x^2 - 4x - 4$ ●——————— Ysgrifennwch y polynomial ar ffurf ffwythiant.

   $f(2) = (2)^3 + (2)^2 - 4(2) - 4$ ●——— Rhowch 2 yn lle x yn y polynomial.

      $= 8 + 4 - 8 - 4$

      $= 0$

Defnyddiwch theorem y ffactor:
Os yw $f(p) = 0$, yna mae $x - p$ yn ffactor o $f(x)$.
Yma mae $p = 2$, felly mae $(x - 2)$ yn ffactor o
$x^3 + x^2 - 4x - 4$.

Felly mae $(x - 2)$ yn ffactor o
$x^3 + x^2 - 4x - 4$.

Enghraifft 10

Ffactoriwch $2x^3 + x^2 - 18x - 9$.

$f(x) = 2x^3 + x^2 - 18x - 9$ ●——————— Ysgrifennwch y polynomial ar ffurf ffwythiant.

$f(-1) = 2(-1)^3 + (-1)^2 - 18(-1) - 9 = 8$
$f(1) = 2(1)^3 + (1)^2 - 18(1) - 9 = -24$
$f(2) = 2(2)^3 + (2)^2 - 18(2) - 9 = -25$
$f(3) = 2(3)^3 + (3)^2 - 18(3) - 9 = 0$

Rhowch gynnig ar werthoedd x, e.e. -1, 1,
2, 3, ... nes byddwch yn darganfod $f(p) = 0$.

$f(p) = 0$.

Felly mae $(x - 3)$ yn ffactor o
$2x^3 + x^2 - 18x - 9$. ●———

Defnyddiwch theorem y ffactor:
Os yw $f(p) = 0$, yna mae $x - p$ yn ffactor o
$f(x)$. Yma mae $p = 3$.

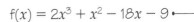

$$\begin{array}{r} 2x^2 + 7x + 3 \\ x - 3 \overline{)\,2x^3 + x^2 - 18x - 9} \\ \underline{2x^3 - 6x^2} \\ 7x^2 - 18x \\ \underline{7x^2 - 21x} \\ 3x - 9 \\ \underline{3x - 9} \\ 0 \end{array}$$

Rhannwch $2x^3 + x^2 - 18x - 9$ ag $(x - 3)$.

Gallwch wirio'r rhannu yma:
Mae $(x - 3)$ yn ffactor o $2x^3 + x^2 - 18x - 9$,
felly mae'n rhaid bod y gweddill $= 0$.

$2x^3 + x^2 - 18x - 9 = (x - 3)(2x^2 + 7x + 3)$ ●——— Gellir ffactorio $2x^2 + 7x + 3$ hefyd.

      $= (x - 3)(2x + 1)(x + 3)$

Enghraifft 11

O wybod bod $(x + 1)$ yn ffactor o $4x^4 - 3x^2 + a$, darganfyddwch werth a.

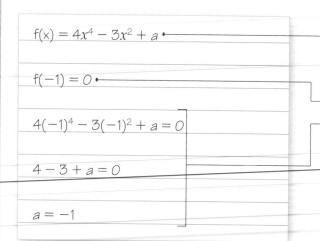

$f(x) = 4x^4 - 3x^2 + a$ —— Ysgrifennwch y polynomial ar ffurf ffwythiant.

$f(-1) = 0$ —— Defnyddiwch theorem y ffactor o chwith: Mae $x - p$ yn ffactor o $f(x)$, felly mae $f(p) = 0$. Yma mae $p = -1$.

$4(-1)^4 - 3(-1)^2 + a = 0$ —— Rhowch -1 yn lle x a datryswch yr hafaliad i ddarganfod a.

$4 - 3 + a = 0$ —— Cofiwch fod $(-1)^4 = 1$

$a = -1$

Enghraifft 12

Dangoswch, os yw $(x - p)$ yn ffactor o $f(x)$, fod $f(p) = 0$.

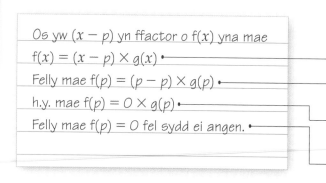

Os yw $(x - p)$ yn ffactor o $f(x)$ yna mae

$f(x) = (x - p) \times g(x)$ —— Mae $g(x)$ yn fynegiad polynomaidd.

Felly mae $f(p) = (p - p) \times g(p)$ —— Rhowch p yn lle x.

h.y. mae $f(p) = 0 \times g(p)$ —— $p - p = 0$

Felly mae $f(p) = 0$ fel sydd ei angen. —— Cofiwch fod $0 \times unrhyw\ beth = 0$.

Ymarfer 1Ch

1 Defnyddiwch theorem y ffactor i ddangos:
  a bod $(x - 1)$ yn ffactor o $4x^3 - 3x^2 - 1$
  b bod $(x + 3)$ yn ffactor o $5x^4 - 45x^2 - 6x - 18$
  c bod $(x - 4)$ yn ffactor o $-3x^3 + 13x^2 - 6x + 8$

2 Dangoswch fod $(x - 1)$ yn ffactor o $x^3 + 6x^2 + 5x - 12$ a, thrwy wneud hyn, ffactoriwch y mynegiad yn llwyr.

3 Dangoswch fod $(x + 1)$ yn ffactor o $x^3 + 3x^2 - 33x - 35$ a, thrwy wneud hyn, ffactoriwch y mynegiad yn llwyr.

4 Dangoswch fod $(x - 5)$ yn ffactor o $x^3 - 7x^2 + 2x + 40$ a, thrwy wneud hyn, ffactoriwch y mynegiad yn llwyr.

5 Dangoswch fod $(x - 2)$ yn ffactor o $2x^3 + 3x^2 - 18x + 8$ a, thrwy wneud hyn, ffactoriwch y mynegiad yn llwyr.

6 Mae gan bob un o'r mynegiadau hyn ffactor $(x \pm p)$. Darganfyddwch werth p a, thrwy wneud hyn, ffactoriwch y mynegiad yn llwyr.

    a $x^3 - 10x^2 + 19x + 30$ **b** $x^3 + x^2 - 4x - 4$ **c** $x^3 - 4x^2 - 11x + 30$

7 Ffactoriwch y canlynol:

    a $2x^3 + 5x^2 - 4x - 3$ **b** $2x^3 - 17x^2 + 38x - 15$

    c $3x^3 + 8x^2 + 3x - 2$ **ch** $6x^3 + 11x^2 - 3x - 2$

    d $4x^3 - 12x^2 - 7x + 30$

8 O wybod bod $(x - 1)$ yn ffactor o $5x^3 - 9x^2 + 2x + a$, darganfyddwch werth a.

9 O wybod bod $(x + 3)$ yn ffactor o $6x^3 - bx^2 + 18$, darganfyddwch werth b.

10 O wybod bod $(x - 1)$ ac $(x + 1)$ yn ffactorau o $px^3 + qx^2 - 3x - 7$, darganfyddwch werth p a q.

> **Awgrym ar gyfer cwestiwn 10:** Datryswch hafaliadau cydamserol.

1.4 **Gallwch ddarganfod y gweddill wrth rannu polynomial ag $(ax - b)$ drwy ddefnyddio theorem y gweddill:**
Os yw polynomial f(x) yn cael ei rannu ag $(ax - b)$ yna mae'r gweddill yn f$\left(\dfrac{b}{a}\right)$.

Enghraifft 13

Darganfyddwch y gweddill pan yw $x^3 - 20x + 3$ yn cael ei rannu ag $(x - 4)$ gan ddefnyddio:
a rhannu algebraidd   **b** theorem y gweddill

a

$$
\begin{array}{r}
x^2 + 4x - 4 \\
x - 4 \overline{)\, x^3 + 0x^2 - 20x + 3} \\
\underline{x^3 - 4x^2} \\
4x^2 - 20x \\
\underline{4x^2 - 16x} \\
-4x + 3 \\
\underline{-4x + 16} \\
-13
\end{array}
$$

Rhannwch $x^3 - 20x + 3$ ag $(x - 4)$.
Cofiwch ddefnyddio $0x^2$.

Mae'r gweddill yn -13.

b $f(x) = x^3 - 20x + 3$ ——————— Ysgrifennwch y polynomial ar ffurf ffwythiant.

Defnyddiwch theorem y gweddill: Os yw f(x) yn cael ei rannu ag ($ax - b$), yna mae'r gweddill yn $f\left(\dfrac{b}{a}\right)$.

$f(4) = (4)^3 - 20(4) + 3$ ——————— Cymharwch ($x - 4$) ag ($ax - b$), felly mae $a = 1$, $b = 4$ ac mae'r gweddill yn $f\left(\dfrac{4}{1}\right)$, h.y. f(4).

$= 64 - 80 + 3$

$= -13$

Defnyddiwch $x = 4$.

Mae'r gweddill yn -13.

Enghraifft **14**

Wrth rannu $8x^4 - 4x^3 + ax^2 - 1$ â ($2x + 1$) mae'r gweddill yn 3. Darganfyddwch werth a.

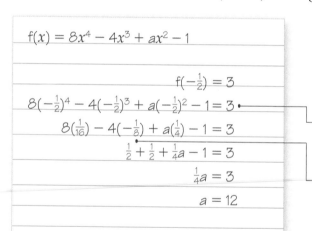

$f(x) = 8x^4 - 4x^3 + ax^2 - 1$

$f\left(-\tfrac{1}{2}\right) = 3$

$8\left(-\tfrac{1}{2}\right)^4 - 4\left(-\tfrac{1}{2}\right)^3 + a\left(-\tfrac{1}{2}\right)^2 - 1 = 3$

$8\left(\tfrac{1}{16}\right) - 4\left(-\tfrac{1}{8}\right) + a\left(\tfrac{1}{4}\right) - 1 = 3$

$\tfrac{1}{2} + \tfrac{1}{2} + \tfrac{1}{4}a - 1 = 3$

$\tfrac{1}{4}a = 3$

$a = 12$

Defnyddiwch theorem y gweddill: Os yw f(x) yn cael ei rannu ag ($ax - b$), yna mae'r gweddill yn $f\left(\dfrac{b}{a}\right)$.

Cymharwch ($2x + 1$) ag ($ax - b$), felly mae $a = 2, b = -1$ a'r gweddill yn $f\left(-\tfrac{1}{2}\right)$.

Gan ddefnyddio'r ffaith fod y gweddill yn 3, defnyddiwch $x = -\tfrac{1}{2}$ a datryswch yr hafaliad i ddarganfod a.

$\left(-\tfrac{1}{2}\right)^3 = -\tfrac{1}{2} \times -\tfrac{1}{2} \times -\tfrac{1}{2} = -\tfrac{1}{8}$

Ymarfer **1D**

1 Darganfyddwch y gweddill wrth rannu:

  a $4x^3 - 5x^2 + 7x + 1$ ag ($x - 2$)

  b $2x^5 - 32x^3 + x - 10$ ag ($x - 4$)

  c $-2x^3 + 6x^2 + 5x - 3$ ag ($x + 1$)

  ch $7x^3 + 6x^2 - 45x + 1$ ag ($x + 3$)

  d $4x^4 - 4x^2 + 8x - 1$ â ($2x - 1$)

  dd $243x^4 - 27x^3 - 3x + 7$ â ($3x - 1$)

  e $64x^3 + 32x^2 - 16x + 9$ â ($4x + 1$)

  f $81x^3 - 81x^2 + 9x + 6$ â ($3x - 2$)

  ff $243x^6 - 780x^2 + 6$ â ($3x + 4$)

  g $125x^4 + 5x^3 - 9x$ â ($5x + 3$)

2 Wrth rannu $2x^3 - 3x^2 - 2x + a$ ag $(x - 1)$ mae'r gweddill yn -4. Darganfyddwch werth a.

3 Wrth rannu $-3x^3 + 4x^2 + bx + 6$ ag $(x + 2)$ mae'r gweddill yn 10. Darganfyddwch werth b.

4 Wrth rannu $16x^3 - 32x^2 + cx - 8$ â $(2x - 1)$ mae'r gweddill yn 1. Darganfyddwch werth c.

5 Dangoswch fod $(x - 3)$ yn ffactor o $x^6 - 36x^3 + 243$.

6 Dangoswch fod $(2x - 1)$ yn ffactor o $2x^3 + 17x^2 + 31x - 20$.

7 Mae $f(x) = x^2 + 3x + q$. O wybod bod $f(2) = 3$, darganfyddwch $f(-2)$.

> **Awgrym ar gyfer cwestiwn 7:** Yn gyntaf darganfyddwch q.

8 Mae $g(x) = x^3 + ax^2 + 3x + 6$. O wybod bod $g(-1) = 2$, darganfyddwch y gweddill wrth rannu $g(x)$ â $(3x - 2)$.

9 Mae'r mynegiad $2x^3 - x^2 + ax + b$ yn rhoi gweddill o 14 pan yw'n cael ei rannu ag $(x - 2)$ a gweddill o -86 pan yw'n cael ei rannu ag $(x + 3)$. Darganfyddwch werth a a b.

10 Mae'r mynegiad $3x^3 + 2x^2 - px + q$ yn rhanadwy ag $(x - 1)$ ond mae'n gadael gweddill o 10 pan yw'n cael ei rannu ag $(x + 1)$. Darganfyddwch werth a a b.

> **Awgrym ar gyfer cwestiwn 10:** Datrys hafaliadau cydamserol.

Ymarfer cymysg 1Dd

1 Symleiddiwch y ffracsiynau hyn i'r eithaf.

a $\dfrac{3x^4 - 21x}{3x}$ **b** $\dfrac{x^2 - 2x - 24}{x^2 - 7x + 6}$ **c** $\dfrac{2x^2 + 7x - 4}{2x^2 + 9x + 4}$

2 Rhannwch $3x^3 + 12x^2 + 5x + 20$ ag $(x + 4)$.

3 Symleiddiwch $\dfrac{2x^3 + 3x + 5}{x + 1}$.

4 Dangoswch fod $(x - 3)$ yn ffactor o $2x^3 - 2x^2 - 17x + 15$. Drwy wneud hyn mynegwch $2x^3 - 2x^2 - 17x + 15$ yn y ffurf $(x - 3)(Ax^2 + Bx + C)$, lle mae angen darganfod gwerthoedd A, B ac C.

5 Dangoswch fod $(x - 2)$ yn ffactor o $x^3 + 4x^2 - 3x - 18$. Drwy wneud hyn mynegwch $x^3 + 4x^2 - 3x - 18$ yn y ffurf $(x - 2)(px + q)^2$, lle mae angen darganfod gwerthoedd p a q.

6 Ffactoriwch $2x^3 + 3x^2 - 18x + 8$ yn llwyr.

7 Darganfyddwch werth k os yw $(x - 2)$ yn ffactor o $x^3 - 3x^2 + kx - 10$.

8 Darganfyddwch y gweddill wrth rannu $16x^5 - 20x^4 + 8$ â $(2x - 1)$.

9 Mae $f(x) = 2x^2 + px + q$. O wybod bod $f(-3) = 0$, ac $f(4) = 21$:

    a darganfyddwch werth p a q

    b ffactoriwch $f(x)$

10 Mae $h(x) = x^3 + 4x^2 + rx + s$. O wybod bod $h(-1) = 0$, a $h(2) = 30$:

    a darganfyddwch werth r ac s

    b darganfyddwch y gweddill wrth rannu $h(x)$ â $(3x - 1)$

11 Mae $g(x) = 2x^3 + 9x^2 - 6x - 5$.

    a Ffactoriwch $g(x)$

    b Datryswch $g(x) = 0$

12 Mae'r gweddill a geir wrth rannu $x^3 - 5x^2 + px + 6$ ag $(x + 2)$ yn hafal i'r gweddill a geir wrth rannu yr un mynegiad ag $(x - 3)$.
Darganfyddwch werth p.

13 Mae'r gweddill a geir wrth rannu $x^3 + dx^2 - 5x + 6$ ag $(x - 1)$ yn ddwywaith y gweddill a geir wrth rannu yr un mynegiad ag $(x + 1)$.
Darganfyddwch werth d.

14 **a** Dangoswch fod $(x - 2)$ yn ffactor o $f(x) = x^3 + x^2 - 5x - 2$.

    b Drwy wneud hyn, neu fel arall, darganfyddwch union ddatrysiadau'r hafaliad $f(x) = 0$.   Ⓐ

15 O wybod bod -1 yn wreiddyn i'r hafaliad $2x^3 - 5x^2 - 4x + 3$, darganfyddwch y ddau wreiddyn positif.   Ⓐ

Crynodeb o'r pwyntiau allweddol

1   Os yw f(x) yn bolynomial ac f(a) = 0, yna mae ($x - a$) yn ffactor o f(x).

2   Os yw f(x) yn bolynomial ac f$\left(\dfrac{b}{a}\right)$ = 0, yna mae ($ax - b$) yn ffactor o f(x).

3   Os rhennir polynomial f(x) ag ($ax - b$) yna mae'r gweddill yn f$\left(\dfrac{b}{a}\right)$.

Yn y bennod hon byddwch yn dysgu sut i gyfrifo hyd ochrau, maint onglau ac arwynebedd triongl.

2.1 Dyma'r rheol sin:

$$\frac{a}{\sin A} = \frac{b}{\sin B} = \frac{c}{\sin C} \quad neu \quad \frac{\sin A}{a} = \frac{\sin B}{b} = \frac{\sin C}{c}.$$

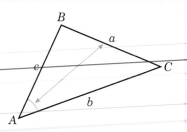

Gallwch ddefnyddio'r rheol sin i ddarganfod hyd anhysbys os gwyddoch beth yw dwy o'r onglau a hyd un o'u hochrau cyferbyn.

• Pan ydych yn darganfod hyd ochr defnyddiwch:

$$\frac{a}{\sin A} = \frac{b}{\sin B} \quad neu \quad \frac{a}{\sin A} = \frac{c}{\sin C} \quad neu \quad \frac{b}{\sin B} = \frac{c}{\sin C}$$

Awgrym: Sylwer bod ochr a gyferbyn ag ongl A.

Enghraifft 1

Yn $\triangle ABC$, mae $AB = 8$ cm, $\angle BAC = 30°$ ac $\angle BCA = 40°$. Darganfyddwch BC.

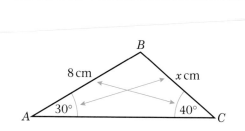

Cofiwch lunio diagram bob tro ac ychwanegwch y data yn ofalus. Yma mae $c = 8$ (cm), $C = 40°$, $A = 30°$, $a = x$ (cm).

Mewn triongl, po fwyaf yw hyd ochr, y mwyaf yw'r ongl gyferbyn. Yma, gan fod $C > A$, yna $c > a$, felly rydych yn gwybod bod $8 > x$.

$$\frac{x}{\sin 30°} = \frac{8}{\sin 40°}.$$

Gan ddefnyddio'r rheol sin, $\dfrac{a}{\sin A} = \dfrac{c}{\sin C}$.

$$\text{Felly mae } x = \frac{8 \sin 30°}{\sin 40°}.$$

Lluoswch bopeth â sin 30°.

$$= 6.22$$

Rhowch ateb i 3 ffigur ystyrlon.

Enghraifft 2

Yn $\triangle PQR$, mae $QR = 8.5$ cm, $\angle QPR = 60°$ ac $\angle PQR = 20°$. Darganfyddwch PQ.

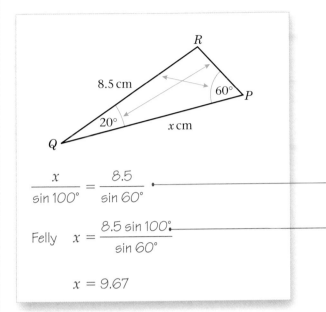

Yma mae $p = 8.5$, $P = 60°$, $Q = 20°$, $r = x$.

I gyfrifo PQ mae arnoch angen $\angle R$.

$R = 180° - (60° + 20°) = 100°$. (Onglau mewn triongl)

Gan fod $100° > 60°$, gwyddoch fod $x > 8.5$.

$$\frac{x}{\sin 100°} = \frac{8.5}{\sin 60°}$$

Gan ddefnyddio'r rheol sin, $\dfrac{r}{\sin R} = \dfrac{p}{\sin P}$.

Felly $x = \dfrac{8.5 \sin 100°}{\sin 60°}$

Lluoswch bopeth â $\sin 100°$.

$x = 9.67$

Enghraifft 3

Profwch y rheol sin yn achos triongl cyffredinol ABC.

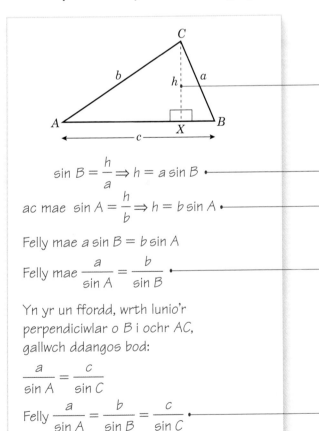

Mewn triongl cyffredinol ABC, lluniwch y perpendicwlar o C i AB.

Mae'n cyfarfod AB yn X.

Mae hyd CX yn h.

$\sin B = \dfrac{h}{a} \Rightarrow h = a \sin B$

Defnyddiwch y gymhareb sin yn nhriongl CBX.

ac mae $\sin A = \dfrac{h}{b} \Rightarrow h = b \sin A$

Defnyddiwch y gymhareb sin yn nhriongl CAX.

Felly mae $a \sin B = b \sin A$

Felly mae $\dfrac{a}{\sin A} = \dfrac{b}{\sin B}$

Rhannwch bopeth â $\sin A \sin B$.

Yn yr un ffordd, wrth lunio'r perpendiciwlar o B i ochr AC, gallwch ddangos bod:

$\dfrac{a}{\sin A} = \dfrac{c}{\sin C}$

Felly $\dfrac{a}{\sin A} = \dfrac{b}{\sin B} = \dfrac{c}{\sin C}$

Dyma'r rheol sin ac mae'n wir yn achos pob triongl.

Ymarfer 2A (Rhowch atebion i 3 ffigur ystyrlon.)

1 Ym mhob rhan, **a** i **ch**, mae'r gwerthoedd a roddir yn cyfeirio at y triongl cyffredinol:

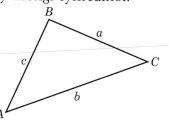

   a O wybod bod $a = 8$ cm, $A = 30°$, $B = 72°$, darganfyddwch b.

   b O wybod bod $a = 24$ cm, $A = 110°$, $C = 22°$, darganfyddwch c.

   c O wybod bod $b = 14.7$ cm, $A = 30°$, $C = 95°$, darganfyddwch a.

   ch O wybod bod $c = 9.8$ cm, $B = 68.4°$, $C = 83.7°$, darganfyddwch a.

2 Ym mhob un o'r trionglau canlynol cyfrifwch werthoedd x ac y.

a
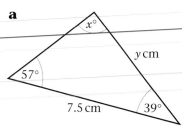

b
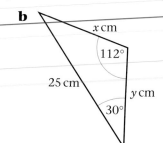

c
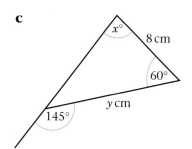

ch
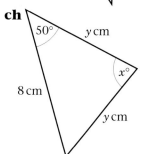

d
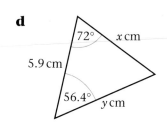

dd
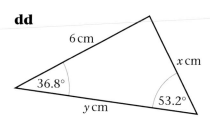

3 Yn $\triangle PQR$, mae $QR = \sqrt{3}$ cm, $\angle PQR = 45°$ ac $\angle QPR = 60°$. Darganfyddwch **a** PR a **b** PQ.

4 Mae tref B 6 km, ar gyfeiriant 020°, o dref A. Mae tref C wedi ei lleoli ar gyfeiriant 055° o dref A ac ar gyfeiriant 120° o dref B. Cyfrifwch bellter tref C **a** o dref A a **b** o dref B.

5 Yn y diagram mae $AD = DB = 5$ cm, $\angle ABC = 43°$ ac $\angle ACB = 72°$.
   Cyfrifwch **a** AB a **b** CD.

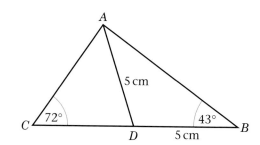

2.2 Gallwch ddefnyddio'r rheol sin i ddarganfod ongl anhysbys mewn triongl os gwyddoch beth yw hyd dwy ochr ac un o'u honglau cyferbyn.

Pan ydych yn darganfod ongl defnyddiwch:

$$\frac{\sin A}{a} = \frac{\sin B}{b} \quad \text{neu} \quad \frac{\sin A}{a} = \frac{\sin C}{c} \quad \text{neu} \quad \frac{\sin B}{b} = \frac{\sin C}{c}$$

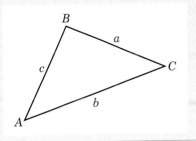

Enghraifft 4

Yn $\triangle ABC$, mae $AB = 4$ cm, $AC = 12$ cm ac $\angle ABC = 64°$. Darganfyddwch $\angle ACB$.

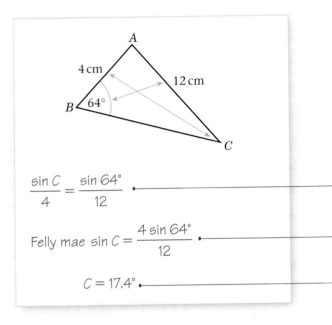

$$\frac{\sin C}{4} = \frac{\sin 64°}{12}$$

Felly mae $\sin C = \dfrac{4 \sin 64°}{12}$

$$C = 17.4°$$

Yma mae $b = 12$ cm, $c = 4$ cm, $B = 64°$.

Gan fod angen i chi ddarganfod ongl C, defnyddiwch y rheol sin $\dfrac{\sin C}{c} = \dfrac{\sin B}{b}$.

Gan fod $4 < 12$, gwyddoch fod $C < 64°$.

$$C = \sin^{-1}\left(\frac{4 \sin 64°}{12}\right).$$

Enghraifft 5

Yn $\triangle ABC$, mae $AB = 3.8$ cm, $BC = 5.2$ cm ac $\angle BAC = 35°$. Darganfyddwch $\angle ABC$.

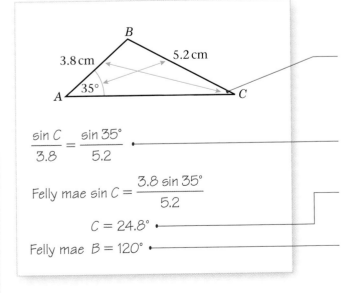

$$\frac{\sin C}{3.8} = \frac{\sin 35°}{5.2}$$

Felly mae $\sin C = \dfrac{3.8 \sin 35°}{5.2}$

$$C = 24.8°$$

Felly mae $B = 120°$

Yma mae $a = 5.2$ cm, $c = 3.8$ cm ac $A = 35°$.
Yn gyntaf mae angen i chi ddarganfod ongl C.

Defnyddiwch $\dfrac{\sin C}{c} = \dfrac{\sin A}{a}$.

Gwyddoch fod $C < 35°$.

$B = 180° - (24.8° + 35°) = 120.2°$, sy'n talgrynnu i $120°$ i 3 ffigur ystyrlon.

Ymarfer 2B

(*Nodyn*: Rhowch atebion i 3 ffigur ystyrlon, oni bai eu bod yn union.)

1 Ym mhob un o'r setiau canlynol o ddata ar gyfer triongl
ABC, darganfyddwch werth *x*:

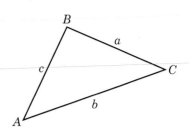

a $AB = 6$ cm, $BC = 9$ cm, $\angle BAC = 117°$, $\angle ACB = x°$.

b $AC = 11$ cm, $BC = 10$ cm, $\angle ABC = 40°$, $\angle CAB = x°$.

c $AB = 6$ cm, $BC = 8$ cm, $\angle BAC = 60°$, $\angle ACB = x°$.

ch $AB = 8.7$ cm, $AC = 10.8$ cm, $\angle ABC = 28°$, $\angle BAC = x°$.

2 Ym mhob un o'r diagramau isod, cyfrifwch werth *x*:

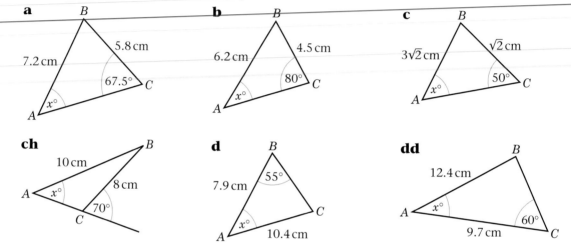

3 Yn $\triangle PQR$, mae $PQ = 15$ cm, $QR = 12$ cm ac $\angle PRQ = 75°$. Darganfyddwch y ddwy ongl sydd
ar ôl.

4 Ym mhob un o'r diagramau canlynol cyfrifwch werthoedd *x* ac *y*:

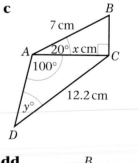

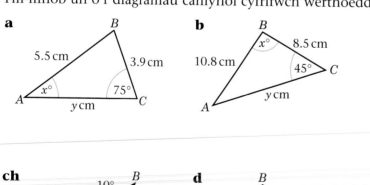

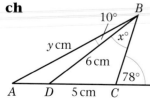

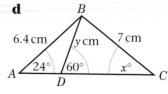

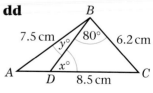

5 Yn $\triangle ABC$, mae $AB = x$ cm, $BC = (4 - x)$ cm, $\angle BAC = y°$ ac $\angle BCA = 30°$.

O wybod bod $\sin y° = \dfrac{1}{\sqrt{2}}$, dangoswch fod $x = 4(\sqrt{2} - 1)$.

2.3 Weithiau gallwch ddarganfod dau ddatrysiad ar gyfer ongl sydd ar goll.

- Pan yw'r ongl ydych chi'n ceisio ei darganfod yn fwy na'r ongl a roddir, mae dau ganlyniad posibl. Y rheswm am hyn yw eich bod yn gallu llunio dau driongl posibl â'r data.
- Yn gyffredinol, mae $\sin(180 - x)° = \sin x°$. Er enghraifft, mae $\sin 30° = \sin 150°$.

Enghraifft 6

Yn $\triangle ABC$, mae $AB = 4$ cm, $AC = 3$ cm ac $\angle ABC = 44°$. Cyfrifwch ddau werth posibl $\angle ACB$.

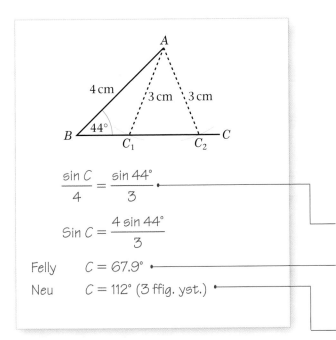

$$\frac{\sin C}{4} = \frac{\sin 44°}{3}$$

$$\sin C = \frac{4 \sin 44°}{3}$$

Felly $C = 67.9°$

Neu $C = 112°$ (3 ffig. yst.)

Yma mae $\angle ACB > \angle ABC$, gan fod $AB > AC$, ac felly bydd dau ganlyniad posibl. Mae'r diagram yn dangos pam:

Pan fydd $\angle ABC = 44°$ ac $AB = 4$ cm wedi eu llunio, dychmygwch osod cwmpas yn A, yna llunio arc, canol A a radiws 3 cm. Bydd hyn yn croestorri BC yn C_1 ac C_2 gan ddangos bod dau driongl ABC_1 ac ABC_2 lle mae $b = 3$ cm, $c = 4$ cm a $B = 44°$.

(Ni fyddai hyn yn digwydd pe byddai $AC > 4$ cm.)

Defnyddiwch $\dfrac{\sin C}{c} = \dfrac{\sin B}{b}$, lle mae $b = 3$, $c = 4$, $B = 44°$.

Dyma'r gwerth y bydd eich cyfrifiannell yn ei roi i 3 ffig. yst., sy'n cyfateb i $\triangle ABC_2$.

Gan fod $\sin(180 - x)° = \sin x°$, mae $C = 180 - 67.9° = 112.1°$ yn ateb posibl hefyd. Mae hyn yn cyfateb i $\triangle ABC_1$.

Ymarfer 2C

(Rhowch atebion i 3 ffigur ystyrlon.)

1 Yn $\triangle ABC$, mae $BC = 6$ cm, $AC = 4.5$ cm ac $\angle ABC = 45°$:

   a Cyfrifwch ddau werth posibl $\angle BAC$.

   b Lluniwch ddiagram i ddangos eich atebion.

2 Ym mhob un o'r diagramau a ddangosir isod, cyfrifwch werthoedd posibl x a gwerthoedd cyfatebol y:

a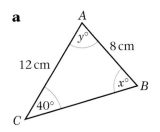

b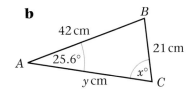

c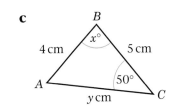

3 Ym mhob un o'r achosion canlynol yn △ABC mae ∠ABC = 30° ac AB = 10 cm:

   a Cyfrifwch hyd lleiaf posibl AC.

   b O wybod bod AC = 12 cm, cyfrifwch ∠ACB.

   c Ar y llaw arall os yw AC = 7 cm, cyfrifwch ddau werth posibl ∠ACB.

4 Yn nhriongl ABC mae AB = 4 cm, BC = 6 cm ac ∠ACB = 36°. Dangoswch fod un o werthoedd posibl ∠ABC yn 25.8° (i 3 ffig. yst.). Gan ddefnyddio'r gwerth hwn, cyfrifwch hyd AC.

5 Mewn dau driongl ABC mae AB = 4.5 cm, BC = 6.8 cm ac ∠ACB = 30°. Cyfrifwch werth yr ongl fwyaf ym mhob un o'r trionglau.

2.4 Dyma'r rheol cosin:

$$a^2 = b^2 + c^2 - 2bc \cos A \text{ neu } \cos A = \frac{b^2 + c^2 - a^2}{2bc}$$

Gallwch ddefnyddio'r rheol cosin i ddarganfod ochr anhysbys triongl os gwyddoch beth yw hyd dwy ochr a maint yr ongl sydd rhyngddynt.

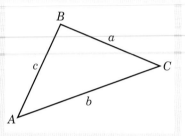

- Mewn cwestiwn defnyddiwch $a^2 = b^2 + c^2 - 2bc \cos A$ i ddarganfod a, o wybod b, c ac A.
  neu $b^2 = a^2 + c^2 - 2ac \cos B$ i ddarganfod b, o wybod a, c a B.
  neu $c^2 = a^2 + b^2 - 2ab \cos C$ i ddarganfod c, o wybod a, b ac C.

Enghraifft 7

Cyfrifwch hyd ochr AB yn nhriongl ABC lle mae AC = 6.5 cm, BC = 8.7 cm ac ∠ACB = 100°.

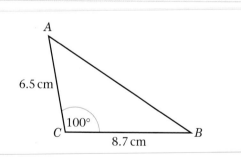

Rydych chi wedi cael a, b ac ongl C, felly defnyddiwch y rheol cosin:

$c^2 = a^2 + b^2 - 2ab \cos C$

i ddarganfod c.

$c^2 = 8.7^2 + 6.5^2 - 2 \times 8.7 \times 6.5 \times \cos 100°$

Ysgrifennwch y llinell hon o waith cyfrifo yn ofalus cyn defnyddio'ch cyfrifiannell.

$= 75.69 + 42.25 + 19.64$

Gellir hepgor y llinell hon.

$= 137.58$

Felly mae $c = 11.729 \ldots$

Darganfyddwch yr ail isradd.

Felly mae AB = 11.7 cm (3 ffig. yst.)

Enghraifft 8

Mae gorsaf gwylwyr y glannau B 8 km, ar gyfeiriant 060°, o orsaf gwylwyr y glannau A.
Mae llong C 4.8 km, ar gyfeiriant 018°, o A.
Cyfrifwch pa mor bell yw C o B.

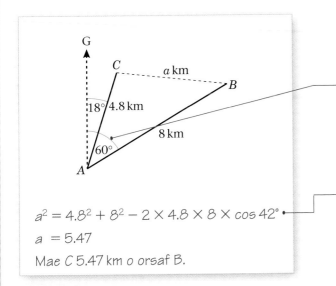

Yn ofalus trosglwyddwch y data a roddir i ddiagram.
Yn $\triangle ABC$, mae $\angle CAB = 60° - 18° = 42°$.

Nawr mae gennych $b = 4.8$ km, $c = 8$ km ac $A = 42°$.
Defnyddiwch y rheol cosin
$a^2 = b^2 + c^2 - 2bc \cos A$.

$a^2 = 4.8^2 + 8^2 - 2 \times 4.8 \times 8 \times \cos 42°$

$a = 5.47$

Mae C 5.47 km o orsaf B.

Enghraifft 9

Yn $\triangle ABC$, mae $AB = x$ cm, $BC = (x + 2)$ cm, $AC = 5$ cm ac $\angle ABC = 60°$.
Darganfyddwch werth x.

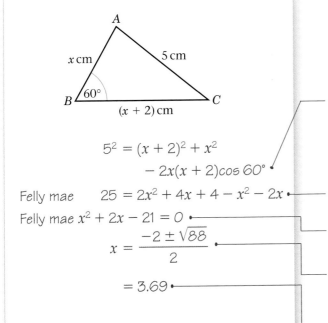

Y data a roddir yma yw
$a = (x + 2)$, $c = x$, $b = 5$, $B = 60°$.

Ni ellir defnyddio'r rheol sin, ond gallwch ddefnyddio $b^2 = a^2 + c^2 - 2ac \cos B$.

$5^2 = (x + 2)^2 + x^2$
$\qquad - 2x(x + 2)\cos 60°$

Felly mae $\quad 25 = 2x^2 + 4x + 4 - x^2 - 2x$

$(x + 2)^2 = x^2 + 4x + 4$; $\cos 60° = \frac{1}{2}$.

Felly mae $x^2 + 2x - 21 = 0$

Aildrefnwch yn y ffurf $ax^2 + bx + c = 0$.

$x = \dfrac{-2 \pm \sqrt{88}}{2}$

Defnyddiwch y fformiwla hafaliad cwadratig, lle mae $b^2 - 4ac = 2^2 - 4(1)(-21) = 4 + 84 = 88$.

$= 3.69$

Gan fod $AB = x$ cm, ni all x fod yn negatif.

Enghraifft 10

Profwch y rheol cosin yn achos triongl cyffredinol *ABC*.

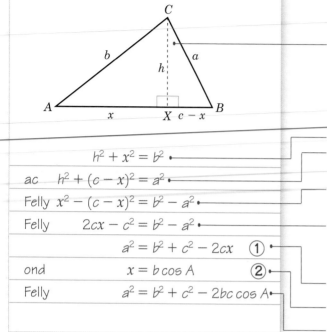

Mae'r perpendicwlar o *C* i ochr *AB* yn cael ei lunio ac mae'n cyrraedd *AB* yn *X*.

Hyd *CX* yw *h*.

Hyd *AX* yw *x*, felly mae *BX* = *c* − *x*.

$$h^2 + x^2 = b^2$$

ac $$h^2 + (c - x)^2 = a^2$$

Felly $$x^2 - (c - x)^2 = b^2 - a^2$$

Felly $$2cx - c^2 = b^2 - a^2$$

$$a^2 = b^2 + c^2 - 2cx \quad ①$$

ond $$x = b \cos A \quad ②$$

Felly $$a^2 = b^2 + c^2 - 2bc \cos A$$

Defnyddiwch theorem Pythagoras yn △*CAX*.
Defnyddiwch theorem Pythagoras yn △*CBX*.

Tynnwch y ddau hafaliad.

Mae $(c - x)^2 = c^2 - 2cx + x^2$.
Felly mae $x^2 - (c - x)^2 = x^2 - c^2 + 2cx - x^2$.

Aildrefnwch.

Defnyddiwch y gymhareb cosin

$\cos A = \dfrac{x}{b}$ yn △*CAX*.

Cyfunwch ① a ②. Dyma'r rheol cosin.

Enghraifft 2Ch

(*Nodyn*: Rhowch atebion i 3 ffigur ystyrlon, pan fo hynny'n briodol.)

1 Ym mhob un o'r trionglau canlynol cyfrifwch hyd y drydedd ochr:

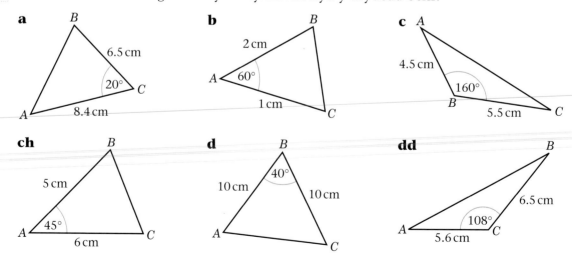

2 Mae cwch yn hwylio o bwynt *A* yn union i'r gogledd am 7 km i *B*. Mae'r cwch yn gadael *B* ac yn symud ar gyfeiriant 100° am 10 km nes cyrraedd *C*. Cyfrifwch y pellter o *C* i *A*.

3 Ar gwrs golff, y pellter o'r ti, *T*, i'r faner *B*, mewn twll arbennig yw 494 llath. Mae ergyd ti golffiwr yn teithio 220 llath ac yn glanio ym mhwynt *S*, lle mae ∠*STB* = 22°. Cyfrifwch bellter y bêl o'r faner.

4 Yn △*ABC*, mae *AB* = (*x* − 3) cm, *BC* = (*x* + 3) cm, *AC* = 8 cm ac ∠*BAC* = 60°. Defnyddiwch y rheol cosin i ddarganfod gwerth *x*.

5 Yn △*ABC*, mae *AB* = *x* cm, *BC* = (*x* − 4) cm, *AC* = 10 cm ac ∠*BAC* = 60°. Cyfrifwch werth *x*.

6 Yn △*ABC*, mae *AB* = (5 − *x*) cm, *BC* = (4 + *x*) cm, ∠*ABC* = 120° ac *AC* = *y* cm.

  a Dangoswch fod $y^2 = x^2 - x + 61$.

  b Defnyddiwch y dull cwblhau'r sgwâr i ddarganfod gwerth minimwm y^2, a rhowch werth *x* yn yr achos hwn.

> **Awgrym ar gyfer cwestiwn 6b:** Mae cwblhau'r sgwâr i'w gael yn Llyfr C1, Pennod 2.

2.5 **Gallwch ddefnyddio'r rheol cosin i ddarganfod ongl anhysbys triongl os gwyddoch beth yw hyd y tair ochr.**

■ **Gallwch ddarganfod ongl anhysbys gan ddefnyddio rheol cosin wedi ei haildrefnu:**

$$\cos A = \frac{b^2 + c^2 - a^2}{2bc}$$

$$\text{neu } \cos B = \frac{a^2 + c^2 - b^2}{2ac}$$

$$\text{neu } \cos C = \frac{a^2 + b^2 - c^2}{2ab}$$

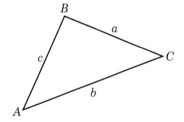

Enghraifft 11

Aildrefnwch yr hafaliad $a^2 = b^2 + c^2 - 2bc \cos A$ yn y ffurf $\cos A = ...$

$$a^2 = b^2 + c^2 - 2bc \cos A$$

Felly mae $2bc \cos A = b^2 + c^2 - a^2$

Felly mae $\cos A = \dfrac{b^2 + c^2 - a^2}{2bc}$ ———————— Rhannwch bopeth â 2*bc*.

Enghraifft 12

Yn $\triangle PQR$, mae $PQ = 5.9$ cm, $QR = 8.2$ cm a $PR = 10.6$ cm.
Cyfrifwch faint $\angle PQR$.

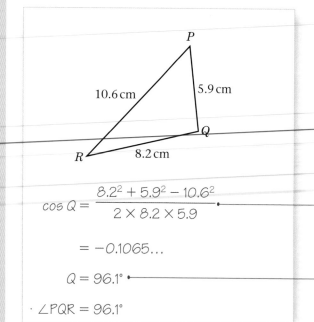

Yma $p = 8.2$ cm, $r = 5.9$ cm, $q = 10.6$ cm, ac mae'n rhaid i chi ddarganfod ongl Q.

Defnyddiwch y rheol cosin $\cos Q = \dfrac{p^2 + r^2 - q^2}{2pr}$

$$\cos Q = \frac{8.2^2 + 5.9^2 - 10.6^2}{2 \times 8.2 \times 5.9}$$

$$= -0.1065\ldots$$

$$Q = 96.1°$$

$$\therefore \angle PQR = 96.1°$$

$Q = \cos^{-1}(-0.1065\ldots)$

Enghraifft 13

Darganfyddwch faint yr ongl leiaf mewn triongl lle mae hyd yr ochrau yn 3 cm, 5 cm a 6 cm.

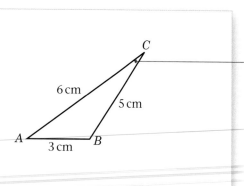

Labelwch y triongl yn ABC.
Mae'r ongl leiaf gyferbyn â'r ochr leiaf felly mae angen darganfod ongl C.

$$\cos C = \frac{6^2 + 5^2 - 3^2}{2 \times 6 \times 5}$$

$$C = 29.9°$$

Defnyddiwch y rheol cosin $\cos C = \dfrac{a^2 + b^2 - c^2}{2ab}$

Mae maint yr ongl leiaf yn $29.9°$.

Ymarfer 2D

(Rhowch atebion i 3 ffigur ystyrlon.)

1 Yn y trionglau canlynol cyfrifwch faint yr ongl sydd wedi ei nodi â *:

a
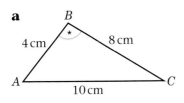

b
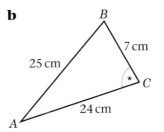

c
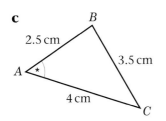

ch
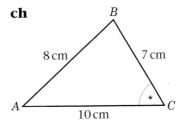

d
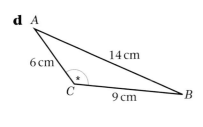

dd
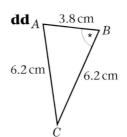

2 Mae hofrennydd yn hedfan ar gyfeiriant 080° o *A* i *B*, lle mae *AB* = 50 km.
Yna mae'n hedfan am 60 km i bwynt *C*.
O wybod bod *C* 80 km o *A*, cyfrifwch gyfeiriant *C* o *A*.

3 Yn △*ABC*, mae *AB* = 5 cm, *BC* = 6 cm ac *AC* = 10 cm.
Cyfrifwch werth yr ongl leiaf.

4 Yn △*ABC*, mae *AB* = 9.3 cm, *BC* = 6.2 cm ac *AC* = 12.7 cm.
Cyfrifwch werth yr ongl fwyaf.

5 Mae hydoedd ochrau triongl yn y gymhareb 2 : 3 : 4.
Cyfrifwch werth yr ongl fwyaf.

6 Yn △*ABC*, mae *AB* = *x* cm, *BC* = 5 cm ac *AC* = (10 − *x*) cm:

a Dangoswch fod $\cos \angle ABC = \dfrac{4x - 15}{2x}$.

b O wybod bod $\cos \angle ABC = -\frac{1}{7}$, cyfrifwch werth *x*.

2.6 Mae angen i chi allu defnyddio'r rheol sin, y rheol cosin, y cymarebau trigonometrig sin, cos a tan, a theorem Pythagoras i ddatrys problemau.

Mewn gwaith ar drionglau lle ceir cyfrifiadau trigonometrig, gallai'r strategaeth ganlynol fod o gymorth i chi.

- Pan yw'r triongl yn driongl ongl sgwâr neu'n isosgeles mae'n well defnyddio sin, cosin, tangiad neu theorem Pythagoras.

$$\sin A = \frac{a}{b}$$

$$\cos A = \frac{c}{b}$$

$$\tan A = \frac{a}{c}$$

$$a^2 + c^2 = b^2$$

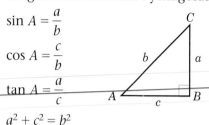

Mae'r llinell cymesuredd yn cynhyrchu dau driongl ongl sgwâr.

- Defnyddiwch **y rheol cosin** pan roddir i chi naill ai **dwy ochr a'r ongl sydd rhyngddynt** neu **dair ochr**.

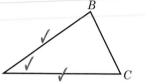
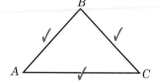

- Yn achos cyfuniadau eraill o ddata, defnyddiwch **y rheol sin**.
- Ar ôl i chi ddefnyddio'r rheol cosin unwaith, fel arfer mae'n well peidio â'i defnyddio eto, gan fod y rheol cosin yn golygu mwy o waith cyfrifo ac o'r herwydd gallai arwain at fwy o gamgymeriadau talgrynnu.

Enghraifft 14

Yn $\triangle ABC$, mae $AB = 5.2$ cm, $BC = 6.4$ cm ac $AC = 3.6$ cm.
Cyfrifwch onglau'r triongl.

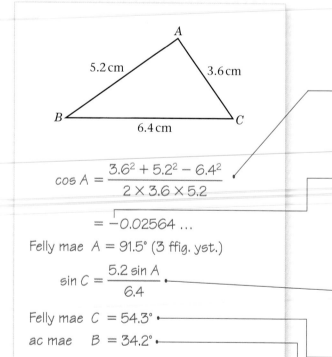

$$\cos A = \frac{3.6^2 + 5.2^2 - 6.4^2}{2 \times 3.6 \times 5.2}$$

$$= -0.02564 \ldots$$

Felly mae $A = 91.5°$ (3 ffig. yst.)

$$\sin C = \frac{5.2 \sin A}{6.4}$$

Felly mae $C = 54.3°$

ac mae $B = 34.2°$

Mae hi bob amser yn well cyfrifo'r ongl fwyaf yn gyntaf, os oes gennych ddewis.

Ongl A yw hon yn yr achos yma, felly defnyddiwch y rheol cosin $\cos A = \dfrac{b^2 + c^2 - a^2}{2bc}$.

Mae arwydd negatif yn dynodi ongl aflem: $\angle BAC = 91.5°$

Storiwch werth A yn y cyfrifiannell. Er mwyn darganfod ail ongl mae'n well defnyddio'r rheol sin yn hytrach na'r rheol cosin eto.

Defnyddiwch $\dfrac{\sin C}{c} = \dfrac{\sin A}{a}$, a defnyddiwch y gwerth A a storiwyd.

$\angle ACB = 54.3°$.
$\angle ABC = 180° - (91.5 + 54.3)°$.

Ymarfer 2Dd

(*Nodyn*: Ceisiwch ddefnyddio'r dull mwyaf trefnus, a rhowch atebion i 3 ffigur ystyrlon.)

1 Ym mhob triongl isod darganfyddwch werthoedd *x*, *y* a *z*.

a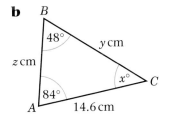

b

c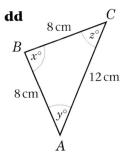

ch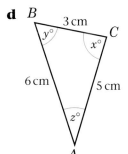

d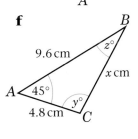

dd

e

f

ff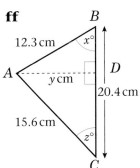

2 Cyfrifwch faint yr onglau sydd ar ôl a hyd y drydedd ochr yn y trionglau canlynol:

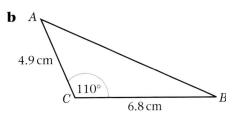

a

b

3 Mae heiciwr yn cerdded yn union i'r gogledd o *A* ac ar ôl 8 km mae'n cyrraedd *B*. Yna mae'n cerdded 8 km eto ar gyfeiriant 120° at *C*. Cyfrifwch **a** y pellter o *A* i *C* a **b** cyfeiriant *C* o *A*.

4 Mae hofrennydd yn hedfan ar gyfeiriant 200° o *A* i *B*, lle mae *AB* = 70 km. Yna mae'n hedfan ar gyfeiriant 150° o *B* i *C*, lle mae *C* yn union i'r de o *A*. Cyfrifwch pa mor bell yw *C* o *A*.

5 Mae 16 km rhwng dwy orsaf radar, *A* a *B*. Mae *A* yn union i'r gogledd o *B*. Gwyddom fod llong ar gyfeiriant 150° o *A* a 10 km o *B*. Dangoswch fod y wybodaeth hon yn rhoi dau leoliad i'r llong, a chyfrifwch y pellter rhwng y ddau leoliad hyn.

6 Darganfyddwch *x* ym mhob un o'r diagramau canlynol:

a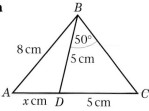

b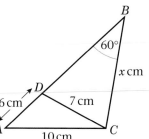

c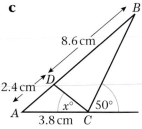

7 Yn △*ABC*, a ddangosir ar y dde, mae *AB* = 4 cm, *BC* = (*x* + 2) cm ac *AC* = 7 cm.

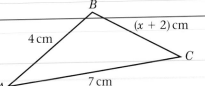

  a Eglurwch sut y gwyddoch fod 1 < *x* < 9.

  b Cyfrifwch werth *x* pan yw

    i ∠*ABC* = 60° ac

    ii ∠*ABC* = 45°, gan roi eich atebion i 3 ffigur ystyrlon.

8 Yn y triongl a ddangosir ar y dde,
mae cos ∠*ABC* = $\frac{5}{8}$.
Cyfrifwch werth *x*.

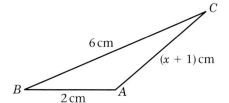

9 Yn △*ABC*, mae *AB* = √2 cm, *BC* = √3 cm ac ∠*BAC* = 60°. Dangoswch fod ∠*ACB* = 45°
a darganfyddwch *AC*.

10 Yn △*ABC*, mae *AB* = (2 − *x*) cm, *BC* = (*x* + 1) cm ac ∠*ABC* = 120°:

  a Dangoswch fod *AC*² = *x*² − *x* + 7.

  b Darganfyddwch werth *x* pan yw gwerth *AC* yn finimwm.

11 Yn nhriongl *ABC* mae *BC* = 5√2 cm, ∠*ABC* = 30° ac ∠*BAC* = θ, lle mae sin θ = $\frac{\sqrt{5}}{8}$.

  Cyfrifwch hyd *AC*, gan roi eich ateb yn y ffurf *a*√*b*, lle mae *a* a *b* yn
gyfanrifau.

12 Mae perimedr △*ABC* = 15 cm. O wybod bod *AB* = 7 cm ac ∠*BAC* = 60°, darganfyddwch
hydoedd *AC* a *BC*.

2.7 **Gallwch gyfrifo arwynebedd triongl gan ddefnyddio'r
fformiwla:**

Arwynebedd triongl = $\frac{1}{2}$*ab* sin *C* neu $\frac{1}{2}$*ac* sin *B* neu $\frac{1}{2}$*bc* sin *A*.

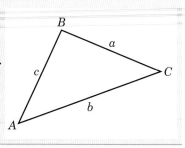

Gallwch ddefnyddio'r fformiwla hon pan fyddwch yn gwybod hydoedd dwy ochr a maint
yr ongl sydd rhyngddynt.

Enghraifft 15

Dangoswch fod arwynebedd y triongl hwn yn $\frac{1}{2}ab \sin C$.

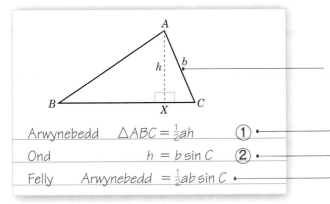

Mae'r perpendicwlar o *A* i *BC* wedi ei lunio ac mae'n cyfarfod *BC* yn *X*. Mae hyd $AX = h$.

Arwynebedd $\triangle ABC = \frac{1}{2}ah$	①	
Ond $h = b \sin C$	②	
Felly $\text{Arwynebedd} = \frac{1}{2}ab \sin C$		

Arwynebedd triongl $= \frac{1}{2} \times$ sail $\times$ uchder.

Defnyddiwch y gymhareb $\sin C = \dfrac{h}{b}$ yn $\triangle AXC$.

Rhowch werth ② yn ①.

Enghraifft 16

Cyfrifwch arwynebedd y triongl a ddangosir isod.

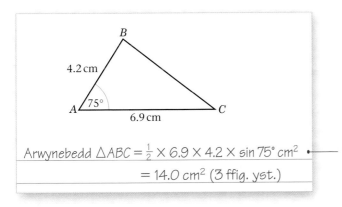

$\text{Arwynebedd } \triangle ABC = \frac{1}{2} \times 6.9 \times 4.2 \times \sin 75° \text{ cm}^2$

$= 14.0 \text{ cm}^2 \text{ (3 ffig. yst.)}$

Yma mae $b = 6.9$ cm, $c = 4.2$ cm ac ongl $A = 75°$, felly defnyddiwch:

$\text{Arwynebedd} = \frac{1}{2}bc \sin A$.

Enghraifft 17

Yn $\triangle ABC$, mae $AB = 5$ cm, $BC = 6$ cm ac $\angle ABC = x°$. O wybod bod arwynebedd $\triangle ABC$ yn 12 cm^2 ac mai AC yw'r ochr hiraf, darganfyddwch werth x.

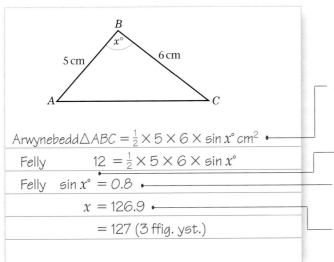

Yma mae $a = 6$ cm, $c = 5$ cm ac ongl $B = x°$, felly defnyddiwch:

$\text{Arwynebedd} = \frac{1}{2}ac \sin B$.

$\text{Arwynebedd}\triangle ABC = \frac{1}{2} \times 5 \times 6 \times \sin x° \text{ cm}^2$	
Felly $12 = \frac{1}{2} \times 5 \times 6 \times \sin x°$	
Felly $\sin x° = 0.8$	
$x = 126.9$	
$= 127 \text{ (3 ffig. yst.)}$	

Arwynebedd $\triangle ABC$ yw 12 cm^2.

$\sin x° = \frac{12}{15}$.

Mae dau werth i x pan yw $\sin x° = 0.8$, sef 53.1 a 126.9, ond yma gwyddom mai *B* yw'r ongl fwyaf oherwydd *AC* yw'r ochr fwyaf.

Ymarfer 2E

1 Cyfrifwch arwynebedd y trionglau canlynol:

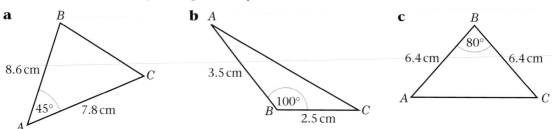

a 8.6 cm, B, C, 45°, 7.8 cm, A

b A, 3.5 cm, 100°, B, 2.5 cm, C

c B, 80°, 6.4 cm, 6.4 cm, A, C

2 Cyfrifwch werthoedd posibl x yn y trionglau canlynol:

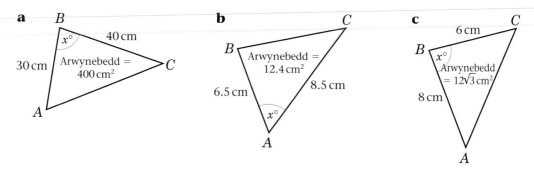

a B, $x°$, 40 cm, 30 cm, Arwynebedd = 400 cm², C, A

b C, B, Arwynebedd = 12.4 cm², 6.5 cm, 8.5 cm, $x°$, A

c 6 cm, C, B, $x°$, Arwynebedd = 12√3 cm², 8 cm, A

3 Mae arwynebedd darn trionglog o dir sydd wedi cael ei ffensio yn 1200 m². Mae'r ffensys ar hyd y ddwy ochr leiaf yn 60 m ac 80 m yn eu trefn ac mae'r ongl rhyngddynt yn $\theta°$. Dangoswch fod $\theta = 150$, a chyfrifwch gyfanswm hyd y ffensys.

4 Yn nhriongl ABC, ar y dde, mae $BC = (x + 2)$ cm, $AC = x$ cm ac $\angle BCA = 150°$.
O wybod bod arwynebedd y triongl yn 5 cm², cyfrifwch werth x, gan roi eich ateb i 3 ffigur ystyrlon.

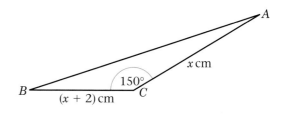

B, $(x + 2)$ cm, 150°, C, x cm, A

5 Yn $\triangle PQR$, mae $PQ = (x + 2)$ cm, $PR = (5 - x)$ cm ac $\angle QPR = 30°$.
Mae arwynebedd y triongl yn A cm².

   a Dangoswch fod $A = \frac{1}{4}(10 + 3x - x^2)$.

   b Drwy ddefnyddio'r dull cwblhau'r sgwâr neu fel arall, darganfyddwch werth macsimwm A, a rhowch werth cyfatebol x.

6 Yn $\triangle ABC$, mae $AB = x$ cm, $AC = (5 + x)$ cm ac $\angle BAC = 150°$. O wybod bod arwynebedd y triongl yn $3\frac{3}{4}$ cm²:

   a Dangoswch fod x yn bodloni'r hafaliad $x^2 + 5x - 15 = 0$.

   b Cyfrifwch werth x, gan roi eich ateb i 3 ffigur ystyrlon.

Ymarfer cymysg `2F`

(Rhowch atebion sydd heb fod yn union yn gywir i 3 ffigur ystyrlon.)

1 Mae arwynebedd triongl yn 10 cm². Mae'r ongl rhwng dwy o'r ochrau, sy'n 6 cm ac 8 cm o hyd yn eu trefn, yn aflem. Cyfrifwch y canlynol:

   a Maint yr ongl hon.

   b Hyd y drydedd ochr.

2 Ym mhob un o'r trionglau isod, darganfyddwch werth x ac arwynebedd y triongl.

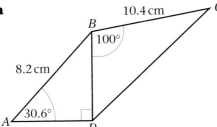

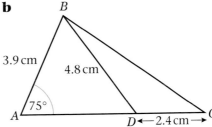

3 Mae ochrau triongl yn 3 cm, 5 cm a 7 cm yn eu trefn. Dangoswch fod yr ongl fwyaf yn 120°, a darganfyddwch arwynebedd y triongl.

4 Ym mhob un o'r ffigurau isod cyfrifwch gyfanswm yr arwynebedd:

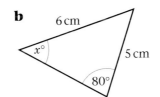

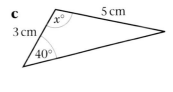

5 Yn $\triangle ABC$, mae $AB = 10$ cm, $BC = a\sqrt{3}$ cm, $AC = 5\sqrt{13}$ cm ac $\angle ABC = 150°$. Cyfrifwch y canlynol:

   a Gwerth a.

   b Union arwynebedd $\triangle ABC$.

6 Mae hyd ochr fwyaf triongl yn 2 cm ac mae hyd un o'r ochrau eraill yn $\sqrt{2}$ cm. O wybod bod arwynebedd y triongl yn 1 cm², dangoswch fod y triongl yn driongl ongl sgwâr ac yn isosgeles.

7 Mae tri phwynt A, B ac C, cyfesurynnau $A(0, 1)$, $B(3, 4)$ ac $C(1, 3)$ yn eu trefn, yn cael eu cysylltu i ffurfio triongl.

   a Dangoswch fod $\cos \angle ACB = -\frac{4}{5}$.

   b Cyfrifwch arwynebedd $\triangle ABC$.

8 Mae ochr hwyaf triongl yn $(2x - 1)$ cm. Mae hydoedd yr ochrau eraill yn $(x - 1)$ cm ac $(x + 1)$ cm. O wybod bod yr ongl fwyaf yn 120°, cyfrifwch y canlynol:

   a gwerth x a **b** arwynebedd y triongl.

Crynodeb o'r pwyntiau allweddol

1 Dyma'r rheol sin:

$$\frac{a}{\sin A} = \frac{b}{\sin B} = \frac{c}{\sin C} \quad neu \quad \frac{\sin A}{a} = \frac{\sin B}{b} = \frac{\sin C}{c}$$

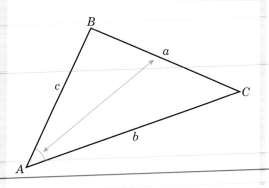

2 Gallwch ddefnyddio'r rheol sin i ddarganfod ochr anhysbys triongl os gwyddoch beth yw maint dwy o'r onglau a hyd un o'u hochrau cyferbyn.

3 Gallwch ddefnyddio'r rheol sin i ddarganfod ongl anhysbys mewn triongl os gwyddoch beth yw hyd dwy ochr ac un o'u honglau cyferbyn.

4 Dyma'r rheol cosin:

$$a^2 = b^2 + c^2 - 2bc \cos A \quad neu \quad b^2 = a^2 + c^2 - 2ac \cos B \quad neu \quad c^2 = a^2 + b^2 - 2ab \cos C$$

5 Gallwch ddefnyddio'r rheol cosin i ddarganfod ochr anhysbys triongl os gwyddoch beth yw hyd dwy ochr a maint yr ongl sydd rhyngddynt.

6 Gallwch ddefnyddio'r rheol cosin i ddarganfod ongl anhysbys os gwyddoch beth yw hyd y tair ochr.

7 Gallwch ddarganfod ongl anhysbys trwy ddefnyddio'r rheol cosin wedi ei haildrefnu:

$$\cos A = \frac{b^2 + c^2 - a^2}{2bc} \quad neu \quad \cos B = \frac{a^2 + c^2 - b^2}{2ac} \quad neu \quad \cos C = \frac{a^2 + b^2 - c^2}{2ab}$$

8 Gallwch ddarganfod arwynebedd triongl trwy ddefnyddio'r fformiwla:

arwynebedd $= \frac{1}{2}ab \sin C$

os gwyddoch hyd dwy ochr (a a b) a gwerth yr ongl C rhyngddynt.

3 Ffwythiannau esbonyddol a logarithmau

Mae'r bennod hon yn eich cyflwyno i ffwythiannau esbonyddol a logarithmau. Byddwch yn dysgu sut i fraslunio graff ffwythiant esbonyddol, sut i ysgrifennu mynegiad ar ffurf logarithm a sut i ddefnyddio logarithmau i ddatrys hafaliadau.

3.1 Mae angen i chi fod yn gyfarwydd â'r ffwythiant $y = a^x$ ($a > 0$) a gwybod beth yw siâp ei graff.

Dyma enghraifft. Edrychwch ar dabl gwerthoedd ar gyfer $y = 2^x$:

x	-3	-2	-1	0	1	2	3
y	$\frac{1}{8}$	$\frac{1}{4}$	$\frac{1}{2}$	1	2	4	8

Awgrym: Mewn mynegiad megis 2^x, gellir galw x yn bŵer, yn indecs, neu'n esbonydd. Yn Adran 3.2 byddwch yn gweld ei bod yn bosibl ei ystyried hefyd yn logarithm. Gelwir ffwythiant sy'n cynnwys pŵer newidiol megis x yn ffwythiant esbonyddol.

Sylwer bod:

$$2^0 = 1 \text{ (yn wir } a^0 = 1 \text{ bob amser os yw } a > 0)$$

a $\quad 2^{-3} = \dfrac{1}{2^3} = \dfrac{1}{8}$ (mae indecs negatif yn

cyfleu 'cilydd' indecs positif)

Awgrym: Mae rheolau indecsau i'w cael yn Llyfr C1, Pennod 1.

Mae graff $y = 2^x$ yn edrych fel hyn:

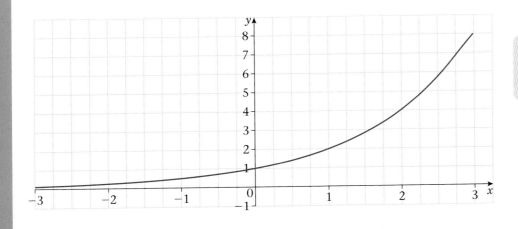

Awgrym: Mae echelin x yn asymptot i'r gromlin.

Mae gan graffiau eraill o'r math $y = a^x$ siâp tebyg, ac maen nhw bob amser yn mynd drwy $(0, 1)$.

Enghraifft 1

a Ar yr un echelinau brasluniwch graffiau $y = 3^x$, $y = 2^x$ ac $y = 1.5^x$.

b Ar set arall o echelinau brasluniwch graffiau $y = (\frac{1}{2})^x$ ac $y = 2^x$.

a Yn y tri graff, mae $y = 1$ pan yw $x = 0$. •————————————— $a^0 = 1$

Pan yw $x > 0$, $3^x > 2^x > 1.5^x$. •——

Pan yw $x < 0$, $3^x < 2^x < 1.5^x$. •——

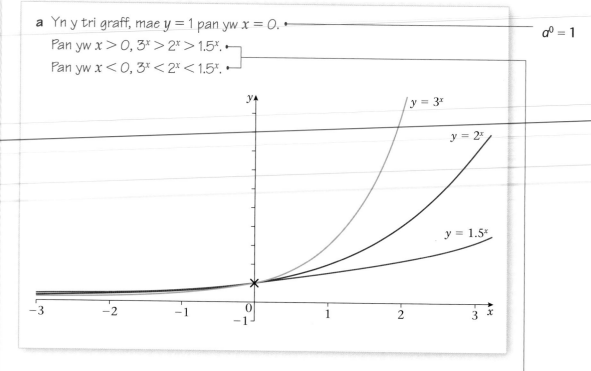

Cyfrifwch leoliadau cymharol y tri graff.

b $\dfrac{1}{2} = 2^{-1}$

Felly mae $y = \left(\dfrac{1}{2}\right)^x$ yr un fath ag $y = (2^{-1})^x = 2^{-x}$. •————————————— $(a^m)^n = a^{mn}$

Felly mae graff $y = \left(\dfrac{1}{2}\right)^x$ yn adlewyrchiad yn echelin y

o graff $y = 2^x$.

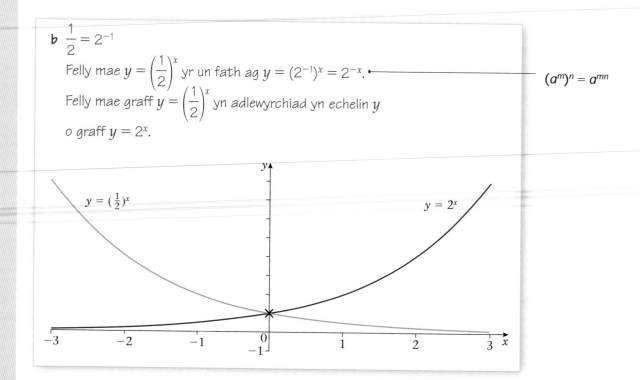

Ymarfer 3A

1   **a** Lluniwch graff manwl gywir o $y = (1.7)^x$, pan yw $-4 \leqslant x \leqslant 4$.
     b Defnyddiwch eich graff i ddatrys yr hafaliad $(1.7)^x = 4$.

2   **a** Lluniwch graff manwl gywir o $y = (0.6)^x$, pan yw $-4 \leqslant x \leqslant 4$.
     b Defnyddiwch eich graff i ddatrys yr hafaliad $(0.6)^x = 2$

3   Brasluniwch y graff $y = 1^x$.

3.2 Mae angen i chi wybod sut i ysgrifennu mynegiad ar ffurf logarithm.

■ Mae $\log_a n = x$ yn golygu bod $a^x = n$, lle gelwir a yn fôn y logarithm.

Enghraifft 2

Ysgrifennwch $2^5 = 32$ ar ffurf logarithm.

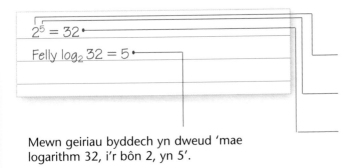

$2^5 = 32$

Felly $\log_2 32 = 5$

Yma $a = 2$, $x = 5$, $n = 32$.

Bôn.

Logarithm.

Mewn geiriau byddech yn dweud 'mae logarithm 32, i'r bôn 2, yn 5'.

Mewn geiriau, byddech yn dweud 'mae 2 i'r pŵer 5 yn hafal i 32'.

Enghraifft 3

Ailysgrifennwch ar ffurf logarithm:
a $10^3 = 1000$
b $5^4 = 625$
c $2^{10} = 1024$

a $\log_{10} 1000 = 3$
b $\log_5 625 = 4$
c $\log_2 1024 = 10$

■ $\log_a 1 = 0 \ (a > 0)$ Oherwydd bod $a^0 = 1$.

■ $\log_a a = 1 \ (a > 0)$ Oherwydd bod $a^1 = a$.

Enghraifft 4

Darganfyddwch werth y canlynol:

a $\log_3 81$ **b** $\log_4 0.25$ **c** $\log_{0.5} 4$ **ch** $\log_a (a^5)$

a $\log_3 81 = 4$ Oherwydd bod $3^4 = 81$.

b $\log_4 0.25 = -1$ Oherwydd bod $4^{-1} = \frac{1}{4} = 0.25$.

c $\log_{0.5} 4 = -2$ Oherwydd bod $0.5^{-2} = (\frac{1}{2})^{-2} = 2^2 = 4$.

ch $\log_a (a^5) = 5$ Oherwydd bod $a^5 = a^5$!

Ymarfer 3B

1 Ailysgrifennwch ar ffurf logarithm:

    a $4^4 = 256$ **b** $3^{-2} = \frac{1}{9}$ **c** $10^6 = 1\,000\,000$

    ch $11^1 = 11$ **d** $(0.2)^3 = 0.008$

2 Ailysgrifennwch gan ddefnyddio pŵer:

    a $\log_2 16 = 4$ **b** $\log_5 25 = 2$ **c** $\log_9 3 = \frac{1}{2}$

    ch $\log_5 0.2 = -1$ **d** $\log_{10} 100\,000 = 5$

3 Darganfyddwch werth y canlynol:

    a $\log_2 8$ **b** $\log_5 25$

    c $\log_{10} 10\,000\,000$ **ch** $\log_{12} 12$

    d $\log_3 729$ **dd** $\log_{10} \sqrt{10}$

    e $\log_4 (0.25)$ **f** $\log_{0.25} 16$

    ff $\log_a (a^{10})$ **g** $\log_{(\frac{2}{3})}(\frac{9}{4})$

4 Darganfyddwch werth x pan yw:

    a $\log_5 x = 4$ **b** $\log_x 81 = 2$

    c $\log_7 x = 1$ **ch** $\log_x (2x) = 2$

3.3 Mae angen i chi allu cyfrifo logarithmau i'r bôn 10 gan ddefnyddio'ch cyfrifiannell.

Enghraifft 5

Darganfyddwch werth x pan yw $10^x = 500$.

$$10^x = 500$$

Felly $\log_{10} 500 = x$ Gan fod $10^2 = 100$ a $10^3 = 1000$, mae'n rhaid bod x yn rhywle rhwng 2 a 3.

$$x = \log_{10} 500$$

$$= 2.70 \text{ (i 3 ffig. yst.)}$$

Mae'r botwm log (neu lg) ar eich cyfrifiannell yn rhoi gwerthoedd logarithmau i'r bôn 10.

Ymarfer 3C

Defnyddiwch eich cyfrifiannell i ddarganfod gwerth y canlynol i 3 ffig. yst.:

1 $\log_{10} 20$ **2** $\log_{10} 4$

3 $\log_{10} 7000$ **4** $\log_{10} 0.786$

5 $\log_{10} 11$ **6** $\log_{10} 35.3$

7 $\log_{10} 0.3$ **8** $\log_{10} 999$

3.4 Mae angen i chi wybod deddfau logarithmau.

Tybiwch fod	$\log_a x = b$ a $\log_a y = c$
Ailysgrifennu gyda'r pwerau:	$a^b = x$ ac $a^c = y$
Lluosi:	$xy = a^b \times a^c = a^{b+c}$ (gweler Llyfr C1, Pennod 1)
	$xy = a^{b+c}$
Ailysgrifennu fel logarithm:	$\log_a xy = b + c$

■ $\log_a xy = \log_a x + \log_a y$ (y ddeddf luosi)

Gellir dangos hefyd bod:

■ $\log_a \left(\dfrac{x}{y}\right) = \log_a x - \log_a y$ (y ddeddf rannu)   Cofiwch: $\dfrac{a^b}{a^c} = a^b \div a^c = a^{b-c}$

■ $\log_a (x)^k = k \log_a x$ (y ddeddf pwerau)   Cofiwch: $(a^b)^k = a^{bk}$

Nodyn: Mae angen i chi ddysgu a chofio'r tair deddf logarithm uchod.

Gan fod $\dfrac{1}{x} = x^{-1}$, mae'r ddeddf pwerau yn dangos fod $\log_a \left(\dfrac{1}{x}\right) = \log_a (x^{-1}) = -\log_a x$.

■ $\log_a \left(\dfrac{1}{x}\right) = -\log_a x$

Enghraifft 6

Ysgrifennwch ar ffurf un logarithm:

a $\log_3 6 + \log_3 7$ **b** $\log_2 15 - \log_2 3$

c $2 \log_5 3 + 3 \log_5 2$ **ch** $\log_{10} 3 - 4 \log_{10} \left(\frac{1}{2}\right)$

a $\log_3 (6 \times 7)$
$= \log_3 42$ ──────────── Defnyddiwch y ddeddf luosi

b $\log_2 (15 \div 3)$
$= \log_2 5$ ──────────── Defnyddiwch y ddeddf rannu

c $2 \log_5 3 = \log_5 (3^2) = \log_5 9$

$3 \log_5 2 = \log_5 (2^3) = \log_5 8$

$\log_5 9 + \log_5 8 = \log_5 72$

Yn gyntaf defnyddiwch y ddeddf pwerau yn nwy ran y mynegiad.

Yna defnyddiwch y ddeddf luosi.

ch $4 \log_{10} \left(\dfrac{1}{2}\right) = \log_{10} \left(\dfrac{1}{2}\right)^4 = \log_{10} \left(\dfrac{1}{16}\right)$

$\log_{10} 3 - \log_{10} \left(\dfrac{1}{16}\right) = \log_{10} \left(3 \div \dfrac{1}{16}\right)$

$= \log_{10} 48$

Defnyddiwch y ddeddf pwerau yn gyntaf.

Yna defnyddiwch y ddeddf rannu.

Enghraifft 7

Ysgrifennwch y canlynol yn nhermau $\log_a x$, $\log_a y$ a $\log_a z$

a $\log_a (x^2 y z^3)$ **b** $\log_a \left(\dfrac{x}{y^3}\right)$ **c** $\log_a \left(\dfrac{x\sqrt{y}}{z}\right)$ **ch** $\log_a \left(\dfrac{x}{a^4}\right)$

a $\log_a (x^2 y z^3)$

$= \log_a (x^2) + \log_a y + \log_a (z^3)$

$= 2 \log_a x + \log_a y + 3 \log_a z$

b $\log_a \left(\dfrac{x}{y^3}\right)$

$= \log_a x - \log_a (y^3)$

$= \log_a x - 3 \log_a y$

c $\log_a \left(\dfrac{x\sqrt{y}}{z}\right)$

$= \log_a (x\sqrt{y}) - \log_a z$

$= \log_a x + \log_a \sqrt{y} - \log_a z$

$= \log_a x + \dfrac{1}{2} \log_a y - \log_a z$

Defnyddiwch y ddeddf pwerau ($\sqrt{y} = y^{\frac{1}{2}}$).

ch $\log_a \left(\dfrac{x}{a^4}\right)$

$= \log_a x - \log_a (a^4)$

$= \log_a x - 4 \log_a a$

$= \log_a x - 4$

$\log_a a = 1$.

Ymarfer 3Ch

1 Ysgrifennwch y canlynol ar ffurf un logarithm:

    a $\log_2 7 + \log_2 3$

    b $\log_2 36 - \log_2 4$

    c $3 \log_5 2 + \log_5 10$

    ch $2 \log_6 8 - 4 \log_6 3$

    d $\log_{10} 5 + \log_{10} 6 - \log_{10} \left(\frac{1}{4}\right)$

2 Ysgrifennwch y canlynol ar ffurf un logarithm, yna symleiddiwch eich ateb:

    a $\log_2 40 - \log_2 5$

    b $\log_6 4 + \log_6 9$

    c $2 \log_{12} 3 + 4 \log_{12} 2$

    ch $\log_8 25 + \log_8 10 - 3 \log_8 5$

    d $2 \log_{10} 20 - (\log_{10} 5 + \log_{10} 8)$

3 Ysgrifennwch y canlynol yn nhermau $\log_a x$, $\log_a y$ a $\log_a z$:

    a $\log_a (x^3 y^4 z)$ **b** $\log_a \left(\dfrac{x^5}{y^2}\right)$

    c $\log_a (a^2 x^2)$ **ch** $\log_a \left(\dfrac{x\sqrt{y}}{z}\right)$

    d $\log_a \sqrt{ax}$

3.5 Mae angen i chi allu datrys hafaliadau yn y ffurf $a^x = b$.

Enghraifft 8

Datryswch yr hafaliad $3^x = 20$, gan roi eich ateb i 3 ffigur ystyrlon.

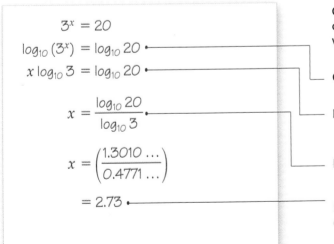

$$3^x = 20$$
$$\log_{10} (3^x) = \log_{10} 20$$
$$x \log_{10} 3 = \log_{10} 20$$
$$x = \frac{\log_{10} 20}{\log_{10} 3}$$
$$x = \left(\frac{1.3010 \ldots}{0.4771 \ldots}\right)$$
$$= 2.73$$

Gan nad oes botwm logarithm bôn 3 ar eich cyfrifiannell, rhaid defnyddio bôn 10 i wneud unrhyw waith cyfrifo.

Cymerwch logarithmau i'r bôn 10 ar bob ochr.

Defnyddiwch y ddeddf pwerau.

Rhannwch â $\log_{10} 3$.

Defnyddiwch eich cyfrifiannell (logarithmau i'r bôn 10).

Enghraifft 9

Datryswch yr hafaliad $7^{x+1} = 3^{x+2}$, gan roi eich ateb i 4 lle degol.

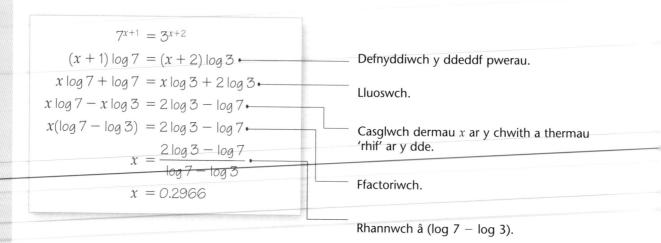

$$7^{x+1} = 3^{x+2}$$
$$(x + 1) \log 7 = (x + 2) \log 3$$ — Defnyddiwch y ddeddf pwerau.
$$x \log 7 + \log 7 = x \log 3 + 2 \log 3$$ — Lluoswch.
$$x \log 7 - x \log 3 = 2 \log 3 - \log 7$$ — Casglwch dermau x ar y chwith a thermau 'rhif' ar y dde.
$$x(\log 7 - \log 3) = 2 \log 3 - \log 7$$ — Ffactoriwch.
$$x = \frac{2 \log 3 - \log 7}{\log 7 - \log 3}$$
$$x = 0.2966$$

Rhannwch â $(\log 7 - \log 3)$.

Enghraifft 10

Datryswch yr hafaliad $5^{2x} + 7(5^x) - 30 = 0$, gan roi eich ateb i 2 le degol:

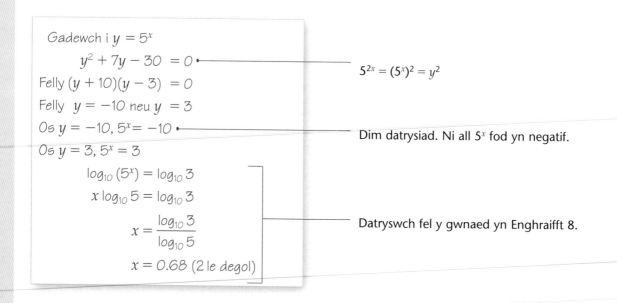

Gadewch i $y = 5^x$
$$y^2 + 7y - 30 = 0$$ — $5^{2x} = (5^x)^2 = y^2$
Felly $(y + 10)(y - 3) = 0$
Felly $y = -10$ neu $y = 3$
Os $y = -10$, $5^x = -10$ — Dim datrysiad. Ni all 5^x fod yn negatif.
Os $y = 3$, $5^x = 3$
$$\log_{10}(5^x) = \log_{10} 3$$
$$x \log_{10} 5 = \log_{10} 3$$
$$x = \frac{\log_{10} 3}{\log_{10} 5}$$
$$x = 0.68 \ (2 \text{ le degol})$$

Datryswch fel y gwnaed yn Enghraifft 8.

Ymarfer 3D

1 Datryswch y canlynol, gan roi eich ateb i 3 ffigur ystyrlon:

   a $2^x = 75$ **b** $3^x = 10$

   c $5^x = 2$ **ch** $4^{2x} = 100$

   d $9^{x+5} = 50$ **dd** $7^{2x-1} = 23$

   e $3^{x-1} = 8^{x+1}$ **f** $2^{2x+3} = 3^{3x+2}$

   ff $8^{3-x} = 10^x$ **g** $3^{4-3x} = 4^{x+5}$

2 Datryswch y canlynol, gan roi eich ateb i 3 ffigur ystyrlon:

a $2^{2x} - 6(2^x) + 5 = 0$

b $3^{2x} - 15(3^x) + 44 = 0$

c $5^{2x} - 6(5^x) - 7 = 0$

ch $3^{2x} + 3^{x+1} - 10 = 0$

d $7^{2x} + 12 = 7^{x+1}$

> **Awgrym ar gyfer cwestiwn 2ch:**
> Sylwer bod
> $3^{x+1} = 3^x \times 3^1 = 3(3^x)$

3.6 **Er mwyn enrhifo logarithm gan ddefnyddio'ch cyfrifiannell, weithiau mae angen i chi newid bôn y logarithm.**

O weithio ym môn a, tybiwch fod: $\log_a x = m$

Ysgrifennwch hyn ar ffurf pŵer: $a^m = x$

Cymrwch logiau i fôn b gwahanol: $\log_b (a^m) = \log_b x$

Defnyddiwch y ddeddf pwerau: $m \log_b a = \log_b x$

Ysgrifennwch $\log_a x$ yn lle m: $\log_b x = \log_a x \times \log_b a$

Gellir ysgrifennu hyn fel:

■ $\log_a x = \dfrac{\log_b x}{\log_b a}$

> **Awgrym:** Dyma reol newid bonion logarithmau.

Gan ddefnyddio'r rheol hon, sylwer yn arbennig fod $\log_a b = \dfrac{\log_b b}{\log_b a}$, ond $\log_b b = 1$, felly:

■ $\log_a b = \dfrac{1}{\log_b a}$

Enghraifft 11

Darganfyddwch werth $\log_8 11$, i 3 ffigur ystyrlon:

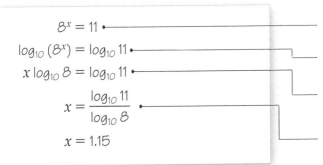

$\log_8 11 = \dfrac{\log_{10} 11}{\log_{10} 8}$
$= 1.15$

Un dull yw defnyddio'r rheol newid bonion i newid i'r bôn 10.

$8^x = 11$

$\log_{10} (8^x) = \log_{10} 11$

$x \log_{10} 8 = \log_{10} 11$

$x = \dfrac{\log_{10} 11}{\log_{10} 8}$

$x = 1.15$

Dull arall yw datrys $8^x = 11$.

Cymerwch logarithmau i'r bôn 10 ar bob ochr.

Defnyddiwch y ddeddf pwerau.

Rhannwch â $\log_{10} 8$.

Enghraifft 12

Datryswch yr hafaliad $\log_5 x + 6\log_x 5 = 5$:

$$\log_5 x + \frac{6}{\log_5 x} = 5$$

Gadewch i $\log_5 x = y$

$$y + \frac{6}{y} = 5$$

$$y^2 + 6 = 5y$$

$$y^2 - 5y + 6 = 0$$

$$(y - 3)(y - 2) = 0$$

Felly mae $y = 3$ neu $y = 2$

$\log_5 x = 3$ neu $\log_5 x = 2$

$x = 5^3$ neu $x = 5^2$

$x = 125$ neu $x = 25$

Defnyddiwch y rheol newid bonion (achos arbennig).

Lluoswch ag y.

Ysgrifennwch ar ffurf pwerau.

Ymarfer 3Dd

1 Darganfyddwch y canlynol, i 3 lle degol:

   a $\log_7 120$ **b** $\log_3 45$ **c** $\log_2 19$

   ch $\log_{11} 3$ **d** $\log_6 4$

2 Datryswch y canlynol, gan roi eich ateb i 3 ffigur ystyrlon:

   a $8^x = 14$ **b** $9^x = 99$ **c** $12^x = 6$

3 Datryswch y canlynol, gan roi eich ateb i 3 ffigur ystyrlon:

   a $\log_2 x = 8 + 9\log_x 2$

   b $\log_4 x + 2\log_x 4 + 3 = 0$

   c $\log_2 x + \log_4 x = 2$

Ymarfer cymysg 3E

1 Darganfyddwch werthoedd posibl x pan yw $2^{2x+1} = 3(2^x) - 1$.

2 **a** Mynegwch $\log_a(p^2q)$ yn nhermau $\log_a p$ a $\log_a q$.

   b O wybod bod $\log_a(pq) = 5$ a $\log_a(p^2q) = 9$, darganfyddwch werthoedd $\log_a p$ a $\log_a q$.

3 O wybod bod $p = \log_q 16$, mynegwch y canlynol yn nhermau p:

   a $\log_q 2$,

   b $\log_q(8q)$.

4 **a** O wybod bod $\log_3 x = 2$, pennwch werth x.

    b Cyfrifwch werth y pan yw $2\log_3 y - \log_3 (y + 4) = 2$.

    c Cyfrifwch werthoedd z pan yw $\log_3 z = 4\log_z 3$.

5 **a** Gan ddefnyddio'r amnewidiad $u = 2^x$, dangoswch ei bod yn bosibl ysgrifennu'r hafaliad $4^x - 2^{(x+1)} - 15 = 0$ yn y ffurf $u^2 - 2u - 15 = 0$.

    b Drwy wneud hyn datryswch yr hafaliad $4^x - 2^{(x+1)} - 15 = 0$, gan roi eich ateb i 2 le degol.

6 Datryswch yr hafaliadau cydamserol canlynol, gan roi eich atebion ar ffurf ffracsiynau union:

$$8^y = 4^{2x+3}$$
$$\log_2 y = \log_2 x + 4.$$

7 Darganfyddwch werthoedd x pan yw $\log_3 x - 2\log_x 3 = 1$.

8 Datryswch yr hafaliad
$$\log_3 (2 - 3x) = \log_9 (6x^2 - 19x + 2).$$

9 Os yw $xy = 64$ a $\log_x y + \log_y x = \dfrac{5}{2}$, darganfyddwch x ac y.

10 Profwch, os yw $a^x = b^y = (ab)^{xy}$, yna mae $x + y = 1$.

11 **a** Dangoswch fod $\log_4 3 = \log_2 \sqrt{3}$.

    b Drwy wneud hyn, neu fel arall, datryswch yr hafaliadau cydamserol:
$$2\log_2 y = \log_4 3 + \log_2 x,$$
$$3^y = 9^x,$$
o wybod bod x ac y yn bositif.

12 **a** O wybod bod $3 + 2\log_2 x = \log_2 y$, dangoswch fod $y = 8x^2$.

    b Drwy wneud hyn, neu fel arall, darganfyddwch wreiddiau, α a β, yr hafaliad $3 + 2\log_2 x = \log_2 (14x - 3)$, lle mae $\alpha < \beta$.

    c Dangoswch fod $\log_2 \alpha = -2$.

    ch Cyfrifwch $\log_2 \beta$, gan roi eich ateb i 3 ffigur ystyrlon.

Crynodeb o'r pwyntiau allweddol

1 Gelwir ffwythiant $y = a^x$, neu $f(x) = a^x$, lle mae a yn gysonyn, yn ffwythiant esbonyddol.

2 Mae $\log_a n = x$ yn golygu bod $a^x = n$, lle gelwir a yn fôn y logarithm.

3 $\log_a 1 = 0$
$\log_a a = 1$

4 Weithiau ysgrifennir $\log_{10} x$ fel $\log x$.

5 Dyma ddeddfau logarithmau:

$\log_a xy = \log_a x + \log_a y$ \qquad (y ddeddf luosi)

$\log_a \left(\dfrac{x}{y}\right) = \log_a x - \log_a y$ \qquad (y ddeddf rannu)

$\log_a (x)^k = k \log_a x$ \qquad (y ddeddf pwerau)

6 Gan ddefnyddio'r ddeddf pwerau,

$\log_a \left(\dfrac{1}{x}\right) = -\log_a x$

7 Gallwch ddatrys hafaliad fel $a^x = b$ drwy gymryd logarithmau yn gyntaf (i'r bôn 10) ar bob ochr.

8 Gellir ysgrifennu'r rheol newid bonion logarithmau yn y ffurf $\log_a x = \dfrac{\log_b x}{\log_b a}$

9 Gan ddefnyddio'r rheol newid bonion, $\log_a b = \dfrac{1}{\log_b a}$

4 Geometreg gyfesurynnol yn y plân (x, y)

Mae'r bennod hon yn dangos i chi sut i ddatrys problemau sy'n ymwneud â chylchoedd.

4.1 Gallwch ddarganfod canolbwynt y llinell sy'n cysylltu (x_1, y_1) ac (x_2, y_2) drwy ddefnyddio'r fformiwla $\left(\dfrac{x_1 + x_2}{2}, \dfrac{y_1 + y_2}{2}\right)$.

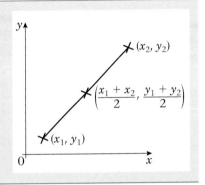

Enghraifft 1

Darganfyddwch ganolbwynt y llinell sy'n cysylltu'r parau hyn o bwyntiau:

a (2, 3), (6, 9) **b** $(2a, -4b)$, $(7a, 8b)$ **c** $(4, \sqrt{2})$, $(-4, 3\sqrt{2})$

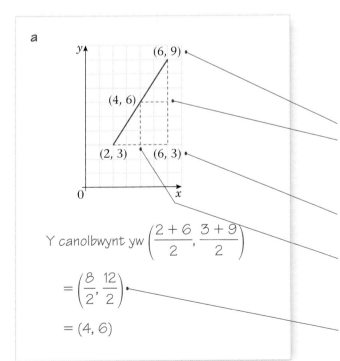

a

Y canolbwynt yw $\left(\dfrac{2+6}{2}, \dfrac{3+9}{2}\right)$

$= \left(\dfrac{8}{2}, \dfrac{12}{2}\right)$

$= (4, 6)$

Gallai diagram eich helpu i gyfrifo hyn.
Mae cyfesuryn y hanner ffordd rhwng 3 a 9, felly defnyddiwch $\dfrac{y_1 + y_2}{2}$ lle mae $y_1 = 3$ ac $y_2 = 9$.

Mae gan (6, 3) yr un cyfesuryn x â (6, 9) a'r un cyfesuryn y â (2, 3).

Mae cyfesuryn x hanner ffordd rhwng 2 a 6, felly defnyddiwch $\dfrac{x_1 + x_2}{2}$ lle mae $x_1 = 2$ ac $x_2 = 6$.

Symleiddiwch.

b Y canolbwynt yw $\left(\dfrac{2a + 7a}{2}, \dfrac{-4b + 8b}{2}\right)$ ——— Defnyddiwch $\left(\dfrac{x_1 + x_2}{2}, \dfrac{y_1 + y_2}{2}\right)$.

Yma mae $(x_1, y_1) = (2a, -4b)$ ac $(x_2, y_2) = (7a, 8b)$.

$= \left(\dfrac{9a}{2}, \dfrac{4b}{2}\right)$ ——— Symleiddiwch.

$= \left(\dfrac{9a}{2}, 2b\right)$

c Y canolbwynt yw $\left(\dfrac{4 + (-4)}{2}, \dfrac{\sqrt{2} + 3\sqrt{2}}{2}\right)$ ——— Defnyddiwch $\left(\dfrac{x_1 + x_2}{2}, \dfrac{y_1 + y_2}{2}\right)$.

Yma mae $(x_1, y_1) = (4, \sqrt{2})$ ac $(x_2, y_2) = (-4, 3\sqrt{2})$.

$= \left(\dfrac{4 - 4}{2}, \dfrac{4\sqrt{2}}{2}\right)$ ——— Symleiddiwch.

$= (0, 2\sqrt{2})$

Enghraifft 2

Diamedr cylch yw llinell AB. Mae A a B yn $(-3, 8)$ a $(5, 4)$ yn eu trefn. Darganfyddwch gyfesurynnau canol y cylch.

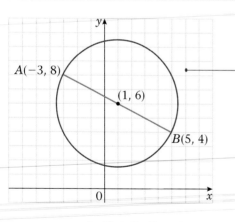

Gwnewch fraslun.

Cofiwch fod canol cylch yn ganolbwynt y diamedr.

Canol y cylch yw $\left(\dfrac{-3 + 5}{2}, \dfrac{8 + 4}{2}\right)$ ——— Defnyddiwch $\left(\dfrac{x_1 + x_2}{2}, \dfrac{y_1 + y_2}{2}\right)$.

Yma mae $(x_1, y_1) = (-3, 8)$ ac $(x_2, y_2) = (5, 4)$.

$= \left(\dfrac{2}{2}, \dfrac{12}{2}\right)$

$= (1, 6)$

Enghraifft 3

Mae llinell PQ yn ddiamedr cylch, canol $(2, -2)$. O wybod bod P yn $(8, -5)$, darganfyddwch gyfesurynnau Q.

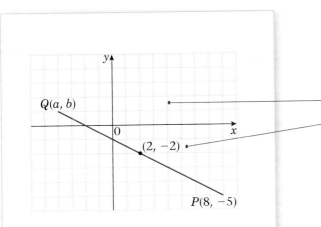

Gwnewch fraslun.

$(2, -2)$ yw canolbwynt (a, b) ac $(8, -5)$.

Gadewch i gyfesurynnau Q fod yn (a, b).

$$\left(\frac{8 + a}{2}, \frac{-5 + b}{2}\right) = (2, -2)$$

Defnyddiwch $\left(\frac{x_1 + x_2}{2}, \frac{y_1 + y_2}{2}\right)$.

Yma mae $(x_1, y_1) = (8, -5)$ ac $(x_2, y_2) = (a, b)$.

Felly $\quad \dfrac{8 + a}{2} = 2$

$\quad\quad\quad 8 + a = 4$

$\quad\quad\quad\quad\quad a = -4$

Cymharwch y cyfesurynnau x.
Aildrefnwch yr hafaliad i ddarganfod a.
Lluoswch y ddwy ochr â 2 i glirio'r ffracsiwn.
Tynnwch 8 o'r ddwy ochr.

ac $\quad \dfrac{-5 + b}{2} = -2$

$\quad\quad\quad -5 + b = -4$

$\quad\quad\quad\quad\quad\quad b = 1$

Cymharwch y cyfesurynnau y.
Aildrefnwch yr hafaliad i ddarganfod b.
Lluoswch y ddwy ochr â 2 i glirio'r ffracsiwn.
Adiwch 5 at y ddwy ochr.

Felly, mae Q yn $(-4, 1)$.

Ymarfer 4A

1 Darganfyddwch ganolbwynt y llinell sy'n cysylltu'r parau hyn o bwyntiau:

a $(4, 2), (6, 8)$ **b** $(0, 6), (12, 2)$ **c** $(2, 2), (-4, 6)$

ch $(-6, 4), (6, -4)$ **d** $(-5, 3), (7, 5)$ **dd** $(7, -4), (-3, 6)$

e $(-5, -5), (-11, 8)$ **f** $(6a, 4b), (2a, -4b)$ **ff** $(2p, -q), (4p, 5q)$

g $(-2s, -7t), (5s, t)$ **ng** $(-4u, 0), (3u, -2v)$ **h** $(a + b, 2a - b), (3a - b, -b)$

i $(4\sqrt{2}, 1), (2\sqrt{2}, 7)$ **j** $(-\sqrt{3}, 3\sqrt{5}), (5\sqrt{3}, 2\sqrt{5})$

l $(\sqrt{2} - \sqrt{3}, 3\sqrt{2} + 4\sqrt{3}), (3\sqrt{2} + \sqrt{3}, -\sqrt{2} + 2\sqrt{3})$

2 Diamedr cylch yw llinell PQ. Mae P a Q yn $(-4, 6)$ a $(7, 8)$ yn eu trefn. Darganfyddwch gyfesurynnau canol y cylch.

3 Diamedr cylch yw llinell *RS*. Mae *R* ac *S* yn $\left(\dfrac{4a}{5}, -\dfrac{3b}{4}\right)$ a $\left(\dfrac{2a}{5}, \dfrac{5b}{4}\right)$ yn eu trefn. Darganfyddwch gyfesurynnau canol y cylch.

4 Diamedr cylch yw llinell *AB*. Mae *A* a *B* yn $(-3, -4)$ a $(6, 10)$ yn eu trefn. Dangoswch fod canol y cylch ar linell $y = 2x$.

5 Diamedr cylch yw llinell *JK*. Mae *J* a *K* yn $(\frac{3}{4}, \frac{4}{3})$ a $(-\frac{1}{2}, 2)$ yn eu trefn. Dangoswch fod canol y cylch ar linell $y = 8x + \frac{2}{3}$.

6 Diamedr cylch yw llinell *AB*. Mae *A* a *B* yn $(0, -2)$ a $(6, -5)$ yn eu trefn. Dangoswch fod canol y cylch ar linell $x - 2y - 10 = 0$.

7 Diamedr cylch, canol $(6, 1)$ yw llinell *FG*. O wybod bod *F* yn $(2, -3)$, darganfyddwch gyfesurynnau *G*.

8 Diamedr cylch, canol $(-2a, 5a)$, yw llinell *CD*. O wybod bod cyfesurynnau *D* yn $(3a, -7a)$, darganfyddwch gyfesurynnau *C*.

9 Mae pwyntiau $M(3, p)$ ac $N(q, 4)$ ar y cylch, canol $(5, 6)$. Diamedr y cylch yw llinell *MN*. Darganfyddwch werth *p* a *q*.

10 Mae pwyntiau $V(-4, 2a)$ ac $W(3b, -4)$ ar gylch, canol $(b, 2a)$. Diamedr y cylch yw llinell *VW*. Darganfyddwch werth *a* a *b*.

Enghraifft 4

Diamedr cylch, canol *C*, yw llinell *AB*. Mae *A* a *B* yn $(-1, 4)$ a $(5, 2)$ yn eu trefn. Mae llinell *l* yn mynd drwy *C* ac mae'n berpendicwlar i *AB*. Darganfyddwch hafaliad *l*.

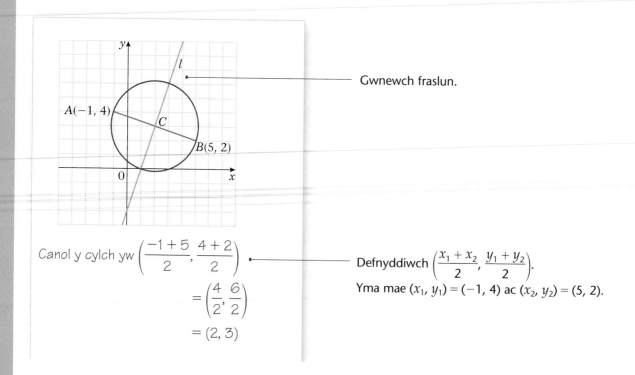

Gwnewch fraslun.

Canol y cylch yw $\left(\dfrac{-1+5}{2}, \dfrac{4+2}{2}\right)$

Defnyddiwch $\left(\dfrac{x_1 + x_2}{2}, \dfrac{y_1 + y_2}{2}\right)$.

Yma mae $(x_1, y_1) = (-1, 4)$ ac $(x_2, y_2) = (5, 2)$.

$$= \left(\dfrac{4}{2}, \dfrac{6}{2}\right)$$

$$= (2, 3)$$

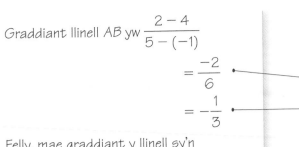

Graddiant llinell AB yw $\dfrac{2-4}{5-(-1)}$

$$= \dfrac{-2}{6}$$

$$= -\dfrac{1}{3}$$

Felly, mae graddiant y llinell sy'n berpendicwlar i AB yn 3.

Hafaliad y llinell berpendicwlar l yw

$$y - 3 = 3(x - 2)$$
$$y - 3 = 3x - 6$$

Felly $\qquad y = 3x - 3$

Defnyddiwch $m = \dfrac{y_2 - y_1}{x_2 - x_1}$.

Yma mae $(x_1, y_1) = (-1, 4)$ ac $(x_2, y_2) = (5, 2)$.

Symleiddiwch y ffracsiwn felly rhannwch â 2.

Mae $\dfrac{-1}{3}$ yr un fath â $-\dfrac{1}{3}$.

Cofiwch fod lluoswm graddiannau dwy linell berpendicwlar $= -1$, felly $-\dfrac{1}{3} \times 3 = -1$.

Mae'r llinell berpendicwlar l yn mynd drwy bwynt $(2, 3)$ ac mae ei graddiant yn 3, felly defnyddiwch $y - y_1 = m(x - x_1)$ lle mae $m = 3$ ac $(x_1, y_1) = (2, 3)$.

Aildrefnwch yr hafaliad a'i roi yn y ffurf $y = mx + c$.
Ehangwch y cromfachau.
Adiwch 3 at bob ochr.

Enghraifft 5

Cord cylch, canol $(-3, 5)$ yw llinell PQ. Mae P a Q yn $(5, 4)$ ac $(1, 12)$ yn eu trefn.
Mae llinell l yn berpendicwlar i PQ ac yn ei haneru. Dangoswch fod l yn mynd drwy ganol y cylch.

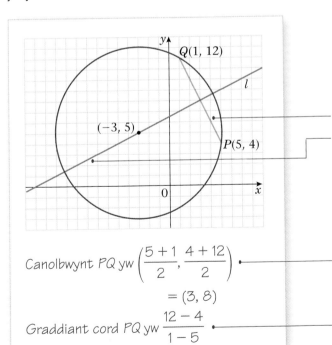

Llinell sy'n cysylltu unrhyw ddau bwynt ar gylchyn cylch yw cord.

Mae llinell l yn **haneru** PQ, felly mae'n mynd drwy ganolbwynt PQ.

Yn gyntaf darganfyddwch hafaliad l.

Canolbwynt PQ yw $\left(\dfrac{5+1}{2}, \dfrac{4+12}{2}\right)$

$$= (3, 8)$$

Graddiant cord PQ yw $\dfrac{12-4}{1-5}$

$$= \dfrac{8}{-4}$$

$$= -2$$

Defnyddiwch $\left(\dfrac{x_1+x_2}{2}, \dfrac{y_1+y_2}{2}\right)$.

Yma mae $(x_1, y_1) = (5, 4)$ ac $(x_2, y_2) = (1, 12)$.

Defnyddiwch $m = \dfrac{y_2 - y_1}{x_2 - x_1}$.

Yma mae $(x_1, y_1) = (5, 4)$ ac $(x_2, y_2) = (1, 12)$.

Felly, mae graddiant y llinell sy'n berpendicwlar i PQ yn $\frac{1}{2}$.

Defnyddiwch luoswm graddiannau dwy linell berpendicwlar = −1, felly −2 × $\frac{1}{2}$ = −1.

Hafaliad y llinell berpendicwlar yw

$$y - 8 = \frac{1}{2}(x - 3)$$

Mae'r llinell berpendicwlar yn mynd drwy bwynt (3, 8) ac mae ei graddiant yn $\frac{1}{2}$, felly defnyddiwch $y - y_1 = m(x - x_1)$ lle mae $m = \frac{1}{2}$ ac $(x_1, y_1) = (3, 8)$.

$$y - 8 = \frac{1}{2}x - \frac{3}{2}$$

Ehangwch y cromfachau.

$$y = \frac{1}{2}x - \frac{3}{2} + 8$$

Aildrefnwch yr hafaliad yn y ffurf $y = mx + c$ drwy adio 8 at bob ochr.

$$y = \frac{1}{2}x - \frac{3}{2} + \frac{16}{2}$$

Symleiddiwch.

$$y = \frac{1}{2}x + \frac{16 - 3}{2}$$

$$y = \frac{1}{2}x + \frac{13}{2}$$

Defnyddiwch x = −3.

$$y = \frac{1}{2}(-3) + \frac{13}{2}$$

Darganfyddwch a yw (−3, 5) yn bodloni hafaliad l, felly rhowch werth cyfesuryn x i mewn yn $y = \frac{1}{2}x + \frac{13}{2}$.

$$= -\frac{3}{2} + \frac{13}{2}$$

Symleiddiwch.

$$= \frac{-3 + 13}{2}$$

Dyma gyfesuryn y, felly mae (−3, 5) ar y llinell.

$$= \frac{10}{2}$$

$$= 5$$

Felly mae l yn mynd drwy (−3, 5).

Felly mae l yn mynd drwy ganol y cylch.

Mae'r uchod yn enghraifft arbennig o'r theorem cylch hon:

■ **Mae'r perpendicwlar o ganol cylch at gord yn haneru'r cord.**

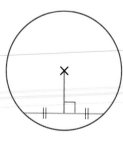

• Gelwir llinell sy'n berpendicwlar i linell benodol ac sy'n ei haneru yn **hanerydd perpendicwlar**.

hanerydd perpendicwlar AB

B

A

Enghraifft 6

Cordiau cylch yw llinellau *AB* ac *CD*. Llinell $y = 3x - 11$ yw hanerydd perpendicwlar *AB*. Llinell $y = -x - 1$ yw hanerydd perpendicwlar *CD*. Darganfyddwch gyfesurynnau canol y cylch.

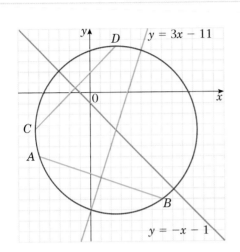

Gwnewch fraslun.

Mae'r ddau hanerydd perpendicwlar yn cyfarfod yng nghanol y cylch.

$$y = 3x - 11$$
$$y = -x - 1$$

Darganfyddwch ym mhle mae'r ddau hanerydd perpendicwlar yn cyfarfod, felly datryswch yr hafaliadau yn gydamserol.

Felly $3x - 11 = -x - 1$

Rhowch y gwerth $y = 3x - 11$ yn $y = -x - 1$.

$$4x - 11 = -1$$

Adiwch x at y ddwy ochr.

$$4x = 10$$

Adiwch 11 at y ddwy ochr.

$$x = \frac{10}{4}$$

Rhannwch y ddwy ochr â 4.

$$= \frac{5}{2}$$

Symleiddiwch y ffracsiwn felly rhannwch â 2.

Defnyddiwch $x = \frac{5}{2}$

Rhowch werth cyfesuryn x yn un o'r hafaliadau i ddarganfod cyfesuryn y.

$$y = 3\left(\frac{5}{2}\right) - 11$$

Yma $y = 3x - 11$ ac $x = \frac{5}{2}$.

$$= \frac{15}{2} - 11$$

Symleiddiwch.

$$= \frac{15}{2} - \frac{22}{2}$$

$$= \frac{15 - 22}{2}$$

$$= -\frac{7}{2}$$

Canol y cylch yw $\left(\frac{5}{2}, -\frac{7}{2}\right)$.

Ymarfer 4B

1 Diamedr cylch, canol C, yw llinell FG. Mae F a G yn $(-2, 5)$ a $(2, 9)$ yn eu trefn. Mae llinell l yn mynd drwy C ac mae'n berpendicwlar i FG. Darganfyddwch hafaliad l.

2 Diamedr cylch, canol P, yw llinell JK. Mae J a K yn $(0, -3)$ a $(4, -5)$ yn eu trefn. Mae llinell l yn mynd drwy P ac mae'n berpendicwlar i JK. Darganfyddwch hafaliad l. Ysgrifennwch eich ateb yn y ffurf $ax + by + c = 0$, lle mae a, b ac c yn gyfanrifau.

3 Diamedr cylch, canol $(4, -2)$ yw llinell AB. Mae llinell l yn mynd drwy B ac mae'n berpendicwlar i AB. O wybod bod A yn $(-2, 6)$,

    a darganfyddwch gyfesurynnau B.

    b Drwy wneud hyn, darganfyddwch hafaliad l.

4 Diamedr cylch, canol $(-4, -2)$ yw llinell PQ. Mae llinell l yn mynd drwy P ac mae'n berpendicwlar i PQ. O wybod bod Q yn $(10, 4)$ darganfyddwch hafaliad l.

5 Cord cylch, canol $(5, -2)$ yw llinell RS. Mae R ac S yn $(2, 3)$ a $(10, 1)$ yn eu trefn. Mae llinell l yn berpendicwlar i RS ac yn ei haneru. Dangoswch fod l yn mynd drwy ganol y cylch.

6 Cord cylch, canol $(1, -\frac{1}{2})$, yw llinell MN. Mae M ac N yn $(-5, -5)$ a $(7, 4)$ yn eu trefn. Mae llinell l yn berpendicwlar i MN ac yn ei haneru. Darganfyddwch hafaliad l. Ysgrifennwch eich ateb yn y ffurf $ax + by + c = 0$, lle mae a, b ac c yn gyfanrifau.

7 Cordiau cylch yw llinellau AB ac CD. Mae'r llinell $y = 2x + 8$ yn hanerydd perpendicwlar AB. Mae'r llinell $y = -2x - 4$ yn hanerydd perpendicwlar CD. Darganfyddwch gyfesurynnau canol y cylch.

8 Cordiau cylch yw llinellau EF ac GH. Mae'r llinell $y = 3x - 24$ yn hanerydd perpendicwlar EF. O wybod bod G ac H yn $(-2, 4)$ a $(4, 10)$ yn eu trefn, darganfyddwch gyfesurynnau canol y cylch.

9 Mae pwyntiau $P(3, 16)$, $Q(11, 12)$ ac $R(-7, 6)$ ar gylchyn cylch.

    a Darganfyddwch hafaliad hanerydd perpendicwlar:

      i PQ

      ii PR.

    b Drwy wneud hyn, darganfyddwch gyfesurynnau canol y cylch.

10 Mae pwyntiau $A(-3, 19)$, $B(9, 11)$ ac $C(-15, 1)$ ar gylchyn cylch. Darganfyddwch gyfesurynnau canol y cylch.

4.2 Gallwch ddarganfod y pellter, *d*, rhwng (x_1, y_1) ac (x_2, y_2) drwy ddefnyddio'r fformiwla

$$d = \sqrt{[(x_2 - x_1)^2 + (y_2 - y_1)^2]}.$$

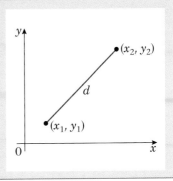

Enghraifft 7

Darganfyddwch y pellter sydd rhwng y parau hyn o bwyntiau:

a $(2, 3)$, $(5, 7)$ **b** $(4a, a)$, $(-3a, 2a)$ **c** $(2\sqrt{2}, -5\sqrt{2})$, $(4\sqrt{2}, \sqrt{2})$

a

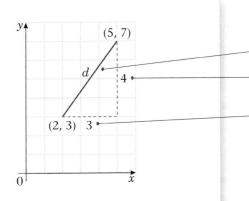

Gwnewch fraslun.

Gadewch i'r pellter rhwng y pwyntiau fod yn *d*.

Y gwahaniaeth yn y cyfesurynnau *y* yw $7 - 3 = 4$.

Y gwahaniaeth yn y cyfesurynnau *x* yw $5 - 2 = 3$.

$$d^2 = (5 - 2)^2 + (7 - 3)^2$$
$$d^2 = 3^2 + 4^2$$
$$d = \sqrt{(3^2 + 4^2)}$$
$$= \sqrt{25}$$
$$= 5$$

Defnyddiwch theorem Pythagoras:
$d^2 = (x_2 - x_1)^2 + (y_2 - y_1)^2$

Cyfrifwch ail isradd y ddwy ochr.

Mae hyn yn $d = \sqrt{[(x_2 - x_1)^2 + (y_2 - y_1)^2]}$ lle mae $(x_1, y_1) = (2, 3)$ ac $(x_2, y_2) = (5, 7)$.

b
$$d = \sqrt{[(-3a - 4a)^2 + (2a - a)^2]}$$
$$= \sqrt{[(-7a)^2 + a^2]}$$
$$= \sqrt{(49a^2 + a^2)}$$
$$= \sqrt{50a^2}$$
$$= \sqrt{25 \times 2 \times a^2}$$
$$= \sqrt{25} \times \sqrt{2} \times \sqrt{a^2}$$
$$= 5\sqrt{2}a$$

Defnyddiwch $d = \sqrt{[(x_2 - x_1)^2 + (y_2 - y_1)^2]}$.
Yma mae
$(x_1, y_1) = (4a, a)$ ac $(x_2, y_2) = (-3a, 2a)$.

$(-7a)^2 = -7a \times -7a$
$\quad\quad = 49a^2$

Symleiddiwch.

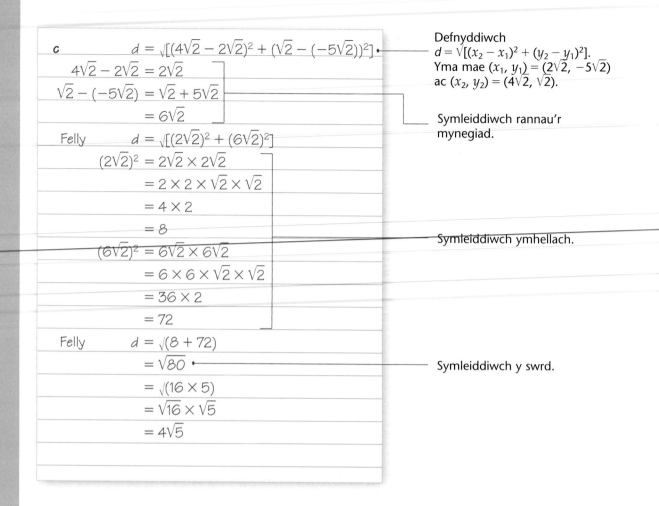

c
$$d = \sqrt{[(4\sqrt{2} - 2\sqrt{2})^2 + (\sqrt{2} - (-5\sqrt{2}))^2]}$$

$$4\sqrt{2} - 2\sqrt{2} = 2\sqrt{2}$$

$$\sqrt{2} - (-5\sqrt{2}) = \sqrt{2} + 5\sqrt{2}$$

$$= 6\sqrt{2}$$

Felly $$d = \sqrt{[(2\sqrt{2})^2 + (6\sqrt{2})^2]}$$

$$(2\sqrt{2})^2 = 2\sqrt{2} \times 2\sqrt{2}$$

$$= 2 \times 2 \times \sqrt{2} \times \sqrt{2}$$

$$= 4 \times 2$$

$$= 8$$

$$(6\sqrt{2})^2 = 6\sqrt{2} \times 6\sqrt{2}$$

$$= 6 \times 6 \times \sqrt{2} \times \sqrt{2}$$

$$= 36 \times 2$$

$$= 72$$

Felly $$d = \sqrt{(8 + 72)}$$

$$= \sqrt{80}$$

$$= \sqrt{(16 \times 5)}$$

$$= \sqrt{16} \times \sqrt{5}$$

$$= 4\sqrt{5}$$

Defnyddiwch $d = \sqrt{[(x_2 - x_1)^2 + (y_2 - y_1)^2]}$. Yma mae $(x_1, y_1) = (2\sqrt{2}, -5\sqrt{2})$ ac $(x_2, y_2) = (4\sqrt{2}, \sqrt{2})$.

Symleiddiwch rannau'r mynegiad.

Symleiddiwch ymhellach.

Symleiddiwch y swrd.

Enghraifft 8

Diamedr cylch yw llinell PQ, ac mae P a Q yn $(-1, 3)$ a $(6, -3)$ yn eu trefn.
Darganfyddwch radiws y cylch.

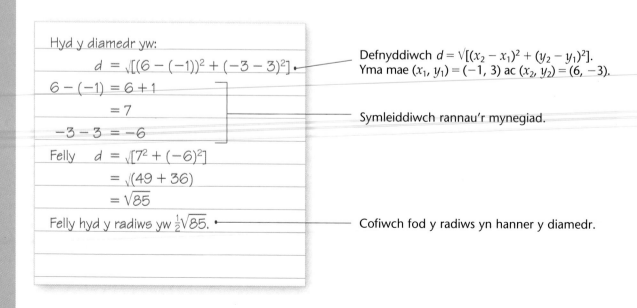

Hyd y diamedr yw:

$$d = \sqrt{[(6 - (-1))^2 + (-3 - 3)^2]}$$

$$6 - (-1) = 6 + 1$$

$$= 7$$

$$-3 - 3 = -6$$

Felly $$d = \sqrt{[7^2 + (-6)^2]}$$

$$= \sqrt{(49 + 36)}$$

$$= \sqrt{85}$$

Felly hyd y radiws yw $\frac{1}{2}\sqrt{85}$.

Defnyddiwch $d = \sqrt{[(x_2 - x_1)^2 + (y_2 - y_1)^2]}$. Yma mae $(x_1, y_1) = (-1, 3)$ ac $(x_2, y_2) = (6, -3)$.

Symleiddiwch rannau'r mynegiad.

Cofiwch fod y radiws yn hanner y diamedr.

Enghraifft 9

Diamedr cylch yw llinell *AB*. Mae *A* a *B* yn $(-3, 21)$ a $(7, -3)$ yn eu trefn.
Mae pwynt *C*(14, 4) ar gylchyn y cylch. Darganfyddwch werth AB^2, AC^2 a BC^2.
Drwy wneud hyn, dangoswch fod $\angle ACB = 90°$.

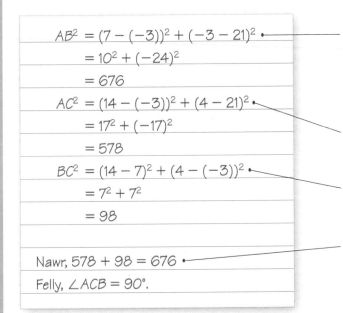

$$AB^2 = (7 - (-3))^2 + (-3 - 21)^2$$
$$= 10^2 + (-24)^2$$
$$= 676$$
$$AC^2 = (14 - (-3))^2 + (4 - 21)^2$$
$$= 17^2 + (-17)^2$$
$$= 578$$
$$BC^2 = (14 - 7)^2 + (4 - (-3))^2$$
$$= 7^2 + 7^2$$
$$= 98$$

Nawr, $578 + 98 = 676$

Felly, $\angle ACB = 90°$.

Defnyddiwch $d = \sqrt{[(x_2 - x_1)^2 + (y_2 - y_1)^2]}$.
Sgwariwch y ddwy ochr fel bod
$d^2 = (x_2 - x_1)^2 + (y_2 - y_1)^2$. Yma mae (x_1, y_1)
$= (-3, 21)$ ac $(x_2, y_2) = (7, -3)$.

Yma mae $(x_1, y_1) = (-3, 21)$ ac
$(x_2, y_2) = (14, 4)$.

Yma mae $(x_1, y_1) = (7, -3)$ ac $(x_2, y_2) = (14, 4)$.

Defnyddiwch theorem Pythagoras i brofi
a oes gan y triongl ongl sgwâr.
Sef $AC^2 + BC^2 = AB^2$.

Mae hyn yn enghraifft arbennig o'r theorem cylch hon:

■ **Mae'r ongl mewn hanner cylch yn ongl sgwâr.**

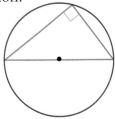

Ymarfer 4C

1 Darganfyddwch y pellter rhwng y parau hyn o bwyntiau:

  a (0, 1), (6, 9)   **b** (4, −6), (9, 6)   **c** (3, 1), (−1, 4)

  ch (3, 5), (4, 7)   **d** (2, 9), (4, 3)   **dd** (0, −4), (5, 5)

  e (−2, −7), (5, 1)   **f** (−4a, 0), (3a, −2a)   **ff** (−b, 4b), (−4b, −2b)

  g (2c, c), (6c, 4c)   **ng** (−4d, d), (2d, −4d)   **h** (−e, −e), (−3e, −5e)

  i (3$\sqrt{2}$, 6$\sqrt{2}$), (2$\sqrt{2}$, 4$\sqrt{2}$)   **j** (−$\sqrt{3}$, 2$\sqrt{3}$), (3$\sqrt{3}$, 5$\sqrt{3}$)

  l (2$\sqrt{3}$ − $\sqrt{2}$, $\sqrt{5}$ + $\sqrt{3}$), (4$\sqrt{3}$ − $\sqrt{2}$, 3$\sqrt{5}$ + $\sqrt{3}$)

2 Mae pwynt (4, −3) ar gylch, canol (−2, 5). Darganfyddwch radiws y cylch.

3 Pwynt (14, 9) yw canol cylch, radiws 25. Dangoswch fod (−10, 2) ar y cylch.

4 Diamedr cylch yw llinell *MN*. Mae *M* ac *N* yn (6, −4) a (0, −2) yn eu trefn.
Darganfyddwch radiws y cylch.

5 Diamedr cylch, canol *C*, yw llinell *QR*. Mae cyfesurynnau *Q* ac *R* yn (11, 12) a (−5, 0)
yn eu trefn. Pwynt *P* yw (13, 6).

  a Darganfyddwch gyfesurynnau *C*.   **b** Dangoswch fod *P* ar y cylch.

6 Fertigau triongl yw pwyntiau $(-3, 19)$, $(-15, 1)$ a $(9, 1)$. Dangoswch ei bod yn bosibl llunio cylch, canol $(-3, 6)$, drwy fertigau'r triongl.

Awgrym ar gyfr cwestiwn 6: Dangoswch fod y fertigau yn gytbell o ganol y cylch.

7 Diamedr cylch c_1 yw llinell ST. Mae S a T yn $(5, 3)$ a $(-3, 7)$ yn eu trefn. Diamedr cylch c_2, canol $(4, 4)$, yw llinell UV. Mae pwynt U yn $(1, 8)$.

  a Darganfyddwch radiws **i** c_1 **ii** c_2.

  b Darganfyddwch y pellter rhwng canolau c_1 ac c_2.

8 Mae pwyntiau $U(-2, 8)$, $V(7, 7)$ ac $W(-3, -1)$ ar gylch.

  a Dangoswch fod gan $\triangle UVW$ ongl sgwâr.

  b Darganfyddwch gyfesurynnau canol y cylch.

9 Mae pwyntiau $A(2, 6)$, $B(5, 7)$ ac $C(8, -2)$ ar gylch.

  a Dangoswch fod gan $\triangle ABC$ ongl sgwâr.   **b** Darganfyddwch arwynebedd y triongl.

10 Mae pwyntiau $A(-1, 9)$, $B(6, 10)$ $C(7, 3)$ a $D(0, 2)$ ar gylch.

  a Dangoswch fod $ABCD$ yn sgwâr.   **b** Darganfyddwch arwynebedd $ABCD$.

  c Darganfyddwch ganol y cylch.

4.3 **Gallwch ysgrifennu hafaliad cylch yn y ffurf $(x - a)^2 + (y - b)^2 = r^2$, lle mae (a, b) yn ganol ac r yn radiws y cylch.**

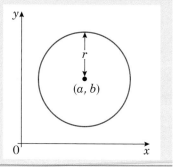

Enghraifft 10

Ysgrifennwch hafaliad y cylch, canol $(5, 7)$ a radiws 4.

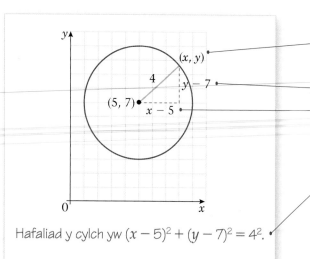

Mae (x, y) yn unrhyw bwynt ar gylchyn y cylch. Mae'r pellter rhwng (x, y) a $(5, 7)$ bob amser yn 4.

Y gwahaniaeth yn y cyfesurynnau y yw $y - 7$.

Y gwahaniaeth yn y cyfesurynnau x yw $x - 5$.

Hafaliad y cylch yw $(x - 5)^2 + (y - 7)^2 = 4^2$.

Er mwyn darganfod hafaliad y cylch, defnyddiwch $d = \sqrt{[(x_2 - x_1)^2 + (y_2 - y_1)^2]}$. Sgwariwch bob ochr fel bod $d^2 = (x_2 - x_1)^2 + (y_2 - y_1)^2$. Yma mae $(x_1, y_1) = (5, 7)$ ac $(x_2, y_2) = (x, y)$. Mae hyn yn y ffurf $(x - a)^2 + (y - b)^2 = r^2$ lle mae $(a, b) = (5, 7)$ ac $r = 4$.

Enghraifft 11

Ysgrifennwch gyfesurynnau canol a radiws y cylchoedd hyn:

a $(x + 3)^2 + (y - 1)^2 = 4^2$　　　　　**b** $(x - \frac{5}{2})^2 + (y - 3)^2 = 32$

a $(x + 3)^2 + (y - 1)^2 = 4^2$

$(x - (-3))^2 + (y - 1)^2 = 4^2$

Felly canol $= (-3, 1)$, radiws $= 4$.

> Ysgrifennwch yr hafaliad yn y ffurf $(x - a)^2 + (y - b)^2 = r^2$, gan ddefnyddio $-(-3) = +3$.
> Felly mae $a = -3$, $b = 1$ ac $r = 4$.

b $\left(x - \dfrac{5}{2}\right)^2 + (y - 3)^2 = 32$

$\left(x - \dfrac{5}{2}\right)^2 + (y - 3)^2 = (\sqrt{32})^2$

$\sqrt{32} = \sqrt{(16 \times 2)}$

$= \sqrt{16} \times \sqrt{2}$

$= 4\sqrt{2}$

Felly canol $= \left(\dfrac{5}{2}, 3\right)$, radiws $= 4\sqrt{2}$.

> Ysgrifennwch yr hafaliad yn y ffurf $(x - a)^2 + (y - b)^2 = r^2$.
> Felly mae $a = \frac{5}{2}$, $b = 3$ ac $r = \sqrt{32}$.
> Symleiddiwch $\sqrt{32}$.

Enghraifft 12

Dangoswch fod y cylch $(x - 3)^2 + (y + 4)^2 = 20$ yn mynd drwy $(5, -8)$.

$(x - 3)^2 + (y + 4)^2 = 20$

Amnewidiwch $(5, -8)$

$(5 - 3)^2 + (-8 + 4)^2 = 2^2 + (-4)^2$

$= 4 + 16$

$= 20$

Felly mae'r cylch yn mynd drwy'r pwynt $(5, -8)$.

> Rhowch y gwerthoedd $x = 5$ ac $y = -8$ yn hafaliad y cylch.
>
> Mae $(5, -8)$ yn bodloni hafaliad y cylch.

Enghraifft 13

Diamedr cylch yw llinell AB. Mae A a B yn $(4, 7)$ a $(-8, 3)$ yn eu trefn.
Darganfyddwch hafaliad y cylch.

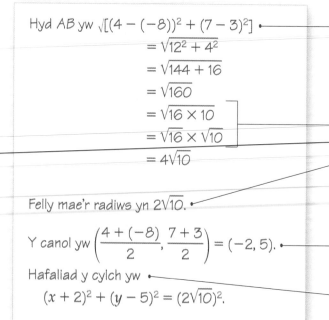

Hyd AB yw $\sqrt{[(4 - (-8))^2 + (7 - 3)^2]}$

$\qquad = \sqrt{12^2 + 4^2}$

$\qquad = \sqrt{144 + 16}$

$\qquad = \sqrt{160}$

$\qquad = \sqrt{16 \times 10}$

$\qquad = \sqrt{16} \times \sqrt{10}$

$\qquad = 4\sqrt{10}$

Felly mae'r radiws yn $2\sqrt{10}$.

Y canol yw $\left(\dfrac{4 + (-8)}{2}, \dfrac{7 + 3}{2}\right) = (-2, 5)$.

Hafaliad y cylch yw

$\qquad (x + 2)^2 + (y - 5)^2 = (2\sqrt{10})^2$.

Defnyddiwch $d = \sqrt{[(x_2 - x_1)^2 + (y_2 - y_1)^2]}$.
Yma mae $(x_1, y_1) = (-8, 3)$ ac $(x_2, y_2) = (4, 7)$.

Symleiddiwch.

Cofiwch fod radiws = diamedr $\div$ 2.

Cofiwch fod canol cylch yng nghanolbwynt y diamedr.

Defnyddiwch $\left(\dfrac{x_1 + x_2}{2}, \dfrac{y_1 + y_2}{2}\right)$.

Yma mae $(x_1, y_1) = (4, 7)$ ac $(x_2, y_2) = (-8, 3)$.

Defnyddiwch $(x - a)^2 + (y - b)^2 = r^2$.
Yma mae $(a, b) = (-2, 5)$ ac $r = 2\sqrt{10}$.

Enghraifft 14

Mae'r llinell $4x - 3y - 40 = 0$ yn cyffwrdd y cylch $(x - 2)^2 + (y - 6)^2 = 100$ yn $P(10, 0)$.
Dangoswch fod y radiws yn P yn berpendicwlar i'r llinell.

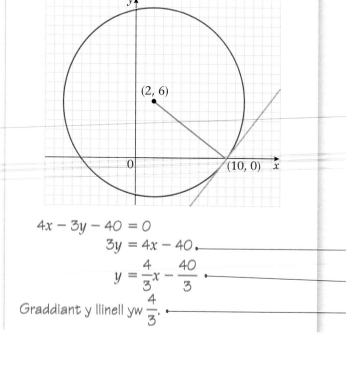

$4x - 3y - 40 = 0$

$\qquad 3y = 4x - 40$

$\qquad y = \dfrac{4}{3}x - \dfrac{40}{3}$

Graddiant y llinell yw $\dfrac{4}{3}$.

Yn gyntaf darganfyddwch raddiant y llinell, felly aildrefnwch ei hafaliad yn y ffurf $y = mx + c$.

Adiwch $3y$ at y ddwy ochr a throwch yr hafaliad fel arall.

Rhannwch bob term â 3.

Cymharach $y = \frac{4}{3}x - \frac{40}{3}$ ag $y = mx + c$, felly $m = \frac{4}{3}$.

$(x - 2)^2 + (y - 6)^2 = 100$

Y canol yw (2, 6).

Felly mae graddiant y radiws yn $P = \dfrac{6 - 0}{2 - 10}$

$= \dfrac{6}{-8}$

$= -\dfrac{3}{4}$

Nawr, $\dfrac{4}{3} \times -\dfrac{3}{4} = -1$.

Felly, mae'r radiws yn P yn berpendicwlar i'r llinell.

Er mwyn darganfod graddiant y radiws yn P, yn gyntaf darganfyddwch ganol y cylch o'i hafaliad.

Cymharwch $(x - 2)^2 + (y - 6)^2 = 100$ ag $(x - a)^2 + (y - b)^2 = r^2$, lle mae (a, b) yn ganol.

Defnyddiwch $m = \dfrac{y_2 - y_1}{x_2 - x_1}$.
Yma mae $(x_1, y_1) = (10, 0)$ ac $(x_2, y_2) = (2, 6)$.

Symleiddiwch y ffracsiwn, felly rhannwch y top a'r gwaelod â 2.

Profwch i weld a yw'r radiws yn berpendicwlar i'r llinell.

Defnyddiwch luoswm graddiannau dwy linell berpendicwlar $= -1$.

Mae'r uchod yn enghraifft arbennig o'r theorem cylch hon:

■ **Mae'r ongl rhwng tangiad a radiws yn 90°.**

■ **Mae tangiad yn cyffwrdd cylch mewn un pwynt yn unig.**

Ymarfer **4Ch**

1 Ysgrifennwch hafaliad y cylchoedd hyn:

   a Canol (3, 2), radiws 4

   b Canol (−4, 5), radiws 6

   c Canol (5, −6), radiws $2\sqrt{3}$

   ch Canol $(2a, 7a)$, radiws $5a$

   d Canol $(-2\sqrt{2}, -3\sqrt{2})$, radiws 1

2 Ysgrifennwch gyfesurynnau'r canol, a radiws y cylchoedd hyn:

   a $(x + 5)^2 + (y - 4)^2 = 9^2$

   b $(x - 7)^2 + (y - 1)^2 = 16$

   c $(x + 4)^2 + y^2 = 25$

   ch $(x + 4a)^2 + (y + a)^2 = 144a^2$

   d $(x - 3\sqrt{5})^2 + (y + \sqrt{5})^2 = 27$

3 Ym mhob achos, dangoswch fod y cylch yn mynd drwy'r pwynt a roddir:

   a $(x - 2)^2 + (y - 5)^2 = 13$, $(4, 8)$

   b $(x + 7)^2 + (y - 2)^2 = 65$, $(0, -2)$

   c $x^2 + y^2 = 25^2$, $(7, -24)$

   ch $(x - 2a)^2 + (y + 5a)^2 = 20a^2$, $(6a, -3a)$

   d $(x - 3\sqrt{5})^2 + (y - \sqrt{5})^2 = (2\sqrt{10})^2$, $(\sqrt{5}, -\sqrt{5})$

4 Mae'r pwynt $(4, -2)$ ar gylch, canol $(8, 1)$. Darganfyddwch hafaliad y cylch.

5 Diamedr cylch yw llinell PQ. Mae P a Q yn $(5, 6)$ a $(-2, 2)$ yn eu trefn.
Darganfyddwch hafaliad y cylch.

6 Mae'r pwynt $(1, -3)$ ar y cylch $(x - 3)^2 + (y + 4)^2 = r^2$. Darganfyddwch werth r.

7 Mae'r llinell $y = 2x + 13$ yn cyffwrdd y cylch $x^2 + (y - 3)^2 = 20$ yn $(-4, 5)$. Dangoswch fod
y radiws yn $(-4, 5)$ yn berpendicwlar i'r llinell.

8 Mae'r llinell $x + 3y - 11 = 0$ yn cyffwrdd y cylch $(x + 1)^2 + (y + 6)^2 = 90$ yn $(2, 3)$.

   a Darganfyddwch radiws y cylch.

   b Dangoswch fod y radiws yn $(2, 3)$ yn berpendicwlar i'r llinell.

9 Mae pwynt $P(1, -2)$ ar y cylch sydd â'i ganol yn $(4, 6)$.

   a Darganfyddwch hafaliad y cylch.

   b Darganfyddwch hafaliad y tangiad i'r cylch yn P.

10 Mae'r tangiad i'r cylch $(x + 4)^2 + (y - 1)^2 = 242$ yn $(7, -10)$ yn cyffwrdd echelin y yn S ac
echelin x yn T.

   a Darganfyddwch gyfesurynnau S a T.

   b Drwy wneud hyn, darganfyddwch arwynebedd $\triangle OST$, os O yw'r tarddbwynt.

Enghraifft 15

Darganfyddwch ym mhle mae'r cylch $(x - 5)^2 + (y - 4)^2 = 65$ yn croesi echelin x.

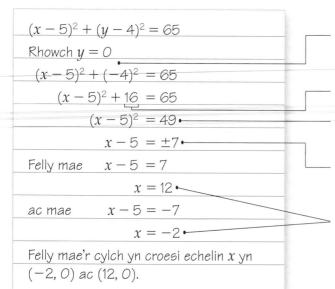

$(x - 5)^2 + (y - 4)^2 = 65$	Mae'r cylch yn croesi echelin x pan yw $y = 0$, felly rhowch $y = 0$ yn yr hafaliad.
Rhowch $y = 0$	
$(x - 5)^2 + (-4)^2 = 65$	
$(x - 5)^2 + 16 = 65$	$-4 \times -4 = 16$
$(x - 5)^2 = 49$	Tynnwch 16 o'r ddwy ochr.
$x - 5 = \pm 7$	
Felly mae $\quad x - 5 = 7$	Darganfyddwch ail isradd y ddwy ochr, fel bod $\sqrt{49} = \pm 7$.
$x = 12$	
ac mae $\quad x - 5 = -7$	
$x = -2$	Cyfrifwch werthoedd x ar wahân, gan adio 5 at y ddwy ochr yn y ddau achos.
Felly mae'r cylch yn croesi echelin x yn $(-2, 0)$ ac $(12, 0)$.	

Enghraifft 16

Darganfyddwch ym mhle mae'r llinell $y = x + 5$ yn cyfarfod y cylch $x^2 + (y - 2)^2 = 29$.

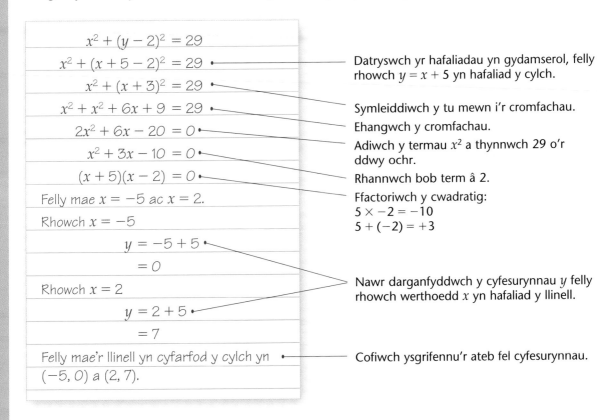

$x^2 + (y - 2)^2 = 29$

$x^2 + (x + 5 - 2)^2 = 29$ — Datryswch yr hafaliadau yn gydamserol, felly rhowch $y = x + 5$ yn hafaliad y cylch.

$x^2 + (x + 3)^2 = 29$ — Symleiddiwch y tu mewn i'r cromfachau.

$x^2 + x^2 + 6x + 9 = 29$ — Ehangwch y cromfachau.

$2x^2 + 6x - 20 = 0$ — Adiwch y termau x^2 a thynnwch 29 o'r ddwy ochr.

$x^2 + 3x - 10 = 0$ — Rhannwch bob term â 2.

$(x + 5)(x - 2) = 0$ — Ffactoriwch y cwadratig:
$5 \times -2 = -10$
$5 + (-2) = +3$

Felly mae $x = -5$ ac $x = 2$.

Rhowch $x = -5$

$y = -5 + 5$

$= 0$

Rhowch $x = 2$

$y = 2 + 5$ — Nawr darganfyddwch y cyfesurynnau y felly rhowch werthoedd x yn hafaliad y llinell.

$= 7$

Felly mae'r llinell yn cyfarfod y cylch yn $(-5, 0)$ a $(2, 7)$. — Cofiwch ysgrifennu'r ateb fel cyfesurynnau.

Enghraifft 17

Dangoswch nad yw'r llinell $y = x - 7$ yn cyfarfod y cylch $(x + 2)^2 + y^2 = 33$.

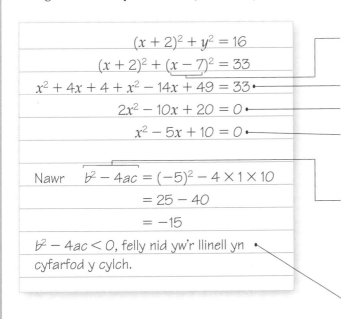

$(x + 2)^2 + y^2 = 16$

$(x + 2)^2 + (x - 7)^2 = 33$ — Datryswch yr hafaliadau yn gydamserol, felly rhowch $y = x - 7$ yn hafaliad y cylch.

$x^2 + 4x + 4 + x^2 - 14x + 49 = 33$ — Ehangwch y cromfachau.

$2x^2 - 10x + 20 = 0$ — Casglwch dermau tebyg a thynnwch 33 o'r ddwy ochr.

$x^2 - 5x + 10 = 0$ — Symleiddiwch y cwadratig, felly rhannwch bob term â 2.

Nawr $b^2 - 4ac = (-5)^2 - 4 \times 1 \times 10$

$= 25 - 40$

$= -15$ — Defnyddiwch y gwahanolyn $b^2 - 4ac$ i brofi am wreiddiau'r hafaliad cwadratig.

$b^2 - 4ac < 0$, felly nid yw'r llinell yn cyfarfod y cylch.

Cofiwch
Os yw $b^2 - 4ac > 0$ mae dau wreiddyn amlwg.
Os yw $b^2 - 4ac = 0$ mae gwreiddyn cylchol.
Os yw $b^2 - 4ac < 0$ nid oes gwraidd real.

Gan fod $b^2 - 4ac < 0$, nid oes datrysiad i'r hafaliad cwadratig. Felly, nid yw'r llinell yn cyfarfod y cylch.

Ymarfer 4D

1 Darganfyddwch ym mhle mae'r cylch $(x-1)^2 + (y-3)^2 = 45$ yn cyfarfod echelin x.

2 Darganfyddwch ym mhle mae'r cylch $(x-2)^2 + (y+3)^2 = 29$ yn cyfarfod echelin y.

3 Mae'r cylch $(x-3)^2 + (y+3)^2 = 34$ yn cyfarfod echelin x yn $(a, 0)$ ac echelin y yn $(0, b)$. Darganfyddwch werthoedd posibl a a b.

4 Mae'r llinell $y = x + 4$ yn cyfarfod y cylch $(x-3)^2 + (y-5)^2 = 34$ yn A a B. Darganfyddwch gyfesurynnau A a B.

5 Darganfyddwch ym mhle mae'r llinell $x + y + 5 = 0$ yn cyfarfod y cylch $(x+3)^2 + (y+5)^2 = 65$.

6 Dangoswch nad yw'r llinell $y = x - 10$ yn cyfarfod y cylch $(x-2)^2 + y^2 = 25$.

7 Dangoswch fod y llinell $x + y = 11$ yn dangiad i'r cylch $x^2 + (y-3)^2 = 32$.

> **Awgrym ar gyfer cwestiwn 7:**
> Dangoswch fod y llinell yn cyfarfod y cylch mewn un pwynt yn unig.

8 Dangoswch fod y llinell $3x - 4y + 25 = 0$ yn dangiad i'r cylch $x^2 + y^2 = 25$.

9 Mae'r llinell $y = 2x - 2$ yn cyfarfod y cylch $(x-2)^2 + (y-2)^2 = 20$ yn A a B.

    a Darganfyddwch gyfesurynnau A a B.

    b Dangoswch fod AB yn ddiamedr y cylch.

10 Mae'r llinell $x + y = a$ yn cyfarfod y cylch $(x-p)^2 + (y-6)^2 = 20$ yn $(3, 10)$, lle mae a a p yn gysonion.

    a Cyfrifwch werth a.   **b** Cyfrifwch ddau werth posibl p.

Ymarfer cymysg 4Dd

1 Mae'r llinell $y = 2x - 8$ yn cyfarfod yr echelinau cyfesurynnol yn A a B. Diamedr y cylch yw llinell AB. Darganfyddwch hafaliad y cylch.

2 Mae cylch, canol $(8, 10)$ yn cyfarfod echelin x yn $(4, 0)$ ac $(a, 0)$.
    a Darganfyddwch radiws y cylch.   **b** Darganfyddwch werth a.

3 Mae'r cylch $(x-5)^2 + y^2 = 36$ yn cyfarfod echelin x yn P a Q. Darganfyddwch gyfesurynnau P a Q.

4 Mae'r cylch $(x+4)^2 + (y-7)^2 = 121$ yn cyfarfod echelin y yn $(0, m)$ a $(0, n)$. Darganfyddwch werth m ac n.

5 Mae'r llinell $y = 0$ yn dangiad i'r cylch $(x-8)^2 + (y-a)^2 = 16$. Darganfyddwch werth a.

6 Mae pwynt $A(-3, -7)$ ar gylch sydd â'i ganol yn $(5, 1)$. Darganfyddwch hafaliad y tangiad i'r cylch yn A.

7 Mae'r cylch $(x+3)^2 + (y+8)^2 = 100$ yn cyfarfod yr echelinau cyfesurynnol positif yn $A(a, 0)$ a $B(0, b)$.

    a Darganfyddwch werth a a b.

    b Darganfyddwch hafaliad llinell AB.

8 Mae'r cylch $(x + 2)^2 + (y - 5)^2 = 169$ yn cyfarfod yr echelinau cyfesurynnol positif yn $C(c, 0)$ a $D(0, d)$.

    a Darganfyddwch werth c a d.

    b Darganfyddwch arwynebedd $\triangle OCD$, os O yw'r tarddbwynt.

9 Mae cylch, canol (p, q) a radiws 25, yn cyfarfod echelin x yn $(-7, 0)$ a $(7, 0)$, lle mae $q > 0$.

    a Darganfyddwch werth p a q.

    b Darganfyddwch gyfesurynnau'r pwyntiau lle mae'r cylch yn cyffwrdd echelin y.

10 Dangoswch fod $(0, 0)$ y tu mewn i'r cylch $(x - 5)^2 + (y + 2)^2 = 30$.

11 Mae pwyntiau $A(-4, 0)$, $B(4, 8)$ ac $C(6, 0)$ ar gylch. Cordiau'r cylch yw llinellau AB a BC. Darganfyddwch gyfesurynnau canol y cylch.

12 Mae pwyntiau $R(-4, 3)$, $S(7, 4)$ a $T(8, -7)$ ar gylch.

    a Dangoswch fod gan $\triangle RST$ ongl sgwâr.   **b** Darganfyddwch hafaliad y cylch.

13 Mae pwyntiau $A(-7, 7)$, $B(1, 9)$, $C(3, 1)$ a $D(-7, 1)$ ar gylch. Cordiau'r cylch yw llinellau AB ac CD.

    a Darganfyddwch hafaliad hanerydd perpendicwlar **i** AB **ii** CD.

    b Darganfyddwch gyfesurynnau canol y cylch.

14 Canolau'r cylchoedd $(x - 8)^2 + (y - 8)^2 = 117$ ac $(x + 1)^2 + (y - 3)^2 = 106$ yw P a Q yn eu trefn.

    a Dangoswch fod P ar $(x + 1)^2 + (y - 3)^2 = 106$.

    b Darganfyddwch hyd PQ.

15 Mae'r llinell $y = -3x + 12$ yn cyfarfod yr echelinau cyfesurynnol yn A a B.

    a Darganfyddwch gyfesurynnau A a B.

    b Darganfyddwch gyfesurynnau canolbwynt AB.

    c Darganfyddwch hafaliad y cylch sy'n mynd drwy A, B ac O, lle mae O yn darddbwynt.

16 Mae pwyntiau $A(-5, 5)$, $B(1, 5)$, $C(3, 3)$ a $D(3, -3)$ ar gylch. Darganfyddwch hafaliad y cylch.

17 Cord cylch, canol $(2, -1)$, yw llinell AB. Mae A a B yn $(3, 7)$ a $(-5, 3)$ yn eu trefn. Diamedr y cylch yw AC. Darganfyddwch arwynebedd $\triangle ABC$.

18 Fertigau triongl yw pwyntiau $A(-1, 0)$, $B(\frac{1}{2}, \frac{\sqrt{3}}{2})$ ac $C(\frac{1}{2}, -\frac{\sqrt{3}}{2})$.

    a Dangoswch fod y cylch $x^2 + y^2 = 1$ yn mynd drwy fertigau'r triongl.

    b Dangoswch fod $\triangle ABC$ yn hafalochrog.

19 Mae pwyntiau $P(2, 2)$, $Q(2 + \sqrt{3}, 5)$ ac $R(2 - \sqrt{3}, 5)$ ar y cylch $(x - 2)^2 + (y - 4)^2 = r^2$.

    a Darganfyddwch werth r.   **b** Dangoswch fod $\triangle PQR$ yn hafalochrog.

20 Mae pwyntiau $A(-3, -2)$, $B(-6, 0)$ ac $C(p, q)$ ar gylch, canol $(-\frac{5}{2}, 2)$. Diamedr y cylch yw llinell BC.

    a Darganfyddwch werth p a q.

    b Darganfyddwch raddiant **i** AB **ii** AC.

    c Dangoswch fod AB yn berpendicwlar i AC.

Crynodeb o'r pwyntiau allweddol

1 Canolbwynt (x_1, y_1) ac (x_2, y_2) yw

$$\left(\frac{x_1 + x_2}{2}, \frac{y_1 + y_2}{2}\right).$$

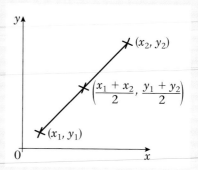

2 Mae'r pellter d rhwng (x_1, y_1) ac (x_2, y_2) yn
$d = \sqrt{[(x_2 - x_1)^2 + (y_2 - y_1)^2]}$.

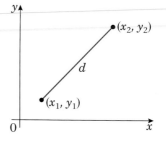

3 Hafaliad cylch, canol (a, b) a radiws r,
yw $(x - a)^2 + (y - b)^2 = r^2$.

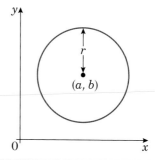

4 Llinell sy'n cysylltu dau bwynt ar gylchyn
cylch yw cord.

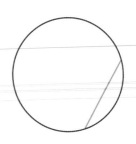

5 Mae'r perpendicwlar o ganol cylch at
gord yn haneru'r cord.

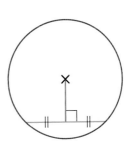

6 Mae'r ongl mewn hanner cylch yn ongl sgwâr.

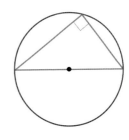

7 Llinell sy'n cyffwrdd cylch mewn un pwynt
yn unig yw tangiad.

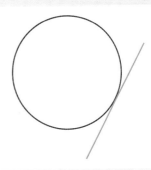

8 Mae'r ongl rhwng tangiad a radiws yn 90°.

Mae'r bennod hon yn dangos i chi sut i ehangu cromfachau yn y ffurf $(a + b)^n$ pan yw n yn unrhyw gyfanrif positif.

5.1 Gallwch ddefnyddio Triongl Pascal i ehangu mynegiadau megis $(x + 2y)^3$ yn gyflym.

Ystyriwch y canlynol:

$$(a + b)^1 = a + b$$

$$(a + b)^2 = (a + b)(a + b) = a^2 + 2ab + b^2$$

$$(a + b)^3 = (a + b)(a + b)^2 = (a + b)(a^2 + 2ab + b^2)$$

$$= a(a^2 + 2ab + b^2) + b(a^2 + 2ab + b^2)$$

$$= a^3 + 2a^2b + ab^2 + ba^2 + 2ab^2 + b^3$$

$$= a^3 + 3a^2b + 3ab^2 + b^3$$

Yn yr un modd mae $(a + b)^4 = a^4 + 4a^3b + 6a^2b^2 + 4ab^3 + b^4$.

O ysgrifennu'r canlyniadau hyn mewn trefn gan gychwyn ag $(a + b)^0$ rydym yn darganfod bod:

$$
\begin{aligned}
(a + b)^0 &= & & & & & 1 \\
(a + b)^1 &= & & & & 1a &+& 1b \\
(a + b)^2 &= & & & 1a^2 &+& 2ab &+& 1b^2 \\
(a + b)^3 &= & & 1a^3 &+& 3a^2b &+& 3ab^2 &+& 1b^3 \\
(a + b)^4 &= & 1a^4 &+& 4a^3b &+& 6a^2b^2 &+& 4ab^3 &+& 1b^4
\end{aligned}
$$

> **Awgrym:** Mae gan yr holl dermau yr un indecs â'r mynegiad gwreiddiol. Er enghraifft, edrychwch ar y llinell ar gyfer $(a + b)^3$. Mae cyfanswm indecsau pob term yn 3 (a^3, a^2b, ab^2 a b^3).

Dylech sylwi ar y patrymau canlynol:

• Mae'r cyfernodau yn ffurfio patrwm sy'n cael ei adnabod fel Triongl Pascal.

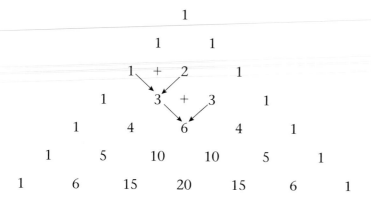

> **Awgrym:** Er mwyn mynd o un llinell i'r llinell nesaf rydych yn adio parau cyfagos o rifau.

Enghraifft 1

Defnyddiwch Driongl Pascal i ddarganfod ehangiadau:

a $(x + 2y)^3$

b $(2x - 5)^4$

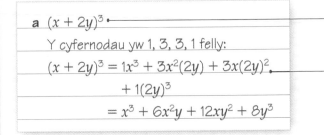

a $(x + 2y)^3$ Indecs = 3 felly edrychwch ar 4edd llinell Triongl Pascal i ddarganfod y cyfernodau.

Y cyfernodau yw 1, 3, 3, 1 felly:

$(x + 2y)^3 = 1x^3 + 3x^2(2y) + 3x(2y)^2$ Defnyddiwch ehangiad $(a + b)^3$.
Cofiwch fod $(2y)^2 = 4y^2$.

$\qquad + 1(2y)^3$

$\qquad = x^3 + 6x^2y + 12xy^2 + 8y^3$

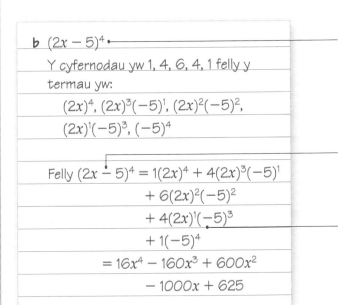

b $(2x - 5)^4$ Indecs = 4 felly edrychwch ar 5ed llinell Triongl Pascal.

Y cyfernodau yw 1, 4, 6, 4, 1 felly y termau yw:

$(2x)^4, (2x)^3(-5)^1, (2x)^2(-5)^2,$

$(2x)^1(-5)^3, (-5)^4$

Felly $(2x - 5)^4 = 1(2x)^4 + 4(2x)^3(-5)^1$ Defnyddiwch ehangiad $(a + b)^4$.

$\qquad + 6(2x)^2(-5)^2$

$\qquad + 4(2x)^1(-5)^3$

$\qquad + 1(-5)^4$ Cofiwch fod yn ofalus â'r rhifau negatif!

$\qquad = 16x^4 - 160x^3 + 600x^2$

$\qquad\qquad - 1000x + 625$

Enghraifft 2

Gwerth cyfernod x^2 yn ehangiad $(2 - cx)^3$ yw 294.
Darganfyddwch werth(oedd) posibl cysonyn c.

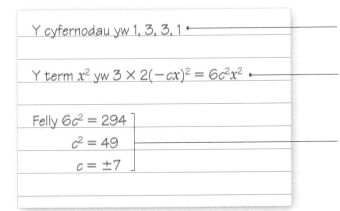

Y cyfernodau yw 1, 3, 3, 1   Indecs = 3, felly defnyddiwch 4ydd llinell Triongl Pascal i ddarganfod y cyfernodau.

Y term x^2 yw $3 \times 2(-cx)^2 = 6c^2x^2$ O ehangiad $(a + b)^3$ y term x^2 yw $3ab^2$ lle mae $a = 2$ a $b = -cx$.

Felly $6c^2 = 294$

$\qquad c^2 = 49$ Ysgrifennwch a datryswch hafaliad sy'n cynnwys c.

$\qquad c = \pm 7$

Ymarfer 5A

1 Ysgrifennwch ehangiad y canlynol:

    a $(x + y)^4$ **b** $(p + q)^5$ **c** $(a - b)^3$ **ch** $(x + 4)^3$

    d $(2x - 3)^4$ **dd** $(a + 2)^5$ **e** $(3x - 4)^4$ **f** $(2x - 3y)^4$

2 Darganfyddwch gyfernod x^3 yn ehangiad y canlynol:

    a $(4 + x)^4$ **b** $(1 - x)^5$ **c** $(3 + 2x)^3$ **ch** $(4 + 2x)^5$

    d $(2 + x)^6$ **dd** $(4 - \frac{1}{2}x)^4$ **e** $(x + 2)^5$ **f** $(3 - 2x)^4$

3 Ehangwch y mynegiad $(1 + 3x)(1 + 2x)^3$ yn llwyr.

4 Ehangwch $(2 + y)^3$. Drwy wneud hyn neu fel arall, ysgrifennwch ehangiad $(2 + x - x^2)^3$ mewn pwerau esgynnol x.

5 Darganfyddwch gyfernod x^3 yn ehangiad $(2 + 3x)^3(5 - x)^3$.

6 Cyfernod x^2 yn ehangiad $(2 + ax)^3$ yw 54. Darganfyddwch werthoedd posibl cysonyn a.

7 45 yw cyfernod x^2 yn ehangiad $(2 - x)(3 + bx)^3$. Darganfyddwch werthoedd posibl cysonyn b.

8 Darganfyddwch y term nad yw'n cynnwys x yn ehangiad $\left(x^2 - \dfrac{1}{2x}\right)^3$.

5.2 Gallwch ddefnyddio cyfuniadau a nodiant ffactorial i'ch helpu i ehangu mynegiadau binomaidd. Yn achos indecsau mwy, mae'n gyflymach na defnyddio Triongl Pascal.

Tybiwch fod tri o bobl, A, B ac C yn rhedeg ras. Mae chwe chanlyniad gwahanol ar gyfer eu safleoedd terfynol.

    A, B, C

    A, C, B

    B, A, C

    B, C, A

    C, A, B

    C, B, A

Gellir cyfrifo'r rhif fel:

$$3 \times 2 \times 1$$

Ar ôl i'r cyntaf a'r ail safle gael eu dyfarnu, dim ond 1 lle sydd ar ôl ar gyfer y trydydd safle.

Ar ôl i'r enillydd groesi'r llinell derfyn mae 2 ddewis ar gyfer yr ail safle.

Mae tri yn rhedeg y ras: A, B ac C.

Gallwch gynrychioli $3 \times 2 \times 1$ trwy ddefnyddio nodiant ffactorial. Mae 3!, sef '3 ffactorial' $= 3 \times 2 \times 1$.

■ $n! = n \times (n - 1) \times (n - 2) \times (n - 3) \times \ldots \times 3 \times 2 \times 1$

Nodyn: Trwy ddiffiniad, $0! = 1$

Tybiwch eich bod eisiau dewis unrhyw ddwy lythyren o A, B ac C, lle nad yw'r drefn yn bwysig. Mae tri gwahanol ganlyniad. Gallwn gynrychioli hyn â $^3C_2$ neu $\dbinom{3}{2} = \dfrac{3!}{2!1!}$.

■ Ysgrifennir nifer y ffyrdd o ddewis r eitem o grŵp o n eitem fel ^nC_r, neu $\begin{pmatrix} n \\ r \end{pmatrix}$ ac mae'n cael ei gyfrifo gan $\dfrac{n!}{(n-r)!r!}$

e.e. $^3C_2 = \dfrac{3!}{(3-2)!2!} = \dfrac{6}{1 \times 2} = 3$

Ymarfer 5B

1 Darganfyddwch werthoedd y canlynol:

   a $4!$ **b** $6!$ **c** $\dfrac{8!}{6!}$ **ch** $\dfrac{10!}{9!}$

   d $^4C_2$ **dd** $^8C_6$ **e** $^5C_2$ **f** $^6C_3$

   ff $^{10}C_9$ **g** $^6C_2$ **ng** $^8C_5$ **h** $^nC_3$

2 Cyfrifwch y canlynol:

   a $^4C_0$ **b** $\begin{pmatrix} 4 \\ 1 \end{pmatrix}$ **c** $^4C_2$ **ch** $\begin{pmatrix} 4 \\ 3 \end{pmatrix}$ **d** $\begin{pmatrix} 4 \\ 4 \end{pmatrix}$

   Nawr edrychwch ar linell 4 Triongl Pascal. Allwch chi ddarganfod unrhyw gysylltiad?

3 Ysgrifennwch y canlynol gan ddefnyddio nodiant cyfunol:

   a Llinell 3 Triongl Pascal.

   b Llinell 5 Triongl Pascal.

4 Pam mae $^6C_2$ yn hafal i $\begin{pmatrix} 6 \\ 4 \end{pmatrix}$?

   a Atebwch gan ddefnyddio'r syniadau ar ddewis o grŵp.

   b Atebwch drwy gyfrifo'r ddau werth.

5.3 Gallwch ddefnyddio $\begin{pmatrix} n \\ r \end{pmatrix}$ i gyfrifo'r cyfernodau yn yr ehangiad binomaidd.

■ Yr ehangiad binomaidd yw

$$(a+b)^n = \underbrace{(a+b)(a+b) \dots (a+b)}_{n \text{ gwaith}}$$

$$= {^nC_0}a^n + {^nC_1}a^{n-1}b + {^nC_2}a^{n-2}b^2 + {^nC_3}a^{n-3}b^3 + \dots + {^nC_n}b^n$$

neu $\begin{pmatrix} n \\ 0 \end{pmatrix}a^n + \begin{pmatrix} n \\ 1 \end{pmatrix}a^{n-1}b + \begin{pmatrix} n \\ 2 \end{pmatrix}a^{n-2}b^2 + \begin{pmatrix} n \\ 3 \end{pmatrix}a^{n-3}b^3 + \dots + \begin{pmatrix} n \\ n \end{pmatrix}b^n$

> **Awgrym:** Nid oes angen i chi gofio'r **ddwy** ffurf hyn o'r ehangiad binomaidd ar eich cof. Dylech allu darganfod y ffurf hon trwy ddefnyddio ehangiad $(a+b)^n$.

■ Yn yr un modd,

$$(a+bx)^n = {^nC_0}a^n + {^nC_1}a^{n-1}bx + {^nC_2}a^{n-2}b^2x^2 + {^nC_3}a^{n-3}b^3x^3 + \dots {^nC_n}b^nx^n$$

neu $\begin{pmatrix} n \\ 0 \end{pmatrix}a^n + \begin{pmatrix} n \\ 1 \end{pmatrix}a^{n-1}bx + \begin{pmatrix} n \\ 2 \end{pmatrix}a^{n-2}b^2x^2 + \begin{pmatrix} n \\ 3 \end{pmatrix}a^{n-3}b^3x^3 + \dots + \begin{pmatrix} n \\ n \end{pmatrix}b^nx^n$

Enghraifft 3

Defnyddiwch y theorem binomial i ddarganfod ehangiad $(3 - 2x)^5$:

$$(3 - 2x)^5 = 3^5 + \binom{5}{1}3^4(-2x) + \binom{5}{2}3^3(-2x)^2$$

$$+ \binom{5}{3}3^2(-2x)^3 + \binom{5}{4}3^1(-2x)^4$$

$$+ (-2x)^5$$

$$= 243 - 810x + 1080x^2 - 720x^3$$
$$+ 240x^4 - 32x^5$$

Bydd 6 therm.

Mae cyfanswm indecsau'r termau yn 5.

Defnyddiwch $(a + bx)^n$ lle mae $a = 3$, $b = -2x$ ac $n = 5$.

Mae $\binom{5}{2}$ ffordd o ddewis dau derm '$-2x$' o'r 5 cromfach.

Enghraifft 4

Darganfyddwch bedwar term cyntaf $\left(1 - \dfrac{x}{4}\right)^{10}$ mewn pwerau esgynnol x a, thrwy amnewid mewn modd addas, defnyddiwch eich canlyniad i ddarganfod gwerth bras $(0.975)^{10}$. Defnyddiwch eich cyfrifiannell i ddarganfod pa mor gywir yw eich brasamcan.

$$\left(1 - \frac{x}{4}\right)^{10}$$

Y termau yw 1^{10}, $1^9\left(-\dfrac{x}{4}\right)^1$, $1^8\left(-\dfrac{x}{4}\right)^2$, ac $1^7\left(-\dfrac{x}{4}\right)^3$.

Y cyfernodau yw $^{10}C_0$ $^{10}C_1$ $^{10}C_2$ $^{10}C_3$

Drwy gyfuno, rydym yn cael y pedwar term cyntaf i fod yn hafal i:

$$^{10}C_0 1^{10} + {}^{10}C_1 (1)^9\left(-\frac{x}{4}\right)^1 + {}^{10}C_2 (1)^8\left(-\frac{x}{4}\right)^2 +$$

$$^{10}C_3 (1)^7\left(-\frac{x}{4}\right)^3 + \ldots$$

$$= 1 - 2.5x + 2.8125x^2 - 1.875x^3 \ldots$$

Rydym eisiau $\left(1 - \dfrac{x}{4}\right) = 0.975$

$$\frac{x}{4} = 0.025$$

$$x = 0.1$$

Rhowch y gwerth $x = 0.1$ yn yr ehangiad ar gyfer $\left(1 - \dfrac{x}{4}\right)^{10}$:

$$0.975^{10} = 1 - 0.25 + 0.028\,125 - 0.001\,875$$

$$= 0.77625$$

Gan ddefnyddio cyfrifiannell $(0.975)^{10} = 0.776\,329\,62$

Felly mae'r brasamcan yn gywir i 4 lle degol.

Mae cyfanswm indecsau'r termau $= 10$.

Rydych yn dewis dau derm '$-\dfrac{x}{4}$' o 10 cromfach.

Cyfrifwch werth x.

Rhowch y gwerth $x = 0.1$ yn eich ehangiad.

Ymarfer 5C

1 Ysgrifennwch ehangiad y canlynol:

  a $(2x + y)^4$ **b** $(p - q)^5$ **c** $(1 + 2x)^4$ **ch** $(3 + x)^4$

  d $(1 - \frac{1}{2}x)^4$ **dd** $(4 - x)^4$ **e** $(2x + 3y)^5$ **f** $(x + 2)^6$

2 Darganfyddwch derm x^3 yr ehangiadau canlynol:

  a $(3 + x)^5$ **b** $(2x + y)^5$ **c** $(1 - x)^6$ **ch** $(3 + 2x)^5$

  d $(1 + x)^{10}$ **dd** $(3 - 2x)^6$ **e** $(1 + x)^{20}$ **f** $(4 - 3x)^7$

3 Defnyddiwch y theorem binomial i ddarganfod y pedwar term cyntaf yn ehangiad:

  a $(1 + x)^{10}$ **b** $(1 - 2x)^5$ **c** $(1 + 3x)^6$ **ch** $(2 - x)^8$

  d $(2 - \frac{1}{2}x)^{10}$ **dd** $(3 - x)^7$ **e** $(x + 2y)^8$ **f** $(2x - 3y)^9$

4 Cyfernod x^2 yn ehangiad $(2 + ax)^6$ yw 60.
Darganfyddwch werthoedd posibl cysonyn a.

5 Cyfernod x^3 yn ehangiad $(3 + bx)^5$ yw -720.
Darganfyddwch werth cysonyn b.

6 Cyfernod x^3 yn ehangiad $(2 + x)(3 - ax)^4$ yw 30.
Darganfyddwch werthoedd cysonyn a.

7 Ysgrifennwch y pedwar term cyntaf yn ehangiad $\left(1 - \dfrac{x}{10}\right)^6$.

Drwy roi gwerth addas yn lle x, darganfyddwch werth bras $(0.99)^6$.
Defnyddiwch eich cyfrifiannell i ddarganfod pa mor fanwl gywir yw eich brasamcan.

8 Ysgrifennwch y pedwar term cyntaf yn ehangiad $\left(2 + \dfrac{x}{5}\right)^{10}$.

Drwy roi gwerth addas yn lle x, darganfyddwch werth bras $(2.1)^{10}$.
Defnyddiwch eich cyfrifiannell i ddarganfod pa mor fanwl gywir yw eich brasamcan.

5.4 Mae angen i chi allu ehangu $(1 + x)^n$ ac $(a + bx)^n$ gan ddefnyddio'r ehangiad binomaidd.

■ $(1 + x)^n = \binom{n}{0}1^n + \binom{n}{1}1^{n-1}x^1 + \binom{n}{2}1^{n-2}x^2 + \binom{n}{3}1^{n-3}x^3 + \binom{n}{4}1^{n-4}x^4 + \dots + \binom{n}{r}1^{n-r}x^r$

$$= 1 + nx + \frac{n(n-1)}{2!}x^2 + \frac{n(n-1)(n-2)}{3!}x^3 + \frac{n(n-1)(n-2)(n-3)}{4!}x^4 + \dots$$

Enghraifft 5

Darganfyddwch y pedwar term cyntaf yn ehangiad binomaidd **a** $(1 + 2x)^5$ a **b** $(2 - x)^6$:

a $(1 + 2x)^5 = 1 + nx + \dfrac{n(n-1)}{2!}x^2 + \dfrac{n(n-1)(n-2)}{3!}x^3 + \ldots$

Cymharwch $(1 + x)^n$ ag $(1 + 2x)^n$.

$\qquad = 1 + 5(2x) + \dfrac{5(4)}{2!}(2x)^2 + \dfrac{5(4)(3)}{3!}(2x)^3 + \ldots$

$\qquad = 1 + 10x + 40x^2 + 80x^3 + \ldots$

Rhowch 5 yn lle n a $2x$ yn lle 'x'.

b $(2 - x)^6 = \left[2\left(1 - \dfrac{x}{2}\right)\right]^6$

Dim ond yn achos $(1 + x)^n$ y mae'r ehangiad yn gweithio, felly ewch â'r ffactor cyffredin 2 y tu allan i'r cromfachau.

$\qquad = 2^6\left(1 - \dfrac{x}{2}\right)^6$

$\qquad = 2^6\left(1 + 6\left(-\dfrac{x}{2}\right) + \dfrac{6 \times 5}{2!}\left(-\dfrac{x}{2}\right)^2\right.$

$\qquad \quad \left. + \dfrac{6 \times 5 \times 4}{3!}\left(-\dfrac{x}{2}\right)^3 + \ldots\right)$

Rhowch 6 yn lle n ac '$-\dfrac{x}{2}$' yn lle 'x' yn ehangiad $(1 + x)^n$.

$\qquad = 2^6\left(1 - 3x + \dfrac{15}{4}x^2 - \dfrac{5}{2}x^3 + \ldots\right)$

Lluoswch y termau mewn cromfachau â 2^6.

$\qquad = 64 - 192x + 240x^2 - 160x^3 + \ldots$

Ymarfer 5Ch

1 Defnyddiwch yr ehangiad binomaidd i ddarganfod pedwar term cyntaf y canlynol:

a $(1 + x)^8$ **b** $(1 - 2x)^6$ **c** $\left(1 + \dfrac{x}{2}\right)^{10}$

ch $(1 - 3x)^5$ **d** $(2 + x)^7$ **dd** $(3 - 2x)^3$

e $(2 - 3x)^6$ **f** $(4 + x)^4$ **ff** $(2 + 5x)^7$

2 Os yw x mor fychan fel y gellir anwybyddu termau x^3 ac uwch, dangoswch fod:

$\qquad (2 + x)(1 - 3x)^5 \approx 2 - 29x + 165x^2$

3 Os yw x mor fychan fel y gellir anwybyddu termau x^3 ac uwch, ac os yw

$\qquad (2 - x)(3 + x)^4 \approx a + bx + cx^2$

darganfyddwch werthoedd y cysonion a, b ac c.

4 Pan yw $(1 - 2x)^p$ yn cael ei ehangu, mae cyfernod x^2 yn 40. O wybod bod $p > 0$, defnyddiwch y wybodaeth hon i ddarganfod:

   a Gwerth cysonyn p.

   b Cyfernod x.

   c Cyfernod x^3.

5 Ysgrifennwch y pedwar term cyntaf yn ehangiad $(1 + 2x)^8$. Drwy roi gwerth addas yn lle x (y dylid ei nodi), darganfyddwch werth bras 1.02^8. Nodwch pa mor fanwl gywir yw eich ateb.

Ymarfer cymysg 5D

1 Pan yw $(1 - \frac{3}{2}x)^p$ yn cael ei ehangu mewn pwerau esgynnol x, mae cyfernod x yn -24.

   a Darganfyddwch werth p.

   b Darganfyddwch gyfernod x^2 yn yr ehangiad.

   c Darganfyddwch gyfernod x^3 yn yr ehangiad. **(A)**

2 O wybod bod:

$$(2 - x)^{13} \equiv A + Bx + Cx^2 + \dots$$

darganfyddwch werthoedd y cyfanrifau A, B ac C. **(A)**

3 **a** Ehangwch $(1 - 2x)^{10}$ mewn pwerau esgynnol x hyd at a chan gynnwys y term x^3, gan symleiddio pob cyfernod yn yr ehangiad.

   b Defnyddiwch eich ehangiad i ddarganfod brasamcan o werth $(0.98)^{10}$, gan nodi'n eglur pa werth a ddefnyddiwyd ar gyfer x. **(A)**

4 **a** Defnyddiwch y gyfres finomaidd i ehangu $(2 - 3x)^{10}$ mewn pwerau esgynnol x hyd at a chan gynnwys y term x^3, gan roi pob cyfernod ar ffurf cyfanrif.

   b Defnyddiwch eich ehangiad cyfres, gyda gwerth x addas, i gael amcangyfrif ar gyfer 1.97^{10}, gan roi eich ateb i 2 le degol. **(A)**

5 **a** Ehangwch $(3 + 2x)^4$ mewn pwerau esgynnol x, gan roi pob cyfernod ar ffurf cyfanrif.

   b Drwy wneud hyn neu fel arall, ysgrifennwch ehangiad $(3 - 2x)^4$ mewn pwerau esgynnol x.

   c Felly, drwy ddewis gwerth addas ar gyfer x dangoswch fod $(3 + 2\sqrt{2})^4 + (3 - 2\sqrt{2})^4$ yn gyfanrif a nodwch ei werth. **(A)**

6 Cyfernod x^2 yn ehangiad binomaidd $\left(1 + \frac{x}{2}\right)^n$, lle mae n yn gyfanrif positif, yw 7.

   a Darganfyddwch werth n.

   b Gan ddefnyddio'r gwerth n a gafwyd yn rhan **a**, darganfyddwch gyfernod x^4. **(A)**

7 **a** Defnyddiwch y theorem binomial i ehangu $(3 + 10x)^4$ gan roi pob cyfernod ar ffurf cyfanrif.

   b Defnyddiwch eich ehangiad, gyda gwerth x addas, i ddarganfod union werth $(1003)^4$. Nodwch pa werth x wnaethoch chi ei ddefnyddio. **(A)**

8 **a** Ehangwch $(1 + 2x)^{12}$ mewn pwerau esgynnol x hyd at a chan gynnwys y term sy'n cynnwys x^3, gan symleiddio pob cyfernod.

   b Drwy roi gwerth addas, sydd raid ei nodi, yn lle x yn eich ateb i ran **a**, cyfrifwch werth bras $(1.02)^{12}$.

   c Defnyddiwch eich cyfrifiannell, gan ysgrifennu'r holl ddigidau ar y sgrin, i ddarganfod gwerth mwy cywir ar gyfer $(1.02)^{12}$.

   ch Cyfrifwch, i 3 ffigur ystyrlon, gyfeiliornad canrannol y brasamcan yn rhan **b**. Ⓐ

9 Ehangwch $\left(x - \dfrac{1}{x}\right)^5$, gan symleiddio'r cyfernodau. Ⓐ

10 Yn ehangiad binomaidd $(2k + x)^n$, lle mae k yn gysonyn ac n yn gyfanrif positif, mae cyfernod x^2 yn hafal i gyfernod x^3.

   a Profwch fod $n = 6k + 2$.

   b O wybod hefyd fod $k = \frac{2}{3}$, ehangwch $(2k + x)^n$ mewn pwerau esgynnol x hyd at a chan gynnwys y term x^3, gan roi pob cyfernod fel ffracsiwn union yn ei ffurf symlaf. Ⓐ

11 **a** Ehangwch $(2 + x)^6$ ar ffurf cyfres finomaidd mewn pwerau esgynnol x, gan roi pob cyfernod fel cyfanrif.

   b Drwy roi gwerthoedd addas ar gyfer x yn eich ateb i ran **a**, dangoswch ei bod yn bosibl symleiddio $(2 + \sqrt{3})^6 - (2 - \sqrt{3})^6$ i'r ffurf $k\sqrt{3}$, gan nodi gwerth y cyfanrif k. Ⓐ

12 Cyfernod x^2 yn ehangiad binomaidd $(2 + kx)^8$, lle mae k yn gysonyn positif, yw 2800.

   a Defnyddiwch algebra i gyfrifo gwerth k.

   b Defnyddiwch eich gwerth k i ddarganfod cyfernod x^3 yn yr ehangiad. Ⓐ

13 **a** O wybod bod
   $$(2 + x)^5 + (2 - x)^5 \equiv A + Bx^2 + Cx^4,$$
   darganfyddwch werth y cysonion A, B ac C.

   b Gan ddefnyddio $y = x^2$ a'ch atebion i ran **a**, datryswch
   $$(2 + x)^5 + (2 - x)^5 = 349.$$ Ⓐ

14 Yn ehangiad binomaidd $(2 + px)^5$, lle mae p yn gysonyn, mae cyfernod x^3 yn 135. Cyfrifwch:

   a Werth p,

   b Gwerth cyfernod x^4 yn yr ehangiad. Ⓐ

Crynodeb o'r pwyntiau allweddol

1 Gallwch ddefnyddio Triongl Pascal i luosi cromfachau a'u diddymu.

2 Gallwch ddefnyddio cyfuniadau a nodiant ffactorial i'ch helpu i ehangu mynegiadau binomaidd. Yn achos indecsau mwy mae hyn yn gyflymach na defnyddio Triongl Pascal.

3 $n! = n \times (n-1) \times (n-2) \times (n-3) \times \ldots \times 3 \times 2 \times 1$

4 Ysgrifennir nifer y ffyrdd o ddewis r eitem o grŵp o n eitem fel ${}^nC_r$ neu $\binom{n}{r}$.

e.e. ${}^3C_2 = \dfrac{3!}{(3-2)!2!} = \dfrac{6}{1 \times 2} = 3$

5 Yr ehangiad binomaidd yw

$(a+b)^n = {}^nC_0 a^n + {}^nC_1 a^{n-1}b + {}^nC_2 a^{n-2}b^2 + {}^nC_3 a^{n-3}b^3 + \ldots + {}^nC_n b^n$

neu $\binom{n}{0}a^n + \binom{n}{1}a^{n-1}b + \binom{n}{2}a^{n-2}b^2 + \binom{n}{3}a^{n-3}b^3 + \ldots + \binom{n}{n}b^n$

6 Yn yr un modd, mae

$(a+bx)^n = {}^nC_0 a^n + {}^nC_1 a^{n-1}bx + {}^nC_2 a^{n-2}b^2x^2 + {}^nC_3 a^{n-3}b^3x^3 + \ldots {}^nC_n b^nx^n$

neu $\binom{n}{0}a^n + \binom{n}{1}a^{n-1}bx + \binom{n}{2}a^{n-2}b^2x^2 + \binom{n}{3}a^{n-3}b^3x^3 + \ldots + \binom{n}{n}b^nx^n$

7 $(1+x)^n = 1 + nx + \dfrac{n(n-1)}{2!}x^2 + \dfrac{n(n-1)(n-2)}{3!}x^3 + \dfrac{n(n-1)(n-2)(n-3)}{4!}x^4 + \ldots$

6 Mesur mewn radianau a'u defnyddio

6.1 Gallwch fesur onglau mewn radianau.

Ym Mhennod 2 roeddech yn gweithio ag onglau mewn graddau, lle mae un radd yn $\frac{1}{360}$fed o gylch. Mae'r confensiwn hwn yn dyddio'n ôl i oes y Babiloniaid. Mantais hyn yw bod gan 360 nifer fawr o ffactorau, sy'n gwneud rhannu'r cylch yn llawer haws, ond er hynny confensiwn yn unig ydyw. Mesur arall o ongl, sydd ar yr olwg gyntaf ychydig yn fwy rhyfedd, yw'r radian.

■ **Os yw hyd arc *AB* yn *r*, yna mae ∠AOB yn 1 radian (1ᶜ neu 1 rad).**

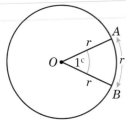

> **Awgrym:** Y symbol radian yw ᶜ, felly mae θ^c yn golygu fod θ mewn radianau. Os nad oes gan ongl symbol yna dylech gymryd yn ganiataol ei bod mewn radianau, oni bai ei bod yn eglur o'r cyd-destun ei bod mewn graddau.

Gallwch roi hyn mewn geiriau:

■ **Radian yw'r ongl a gynhelir yng nghanol cylch gan arc o'r un hyd â'r radiws.**

Gan fod arc, hyd *r*, yn cynnal 1 radian yng nghanol y cylch, mae'n dilyn bod y cylchyn (arc, hyd $2\pi r$) yn cynnal 2π radian yn y canol.

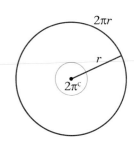

Gan fod y cylchyn yn cynnal ongl o 360° yn y canol,

Mae 2π radian = 360°
felly mae π radian = 180°

Mae'n dilyn bod 1 rad = 57.295 …°.

■ **1 radian = $\dfrac{180°}{\pi}$**

Enghraifft 1

Trawsnewidiwch yr onglau canlynol yn raddau:

a $\dfrac{7\pi}{8}$ rad **b** $\dfrac{4\pi}{15}$ rad

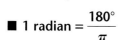

a $\dfrac{7\pi}{8}$ rad

$= \dfrac{7}{8} \times 180°$

$= 157.5°$

b $\dfrac{4\pi}{15}$ rad

$= 4 \times \dfrac{180°}{15}$

$= 48°$

Cofiwch fod π rad = 180°.
Gwiriwch gan ddefnyddio'ch cyfrifiannell.

Enghraifft 2

Trawsnewidiwch yr onglau canlynol yn radianau:

a 150° **b** 110°

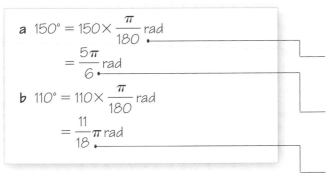

$$\textbf{a} \ 150° = 150 \times \frac{\pi}{180} \text{ rad}$$

$$= \frac{5\pi}{6} \text{ rad}$$

$$\textbf{b} \ 110° = 110 \times \frac{\pi}{180} \text{ rad}$$

$$= \frac{11}{18}\pi \text{ rad}$$

Rhybudd: Os ydych chi wedi bod yn gweithio yn y modd radian ar eich cyfrifiannell gofalwch eich bod yn dychwelyd i'r modd graddau wrth weithio ar gwestiynau sy'n ymwneud â graddau.

Gan fod $180° = \pi$ rad, $1° = \frac{\pi}{180}$ rad.

Mae'n werth cofio bod $30° = \frac{\pi}{6}$ rad.

Bydd eich cyfrifiannell yn rhoi'r ateb degol 1.919 86 …
Mae'r atebion hyn, yn nhermau π, yn union gywir.

Ymarfer 6A

1 Trawsnewidiwch yr onglau canlynol, sydd mewn radianau, yn raddau:

a $\frac{\pi}{20}$ **b** $\frac{\pi}{15}$ **c** $\frac{5\pi}{12}$

ch $\frac{\pi}{2}$ **d** $\frac{7\pi}{9}$ **dd** $\frac{7\pi}{6}$

e $\frac{5\pi}{4}$ **f** $\frac{3\pi}{2}$ **ff** 3π

2 Defnyddiwch eich cyfrifiannell i drawsnewid yr onglau canlynol yn raddau, gan roi eich ateb i'r 0.1° agosaf:

a 0.46^c **b** 1^c **c** 1.135^c **ch** $\sqrt{3}^c$

d 2.5^c **dd** 3.14^c **e** 3.49^c

3 Defnyddiwch eich cyfrifiannell i ysgrifennu gwerth y ffwythiannau trigonometrig canlynol, i 3 ffigur ystyrlon.

a $\sin 0.5^c$ **b** $\cos \sqrt{2}^c$ **c** $\tan 1.05^c$ **ch** $\sin 2^c$ **d** $\cos 3.6^c$

4 Trawsnewidiwch yr onglau canlynol yn radianau, gan roi eich atebion fel lluosrifau π:

a 8° **b** 10° **c** 22.5° **ch** 30°

d 45° **dd** 60° **e** 75° **f** 80°

ff 112.5° **g** 120° **ng** 135° **h** 200°

i 240° **j** 270° **l** 315° **ll** 330°

5 Defnyddiwch eich cyfrifiannell i drawsnewid yr onglau canlynol yn radianau, gan roi eich atebion i 3 ffigur ystyrlon:

a 50° **b** 75° **c** 100°

ch 160° **d** 230° **dd** 320°.

6.2 Mae'r ffformiwla sy'n rhoi hyd arc cylch yn symlach os defnyddiwch radianau.

■ Er mwyn darganfod arc, hyd l, cylch, defnyddiwch y ffformiwla
$l = r\theta$, lle mae r yn radiws y cylch a θ yw'r ongl, mewn radianau,
sy'n cael ei chynnwys yn y sector.

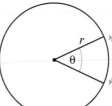

Enghraifft 3

Dangoswch fod hyd arc yn $l = r\theta$.

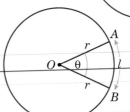

Mae gan y cylch ganol O a radiws r.
Hyd arc AB yw l.

Felly $\dfrac{l}{2\pi r} = \dfrac{\theta}{2\pi}$.

$l = r\theta$

$\dfrac{\text{Hyd arc}}{\text{cylchedd}} = \dfrac{\text{ongl } AOB}{\text{cyfanswm yr ongl o amgylch } O}$

(mae'r ddwy ongl mewn radianau).

Lluoswch bopeth â $2\pi r$.
Os gwyddoch ddau o'r canlynol: r, θ ac l,
gellir darganfod y trydydd.

Enghraifft 4

Darganfyddwch hyd arc cylch, radiws 5.2 cm, o wybod bod yr arc yn cynnal ongl 0.8 rad yng nghanol y cylch.

Hyd arc $= 5.2 \times 0.8$ cm
$= 4.16$ cm

Defnyddiwch $l = r\theta$, gydag $r = 5.2$ a $\theta = 0.8$.

Enghraifft 5

Mae arc AB cylch, canol O a radiws r cm, yn cynnal ongl θ radian yn O. Mae perimedr sector AOB yn P cm. Mynegwch r yn nhermau θ.

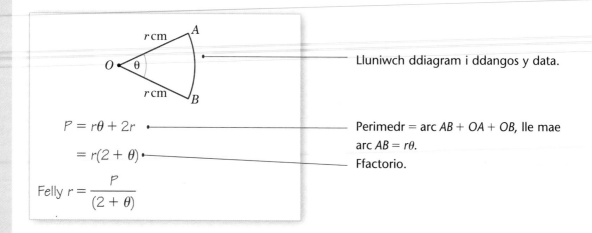

Lluniwch ddiagram i ddangos y data.

$P = r\theta + 2r$

$= r(2 + \theta)$

Felly $r = \dfrac{P}{(2 + \theta)}$

Perimedr $=$ arc $AB + OA + OB$, lle mae
arc $AB = r\theta$.
Ffactorio.

Enghraifft 6

Mae border pwll mewn gardd yn cynnwys ymyl syth *AB*, hyd 2.4 m, a rhan grom *C*, fel y dangosir yn y diagram isod. Arc cylch, canol *O* a radiws 2 m, yw'r rhan grom. Darganfyddwch hyd *C*.

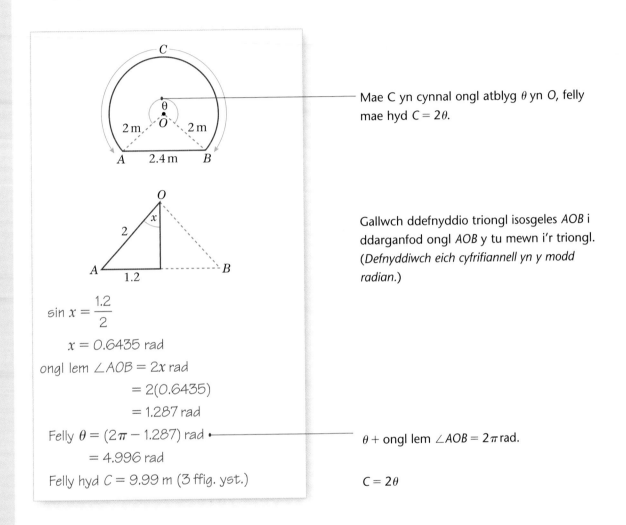

Mae *C* yn cynnal ongl atblyg θ yn *O*, felly mae hyd $C = 2\theta$.

Gallwch ddefnyddio triongl isosgeles *AOB* i ddarganfod ongl *AOB* y tu mewn i'r triongl. (*Defnyddiwch eich cyfrifiannell yn y modd radian.*)

$$\sin x = \frac{1.2}{2}$$

$$x = 0.6435 \text{ rad}$$

ongl lem $\angle AOB = 2x$ rad

$$= 2(0.6435)$$

$$= 1.287 \text{ rad}$$

Felly $\theta = (2\pi - 1.287)$ rad

$$= 4.996 \text{ rad}$$

Felly hyd $C = 9.99$ m (3 ffig. yst.)

$\theta +$ ongl lem $\angle AOB = 2\pi$ rad.

$C = 2\theta$

Ymarfer 6B

1 Mae arc *AB* cylch, canol *O* a radiws *r* cm, yn cynnal ongl θ radian yn *O*.
   Mae hyd *AB* yn *l* cm.
   a Darganfyddwch *l* pan yw **i** $r = 6, \theta = 0.45$ **ii** $r = 4.5, \theta = 0.45$ **iii** $r = 20, \theta = \frac{3}{8}\pi$
   b Darganfyddwch *r* pan yw **i** $l = 10, \theta = 0.6$ **ii** $l = 1.26, \theta = 0.7$ **iii** $l = 1.5\pi, \theta = \frac{5}{12}\pi$
   c Darganfyddwch θ pan yw **i** $l = 10, r = 7.5$ **ii** $l = 4.5, r = 5.625$ **iii** $l = \sqrt{12}, r = \sqrt{3}$

2 Mae arc leiaf *AB* cylch, canol *O* a radiws 10 cm, yn cynnal ongl *x* yn *O*. Mae'r arc fwyaf *AB*, yn cynnal ongl 5*x* yn *O*. Darganfyddwch, yn nhermau π, hyd yr arc leiaf *AB*.

3 Mae arc *AB* cylch, canol *C* a radiws 6 cm, yn *l* cm o hyd. O wybod bod hyd cord *AB* yn 6 cm, darganfyddwch werth *l*, gan roi eich ateb yn nhermau π.

4 Mae sector cylch, radiws √10 cm, yn cynnwys ongl √5 radian, fel y dangosir yn y diagram. Darganfyddwch hyd yr arc, gan roi eich ateb yn y ffurf $p\sqrt{q}$ cm, lle mae p a q yn gyfanrifau.

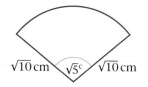

√10 cm   √5ᶜ   √10 cm

5 Drwy gyfeirio at y diagram, darganfyddwch y canlynol:

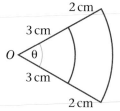

2 cm
3 cm
O θ
3 cm
2 cm

   a Perimedr y rhanbarth sydd wedi ei liwio pan yw $\theta = 0.8$ radian.

   b Gwerth θ pan yw perimedr y rhanbarth sydd wedi ei liwio yn 14 cm.

6 Mae sector cylch, radiws r cm, yn cynnwys ongl 1.2 radian. O wybod bod gan y sector yr un perimedr â sgwâr, arwynebedd 36 cm², darganfyddwch werth r.

7 Mae sector cylch, radiws 15 cm, yn cynnwys ongl θ radian. O wybod bod perimedr y sector yn 42 cm, darganfyddwch werth θ.

8 Yn y diagram, diamedr cylch, canol O a radiws 2 cm, yw AB. Mae pwynt C ar y cylchyn fel bod $\angle COB = \frac{2}{3}\pi$ radian.

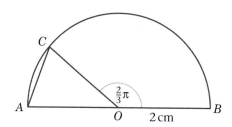

C

$\frac{2}{3}\pi$

A O 2 cm B

   a Nodwch werth $\angle COA$ mewn radianau.

Patrymlun i wneud tlws yw'r rhanbarth lliw sydd wedi ei amgáu gan gord AC, arc CB ac AB.

   b Darganfyddwch union werth perimedr y tlws.

9 Mae pwyntiau A a B ar gylchyn cylch, canol O a radiws 8.5 cm. Mae pwynt C ar yr arc fwyaf AB. O wybod bod $\angle ACB = 0.4$ radian, cyfrifwch hyd yr arc leiaf AB.

10 Yn y diagram sector cylch, canol O a radiws R cm, yw OAB. Mae $\angle AOB = 2\theta$ radian. Mae cylch, canol C a radiws r cm, yn cyffwrdd arc AB yn T, ac yn cyffwrdd OA ac OB yn D ac E yn eu trefn, fel y dangosir.

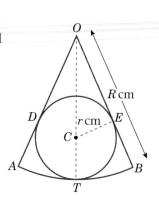

O
R cm
D r cm E
C
A B
T

   a Ysgrifennwch hyd OC yn nhermau R ac r.

   b Gan ddefnyddio $\triangle OCE$, dangoswch fod $R\sin\theta = r(1 + \sin\theta)$.

   c O wybod bod $\sin\theta = \frac{3}{4}$ a bod perimedr sector OAB yn 21 cm, darganfyddwch r, gan roi eich ateb i 3 ffigur ystyrlon.

6.3 Mae'r fformiwla sy'n rhoi arwynebedd sector cylch yn symlach os ydych yn defnyddio radianau.

■ Er mwyn darganfod arwynebedd A sector cylch, defnyddiwch y fformiwla $A = \frac{1}{2}r^2\theta$, lle mae r yn radiws y cylch a θ yw'r ongl, mewn radianau, sy'n cael ei chynnwys yn y sector.

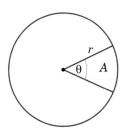

Enghraifft 7

Dangoswch fod arwynebedd sector cylch, radiws r yn $A = \frac{1}{2}r^2\theta$.

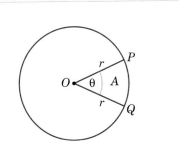

Mae gan y cylch ganol O a radiws r.

Mae gan sector POQ arwynebedd A.

Felly $\dfrac{A}{\pi r^2} = \dfrac{\theta}{2\pi}$

$A = \dfrac{1}{2}r^2\theta$

$\dfrac{\text{Arwynebedd y sector}}{\text{arwynebedd y cylch}} = \dfrac{\text{ongl } POQ}{\substack{\text{cyfanswm yr ongl} \\ \text{o amgylch } O}}$

Lluosi popeth â πr^2.
Os gwyddoch ddau o'r canlynol: r, θ ac A, gellir darganfod y trydydd.

Enghraifft 8

Yn y diagram, mae arwynebedd y sector lleiaf AOB yn 28.9 cm².

O wybod bod $\angle AOB = 0.8$ radian, cyfrifwch werth r.

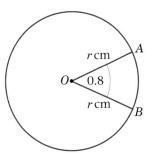

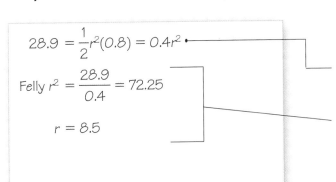

$28.9 = \dfrac{1}{2}r^2(0.8) = 0.4r^2$

Felly $r^2 = \dfrac{28.9}{0.4} = 72.25$

$r = 8.5$

Gadewch i arwynebedd y sector fod yn A cm², a defnyddiwch $A = \frac{1}{2}r^2\theta$.

Darganfyddwch r^2 ac yna darganfyddwch yr ail isradd.

Enghraifft 9

Siâp darn o dir yw sector cylch, radiws 55 m.
Mae hyd y ffens a godwyd ar hyd ymyl y darn tir i'w amgáu yn 176 m.
Cyfrifwch arwynebedd y darn tir.

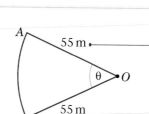

Lluniwch ddiagram sy'n cynnwys yr holl ddata a gadewch i ongl y sector fod yn θ.

Arc $AB = 176 - (55 + 55)$

$\quad\quad = 66$ m

$66 = 55\theta$

Felly $\theta = 1.2$ radian

Arwynebedd y darn tir $= \frac{1}{2}(55)^2(1.2)$

$\quad\quad = 1815$ m^2

Gan fod y perimedr yn cael ei roi, yn gyntaf darganfyddwch hyd arc AB.

Defnyddiwch y fformiwla sy'n rhoi hyd arc, $l = r\theta$.

Defnyddiwch y fformiwla sy'n rhoi arwynebedd sector, $A = \frac{1}{2}r^2\theta$.

6.4 Gallwch gyfrifo arwynebedd segment trwy ddefnyddio radianau.

■ Arwynebedd segment mewn cylch, radiws r yw
$A = \frac{1}{2}r^2(\theta - \sin\theta)$

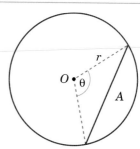

Enghraifft 10

Dangoswch fod arwynebedd y segment sydd wedi ei liwio yn y cylch a ddangosir yn $\frac{1}{2}r^2(\theta - \sin\theta)$

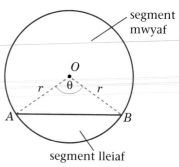

segment mwyaf

segment lleiaf

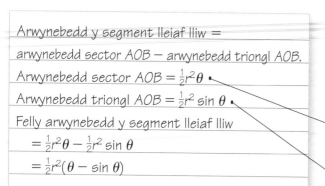

Arwynebedd y segment lleiaf lliw =
arwynebedd sector AOB − arwynebedd triongl AOB.

Arwynebedd sector $AOB = \frac{1}{2}r^2\theta$

Arwynebedd triongl $AOB = \frac{1}{2}r^2 \sin\theta$

Felly arwynebedd y segment lleiaf lliw
$= \frac{1}{2}r^2\theta - \frac{1}{2}r^2 \sin\theta$
$= \frac{1}{2}r^2(\theta - \sin\theta)$

Defnyddiwch $A = \frac{1}{2}r^2\theta$.

Defnyddiwch $\frac{1}{2}ab \sin C$ o Adran 2.7.

Enghraifft 11

Yn y diagram, diamedr cylch, radiws *r* cm, yw *AB* ac mae $\angle BOC = \theta$ radian. O wybod bod arwynebedd $\triangle AOC$ yn deirgwaith arwynebedd y segment lliw, dangoswch fod $3\theta - 4\sin\theta = 0$.

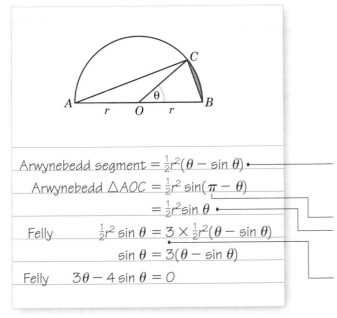

Arwynebedd segment $= \frac{1}{2}r^2(\theta - \sin\theta)$ •————— Arwynebedd segment = arwynebedd sector
$\qquad$ — arwynebedd triongl.

Arwynebedd $\triangle AOC = \frac{1}{2}r^2\sin(\pi - \theta)$

$\qquad\qquad\qquad = \frac{1}{2}r^2\sin\theta$ •————— $\angle AOB = \pi$ radian.
$\qquad\qquad\qquad\qquad\qquad\qquad$ Cofiwch, o Adran 2.3, fod
Felly $\qquad \frac{1}{2}r^2\sin\theta = 3 \times \frac{1}{2}r^2(\theta - \sin\theta)$ $\qquad$ $\sin(180° - \theta°) = \sin\theta°$ felly $\sin(\pi - \theta) = \sin\theta$.

$\qquad\qquad \sin\theta = 3(\theta - \sin\theta)$

Felly $\qquad 3\theta - 4\sin\theta = 0$ $\qquad\qquad\qquad\qquad\qquad$ Arwynebedd $\triangle AOC = 3 \times$ arwynebedd y
$\qquad\qquad\qquad\qquad\qquad\qquad\qquad\qquad\qquad\qquad\qquad\qquad$ segment lliw.

Ymarfer 6C

(*Nodyn*: rhowch atebion sydd heb fod yn union yn gywir i 3 ffigur ystyrlon.)

1 Darganfyddwch arwynebedd y sector lliw ym mhob un o'r cylchoedd canlynol, canol *C*. Gadewch eich ateb yn nhermau π pan fo hynny'n briodol.

a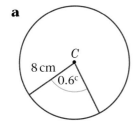

b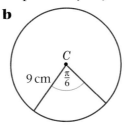

c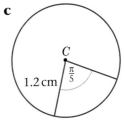

ch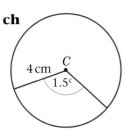

d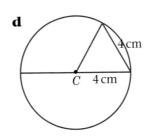

dd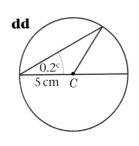

2 Yn y cylchoedd canlynol, canol *C*, rhoddir arwynebedd *A* y sector melyn.
Darganfyddwch werth *x* ym mhob achos.

a

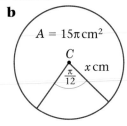

1.2ᶜ *x* cm

A = 12 cm²

b

A = 15π cm²

C

$\frac{\pi}{12}$ *x* cm

c

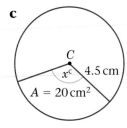

C

*x*ᶜ 4.5 cm

A = 20 cm²

3 Mae hyd arc *AB* cylch, canol *O* a radiws 6 cm, yn 4 cm.
Darganfyddwch arwynebedd y sector lleiaf *AOB*.

4 Mae hyd cord *AB* cylch, canol *O* a radiws 10 cm, yn 18.65 cm ac mae'n cynnal
ongl θ radian yn *O*.

  a Dangoswch fod θ = 2.40 (i 3 ffigur ystyrlon).

  b Darganfyddwch arwynebedd y sector lleiaf *AOB*.

5 Mae arwynebedd sector cylch, radiws 12 cm, yn 100 cm².
Darganfyddwch berimedr y sector.

6 Mewn cylch, canol *O* a radiws *r* cm, mae arc *AB* yn peri bod ∠*AOB* = 0.5 radian.
O wybod bod perimedr y sector *AOB* lleiaf yn 30 cm:

  a Cyfrifwch werth *r*.

  b Dangoswch fod arwynebedd y sector lleiaf *AOB* yn 36 cm².

  c Cyfrifwch arwynebedd y segment sydd wedi ei amgáu gan gord *AB* a'r arc leiaf *AB*.

7 Yn y diagram diamedr cylch, radiws *r* cm, yw *AB* ac
mae ∠*BOC* = θ radian. O wybod bod arwynebedd
△*COB* yn hafal i arwynebedd y segment lliw,
dangoswch fod θ + 2 sin θ = π.

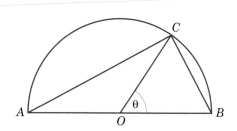

8 Yn y diagram mae *BC* yn arc cylch, canol *O* a radiws 8 cm.
Mae pwyntiau *A* a *D* yn peri bod *OA* = *OD* = 5 cm.
O wybod bod ∠*BOC* = 1.6 radian, cyfrifwch arwynebedd
y rhanbarth lliw.

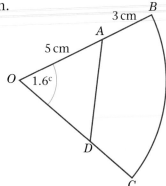

9 Yn y diagram mae *AB* ac *AC* yn dangiadau i gylch, canol *O* a radiws 3.6 cm. Cyfrifwch arwynebedd y rhanbarth lliw, o wybod bod $\angle BOC = \frac{2}{3}\pi$ radian.

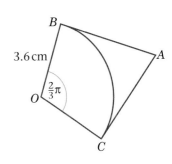

10 Mae cord *AB* yn cynnal ongl θ radian yng nghanol *O* cylch, radiws 6.5 cm. Darganfyddwch arwynebedd y segment sy'n cael ei amgáu gan gord *AB* a'r arc leiaf *AB*, pan yw:

   a $\theta = 0.8$ b $\theta = \frac{2}{3}\pi$ c $\theta = \frac{4}{3}\pi$

11 Mae arc *AB* yn cynnal ongl 0.25 radian ar *gylchyn* cylch, canol *O* a radiws 6 cm. Cyfrifwch arwynebedd y sector lleiaf *OAB*.

12 Yn y diagram arcau cylchoedd, canol *O*, yw *AD* a *BC*, fel bod *OA* = *OD* = *r* cm, *AB* = *DC* = 8 cm ac $\angle BOC = \theta$ radian.

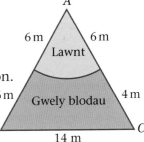

   a O wybod bod arwynebedd y rhanbarth lliw yn 48 cm², dangoswch fod $r = \dfrac{6}{\theta} - 4$.

   b O wybod hefyd bod *r* = 10θ, cyfrifwch berimedr y rhanbarth lliw.

13 Mae gan sector cylch, radiws 28 cm, berimedr *P* cm ac arwynebedd *A* cm². O wybod bod *A* = 4*P*, darganfyddwch werth *P*.

14 Mae'r diagram yn dangos darn trionglog o dir. Mae hydoedd ochrau *AB*, *BC* ac *CA* yn 12 m, 14 m a 10 m yn eu trefn. Sector cylch, canol *A* a radiws 6 m, yw'r lawnt.

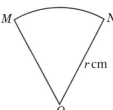

   a Dangoswch fod $\angle BAC$ = 1.37 radian, yn gywir i 3 ffigur ystyrlon.

   b Cyfrifwch arwynebedd y gwely blodau.

Ymarfer cymysg 6Ch

1 Yn nhriongl *ABC*, mae *AB* = 5 cm, *AC* = 10 cm ac $\angle ABC = 90°$. Mae arc cylch, canol *A* a radiws 5 cm, yn croesi *AC* yn *D*.

   a Nodwch werth $\angle BAC$ mewn radianau.

   b Cyfrifwch arwynebedd y rhanbarth sy'n cael ei amgáu gan *BC*, *DC* ac arc *BD*.

2 Mae'r diagram yn dangos sector lleiaf *OMN* cylch, canol *O* a radiws *r* cm. Mae perimedr y sector yn 100 cm ac arwynebedd y sector yn *A* cm².

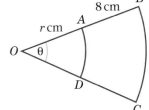

   a Dangoswch fod $A = 50r - r^2$.

   b O wybod bod *r* yn amrywio, darganfyddwch y canlynol:

      i Gwerth *r* pan yw *A* yn facsimwm a dangoswch fod *A* yn facsimwm.

      ii Gwerth $\angle MON$ ar gyfer yr arwynebedd macsimwm hwn.

      iii Arwynebedd macsimwm sector *OMN*.

3 Yn y diagram dangosir triongl *OCD* lle mae *OC* = *OD* = 17 cm ac *CD* = 30 cm. Canolbwynt *CD* yw *M*. Â chanol *M*, mae arc hanner cylch A_1 yn cael ei llunio ar *CD* yn ddiamedr. Â chanol *O* a radiws 17 cm, mae arc gylchog A_2 yn cael ei llunio o *C* i *D*. Mae rhanbarth lliw *R* wedi ei amgáu gan arcau A_1 ac A_2. Cyfrifwch y canlynol, gan roi atebion yn gywir i 2 le degol:

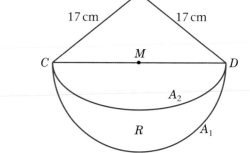

  a Arwynebedd triongl *OCD*.

  b Ongl *COD* mewn radianau.

  c Arwynebedd rhanbarth melyn *R*.

---

4 Yn y diagram dangosir cylch, canol *O* a radiws 6 cm. Mae pwyntiau *A* a *B* ar gylchyn y cylch. Mae arwynebedd y sector mwyaf lliw yn 80 cm².
O wybod bod ∠*AOB* = θ radian, lle mae 0 < θ < π, cyfrifwch y canlynol:

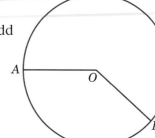

  a Gwerth θ i 3 lle degol.

  b Hyd yr arc leiaf *AB* mewn cm, i 2 le degol.

---

5 Yn y diagram dangosir sector *OAB* cylch, canol *O* a radiws *r* cm. Mae arc *AB* yn *p* cm o hyd ac mae ∠*AOB* yn θ radian.

  a Darganfyddwch θ yn nhermau *p* ac *r*.

  b Diddwythwch fod arwynebedd y sector yn $\frac{1}{2}pr$ cm².

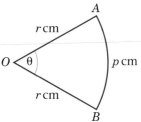

O wybod bod *r* = 4.7 a *p* = 5.3, lle mae'r ddau wedi eu mesur i 1 lle degol, darganfyddwch y canlynol, gan roi eich ateb i 3 lle degol:

  c Gwerth lleiaf posibl arwynebedd y sector.

  ch Amrediad gwerthoedd posibl θ.

---

6 Yn y diagram dangosir cylch, canol *O* a radiws 5 cm. Mae hyd arc leiaf *AB* yn 6.4 cm.

  a Cyfrifwch faint yr ongl lem *AOB* mewn radianau.

Mae arwynebedd y sector lleiaf *AOB* yn R_1 cm² ac mae arwynebedd y sector mwyaf *AOB* yn R_2 cm².

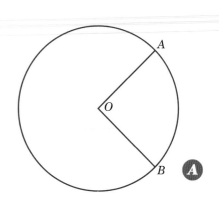

  b Cyfrifwch werth R_1.

  c Cyfrifwch $R_1 : R_2$ yn y ffurf 1 : *p*, gan roi gwerth *p* i 3 ffigur ystyrlon.

7

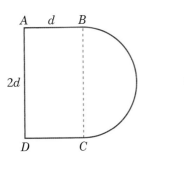

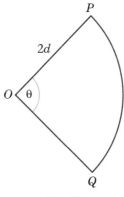

Siâp X   Siâp Y

Mae'r diagramau yn dangos trawstoriadau dwy handlen drôr.
Petryal *ABCD* wedi ei gysylltu â hanner cylch, diamedr *BC*, yw siâp *X*. Mae hyd
AB = *d* cm a *BC* = 2*d* cm. Mae siâp *Y* yn sector *OPQ* cylch, canol *O* a radiws 2*d* cm.
Mae ongl *POQ* yn θ radian.
O wybod bod arwynebeddau siapiau *X* ac *Y* yn hafal:

a Profwch fod $\theta = 1 + \frac{1}{4}\pi$.

Gan ddefnyddio'r gwerth θ hwn ac o wybod bod *d* = 3, darganfyddwch y canlynol yn
nhermau π:

b Perimedr siâp *X*.

c Perimedr siâp *Y*.

ch Drwy wneud hyn darganfyddwch, mewn mm, y gwahaniaeth rhwng
perimedrau siapiau *X* ac *Y*.

8 Yn y diagram dangosir cylch, canol *O* a radiws 6 cm. Mae
cord *PQ* yn rhannu'r cylch yn segment lleiaf R_1, arwynebedd
A_1 cm², a segment mwyaf R_2, arwynebedd A_2 cm². Mae cord
PQ yn cynnal ongl θ radian yn *O*.

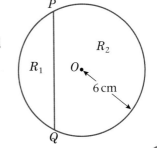

a Dangoswch fod $A_1 = 18(\theta - \sin\theta)$.

O wybod bod $A_2 = 3A_1$ ac $f(\theta) = 2\theta - 2\sin\theta - \pi$

b Profwch fod $f(\theta) = 0$.

c Enrhifwch $f(2.3)$ ac $f(2.32)$ a diddwythwch fod $2.3 < \theta < 2.32$.

9 Yn nhriongl *ABC*, mae *AB* = 9 cm, *BC* = 10 cm ac
CA = 5 cm. Mae cylch, canol *A* a radiws 3 cm, yn
croestorri *AB* ac *AC* yn *P* a *Q* yn eu trefn,
fel y dangosir yn y diagram.

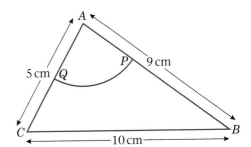

a Dangoswch fod $\angle BAC$ = 1.504 radian,
i 3 lle degol.

b Cyfrifwch y canlynol:

  i Arwynebedd sector *APQ*, mewn cm².

  ii Arwynebedd rhanbarth *BPQC* sydd wedi ei liwio, mewn cm².

  iii Perimedr rhanbarth *BPQC* sydd wedi ei liwio, mewn cm.

10 Mae'r diagram yn dangos sector *OAB* cylch, radiws *r* cm.
Mae arwynebedd y sector yn 15 cm² ac mae ∠*AOB* = 1.5 radian.

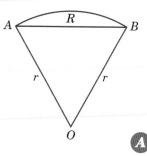

a Profwch fod $r = 2\sqrt{5}$.

b Darganfyddwch berimedr sector *OAB*, mewn cm.

Mae'r segment *R*, sydd wedi ei liwio yn y diagram,
wedi ei amgáu gan arc *AB* a'r llinell syth *AB*.

c Cyfrifwch arwynebedd *R* i 3 lle degol.

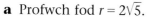

11 Siâp bathodyn yw sector *ABC* cylch, canol *A* a radiws *AB*,
fel y dangosir yn y diagram. Mae triongl *ABC* yn hafalochrog
ac mae ei uchder perpendicwlar yn 3 cm.

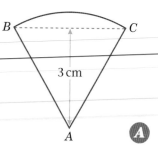

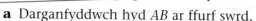

a Darganfyddwch hyd *AB* ar ffurf swrd.

b Darganfyddwch arwynebedd y bathodyn yn nhermau π.

c Profwch fod perimedr y bathodyn yn $\dfrac{2\sqrt{3}}{3}(\pi + 6)$ cm.

12 Mae llwybr syth 70 m o hyd yn mynd o bwynt *A*
i bwynt *B*. Mae'r pwyntiau wedi eu cysylltu hefyd
gan reilffordd ar ffurf arc cylch, canol *C* a radiws
44 m, fel y dangosir yn y diagram.

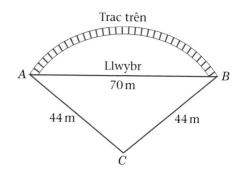

a Dangoswch fod maint ∠*ACB* yn 1.84 radian
i 2 le degol.

b Cyfrifwch:

   i Hyd y rheilffordd.

   ii Y pellter lleiaf rhwng *C* a'r llwybr.

   iii Arwynebedd y rhanbarth sydd wedi ei amgáu gan y rheilffordd a'r llwybr.

13 Mae'r diagram yn dangos trawstoriad *ABCD* prism
gwydr. Mae *AD* = *BC* = 4 cm ac mae'r ddwy yn
berpendicwlar i *DC*. Arc cylch, canol *O* a radiws 6 cm,
yw *AB*. O wybod bod ∠*AOB* = 2θ radian, a bod perimedr
y trawstoriad yn 2(7 + π) cm:

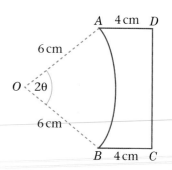

a Dangoswch fod $(2\theta + 2\sin\theta - 1) = \dfrac{\pi}{3}$.

b Profwch fod $\theta = \dfrac{\pi}{6}$.

c Darganfyddwch arwynebedd y trawstoriad.

14 Mae gan ddau gylch C_1 ac C_2 yr un radiws o 12 cm, ac mae eu canolau yn O_1 ac O_2 yn
eu trefn. Mae O_1 ar gylchyn C_2; mae O_2 ar gylchyn C_1. Mae'r cylchoedd yn croestorri yn
A a *B* ac yn amgáu rhanbarth *R*.

a Dangoswch fod $\angle AO_1B = \tfrac{2}{3}\pi$ radian.

b Drwy wneud hyn, ysgrifennwch berimedr *R*, yn nhermau π.

c Darganfyddwch arwynebedd *R*, gan roi eich ateb i 3 ffigur ystyrlon.

Crynodeb o'r pwyntiau allweddol

1   Os yw hyd arc AB yn r, yna mae $\angle AOB$ yn
      1 radian (1^c neu 1 rad).

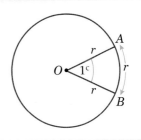

2   Radian yw'r ongl a gynhelir yng nghanol
      cylch gan arc sydd o'r un hyd â radiws y cylch.

3   Mae 1 radian $= \dfrac{180°}{\pi}$.

4   Hyd arc cylch yw $l = r\theta$.

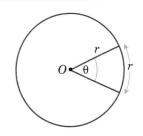

5   Arwynebedd sector yw $A = \frac{1}{2}r^2\theta$.

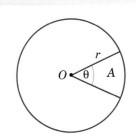

6   Arwynebedd segment mewn cylch yw
      $A = \frac{1}{2}r^2(\theta - \sin\theta)$.

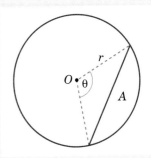

7 Dilyniannau a chyfresi geometrig

Mae'r bennod hon yn dangos i chi sut i gyfrifo termau mewn dilyniannau geometrig, a sut i ddarganfod swm cyfresi geometrig meidraidd ac anfeidraidd.

7.1 Gelwir y dilyniannau canlynol yn ddilyniannau geometrig. Er mwyn symud o un term i'r nesaf rydym yn lluosi â'r un rhif bob tro. Gelwir y rhif hwn yn gymhareb gyffredin, r.

1, 2, 4, 8, 16, ...
100, 25, 6.25, 1.5625, ...
2, −6, 18, −54, 162, ...

Enghraifft 1

Darganfyddwch y cymarebau cyffredin yn y dilyniannau geometrig canlynol:

a 2, 10, 50, 250, ...

b 90, −30, 10, $-3\frac{1}{3}$

---

a 2, 10, 50, 250, ...

Cymhareb gyffredin $= \dfrac{10}{2} = 5$

Defnyddiwch u_1, u_2 ac ati i gyfeirio at y termau unigol mewn dilyniant.
Yma $u_1 = 2$, $u_2 = 10$, $u_3 = 50$.

Er mwyn darganfod y gymhareb gyffredin, cyfrifwch $\dfrac{u_2}{u_1}$ neu $\dfrac{u_3}{u_2}$.

---

a 90, −30, 10, $-3\frac{1}{3}$

Cymhareb gyffredin $= \dfrac{-30}{90} = -\dfrac{1}{3}$

Cymhareb gyffredin $= \dfrac{u_2}{u_1}$.

Gall cymhareb gyffredin fod yn negatif neu'n ffracsiwn (neu'r ddau).

Ymarfer 7A

1 Pa rai o'r canlynol sy'n ddilyniannau geometrig? Yn achos y rhai sydd, rhowch werth 'r' yn y dilyniant:

a 1, 2, 4, 8, 16, 32, ...

b 2, 5, 8, 11, 14, ...

c 40, 36, 32, 28, ...

ch 2, 6, 18, 54, 162, ...

d 10, 5, 2.5, 1.25, ...

dd 5, −5, 5, −5, 5, ...

e 3, 3, 3, 3, 3, 3, 3, ...

f 4, −1, 0.25, −0.0625, ...

2 Ysgrifennwch dri therm nesaf y dilyniannau geometrig canlynol.

a 5, 15, 45, ...   **b** 4, −8, 16, ...   **c** 60, 30, 15, ...

ch $1, \frac{1}{4}, \frac{1}{16}, ...$ **d** $1, p, p^2, ...$ **dd** $x, -2x^2, 4x^3, ...$

3 Os yw 3, x a 9 yn dri therm cyntaf dilyniant geometrig. Darganfyddwch:

a Union werth x.

b Union werth y 4ydd term.

> **Awgrym ar gyfer cwestiwn 3:**
> Mewn dilyniant geometrig gellir cyfrifo'r gymhareb gyffredin ag $\frac{u_2}{u_1}$ neu $\frac{u_3}{u_2}$.

7.2 **Gallwch ddiffinio dilyniant geometrig gan ddefnyddio'r term cyntaf a a'r gymhareb gyffredin r:**

$$a, \qquad ar, \qquad ar^2, \qquad ar^3, ... \quad ar^{n-1}$$

Term 1af   2il derm   3ydd term   4ydd term $n$fed term

> **Awgrym:** Edrychwch ar y berthynas rhwng lleoliad y term yn y dilyniant ac indecs y term. Dylech allu gweld bod indecs r un yn llai na'i leoliad yn y dilyniant. Felly mae $n$fed term dilyniant geometrig yn ar^{n-1}.

Enghraifft 2

Darganfyddwch **i** y 10fed a **ii** yr $n$fed term yn y dilyniannau geometrig canlynol:

a 3, 6, 12, 24, ...   **b** 40, −20, 10, −5, ...

---

a 3, 6, 12, 24, ...

Yn y dilyniant hwn mae $a = 3$ ac $r = \frac{6}{3} = 2$.

i 10fed term $= 3 \times (2)^9$

I gael y 10fed term defnyddiwch ar^{n-1} lle mae $a = 3$, $r = 2$ ac $n = 10$.

$= 3 \times 512$

$= 1536$

ii $n$fed term $= 3 \times 2^{n-1}$

I gael yr $n$fed term defnyddiwch ar^{n-1} lle mae $a = 3$ ac $r = 2$.

---

b 40, −20, 10, −5, ...

Yn y dilyniant hwn mae $a = 40$ ac $r = -\frac{20}{40} = -\frac{1}{2}$.

i 10fed term $= 40 \times \left(-\frac{1}{2}\right)^9$

Defnyddiwch ar^{n-1} lle mae $a = 40$, $r = -\frac{1}{2}$ ac $n = 10$.

$= 40 \times -\frac{1}{512}$

$= -\frac{5}{64}$

ii $n$fed term $= 40 \times \left(-\frac{1}{2}\right)^{n-1}$

Defnyddiwch ar^{n-1} lle mae $a = 40$, $r = -\frac{1}{2}$ ac $n = n$.

$= 5 \times 8 \times \left(-\frac{1}{2}\right)^{n-1}$

$= 5 \times 2^3 \times \left(-\frac{1}{2}\right)^{n-1}$

Defnyddiwch ddeddfau indecsau $\frac{x^m}{x^n} = \frac{1}{x^{n-m}}$.

$= (-1)^{n-1} \times \frac{5}{2^{n-4}}$

Felly mae $2^3 \times \frac{1}{2^{n-1}} = \frac{1}{2^{n-1-3}}$.

Enghraifft 3

Mae ail derm dilyniant geometrig yn 4 a'r 4ydd term yn 8.
Darganfyddwch union werthoedd **a** y gymhareb gyffredin, **b** y term cyntaf
ac **c** y 10fed term.

a Ail derm = 4, $ar = 4$ ①

    4ydd term = 6, $ar^3 = 8$ ②

      ② ÷ ① $r^2 = 2$

          $r = \sqrt{2}$

Gan ddefnyddio $n$fed term = ar^{n-1}
lle mae $n = 2$
ac $n = 4$.

Felly   Cymhareb gyffredin = $\sqrt{2}$

b Rhowch y gwerth yn ôl yn ① $a\sqrt{2} = 4$

Rhannwch yr hafaliad ag $\sqrt{2}$.

$$a = \frac{4}{\sqrt{2}}$$
$$= \frac{4\sqrt{2}}{2}$$
$$a = 2\sqrt{2}$$

Er mwyn cymarebu $\frac{4}{\sqrt{2}}$, lluoswch y top a'r gwaelod ag $\sqrt{2}$.

Felly term cyntaf = $2\sqrt{2}$

c   10fed term = ar^9
$$= 2\sqrt{2}(\sqrt{2})^9$$
$$= 2(\sqrt{2})^{10}$$
$$= 2 \times 2^5$$
$$= 2^6$$
$$= 64$$

Rhowch werthoedd $a(= 2\sqrt{2})$ ac $r(= \sqrt{2})$ yn ôl yn ar^{n-1} gydag $n = 10$.

$(\sqrt{2})^{10} = (2^{\frac{1}{2}})^{10} = 2^{\frac{1}{2} \times 10} = 2^5$

Felly 10fed term = 64

Enghraifft 4

Mae'r rhifau 3, x ac $(x + 6)$ yn ffurfio tri therm cyntaf dilyniant geometrig positif.
Darganfyddwch y canlynol:

a Gwerthoedd posibl x. **b** 10fed term y dilyniant.

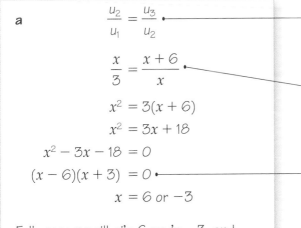

a

$$\frac{u_2}{u_1} = \frac{u_3}{u_2}$$

Mae'r dilyniant yn un geometrig felly mae $\frac{u_2}{u_1} = \frac{u_3}{u_2}$.

$$\frac{x}{3} = \frac{x + 6}{x}$$

Trawsluoswch.

$$x^2 = 3(x + 6)$$
$$x^2 = 3x + 18$$
$$x^2 - 3x - 18 = 0$$
$$(x - 6)(x + 3) = 0$$

Ffactoriwch.

$$x = 6 \text{ or } -3$$

Felly mae x naill ai'n 6 neu'n -3, ond does dim termau negatif felly mae $x = 6$.

Os nad oes unrhyw dermau negatif yna ni all -3 fod yn ateb.

Derbyniwch $x = 6$, gan fod y termau yn bositif.

b 10fed term $= ar^9$
$\qquad = 3 \times 2^9$
$\qquad = 3 \times 512$
$\qquad = 1536$

Defnyddiwch y fformiwla $n$fed term $= ar^{n-1}$ lle mae $n = 9$, $a = 3$ ac $r = \dfrac{x}{3} = \dfrac{6}{3} = 2$.

Y 10fed term yw 1536.

Ymarfer 7B

1 Darganfyddwch chweched, degfed ac $n$fed term y dilyniannau geometrig canlynol:

a 2, 6, 18, 54, ... **b** 100, 50, 25, 12.5, ...

c 1, -2, 4, -8, ... **ch** 1, 1.1, 1.21, 1.331, ...

2 Mae $n$fed term dilyniant geometrig yn $2 \times (5)^n$. Darganfyddwch y term cyntaf a'r 5ed term.

3 Mae chweched term dilyniant geometrig yn 32 ac mae'r 3ydd term yn 4.
Darganfyddwch y term cyntaf a'r gymhareb gyffredin.

4 O wybod bod term cyntaf dilyniant geometrig yn 4, a'r trydydd yn 1, darganfyddwch werthoedd posibl y 6ed term.

5 Mae'r mynegiadau $x - 6$, $2x$ ac x^2 yn ffurfio tri therm cyntaf dilyniant geometrig. Drwy gyfrifo dau fynegiad gwahanol ar gyfer y gymhareb gyffredin, ffurfiwch hafaliad sy'n cynnwys x a'i ddatrys i ddarganfod gwerthoedd posibl y term cyntaf.

7.3 Gallwch ddefnyddio dilyniannau geometrig i ddatrys problemau sy'n ymwneud â thwf a dadfeiliad, e.e. cyfraddau llog, twf a lleihad poblogaeth.

Enghraifft 5

Mae Aled yn buddsoddi £A yn ôl cyfradd llog o 4% y flwyddyn.
Ar ôl 5 mlynedd bydd y swm yn werth £10 000.
Beth fydd gwerth yr arian (i'r geiniog agosaf) ar ôl 10 mlynedd?

Ar ôl 1 flwyddyn bydd yn werth £A × 1.04

Ar ôl 2 flynedd bydd yn werth
£A × 1.04 × 1.04 = £A × 1.04^2

Os yw swm yn codi 4% y flwyddyn, mae'r ffactor lluosi yn 1.04 (100% + 4%). Felly rydych yn lluosi â 1.04 bob blwyddyn y ceir y cynnydd hwn. Fodd bynnag, os yw swm yn gostwng 4% y flwyddyn, yna y ffactor yw 0.96 (100% − 4%).

Felly ar ôl cael ei fuddsoddi am 5 mlynedd bydd yn werth £A × 1.04^5

Mae hwn yn ddilyniant geometrig lle mae a = £A ac r = 1.04.

$$A \times 1.04^5 = £10\,000$$

Ar ôl 5 mlynedd mae'r buddsoddiad yn werth £10 000.

$$A = \frac{£10\,000}{1.04^5}$$

Rhannwch ag 1.04^5.

$$= £8219.27$$

Mae'r buddsoddiad gwreiddiol
A = £8219.27

Ar ôl 10 mlynedd bydd y buddsoddiad yn werth A × 1.04^{10}

Defnyddiwch union werth A.

$$A \times r^{10} = \frac{10\,000}{1.04^5} \times 1.04^{10}$$

$$= 10\,000 \times 1.04^5$$

Defnyddiwch ddeddfau indecsau $\frac{x^m}{x^n} = x^{m-n}$.

$$= 12\,166.529\,02$$

$$= £12\,166.53$$

Rhowch hyn i'r geiniog agosaf.

Enghraifft 6

Beth yw'r term cyntaf yn y dilyniant geometrig 3, 6, 12, 24, ... sy'n fwy nag 1 filiwn?

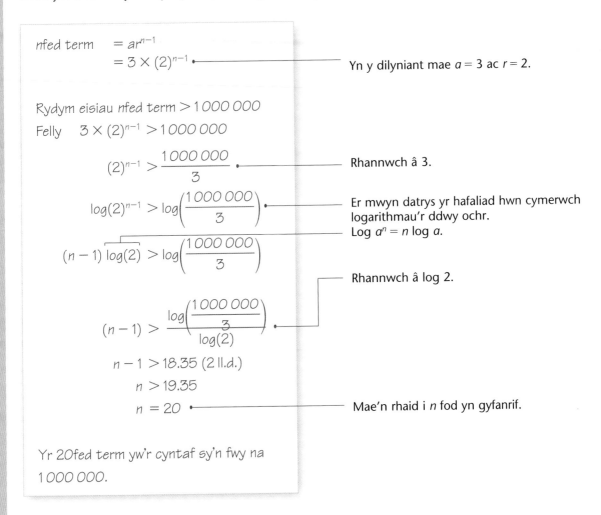

$nfed\ term = ar^{n-1}$

$= 3 \times (2)^{n-1}$ ——————— Yn y dilyniant mae $a = 3$ ac $r = 2$.

Rydym eisiau $nfed\ term > 1\,000\,000$

Felly $\quad 3 \times (2)^{n-1} > 1\,000\,000$

$(2)^{n-1} > \dfrac{1\,000\,000}{3}$ ——————— Rhannwch â 3.

$\log(2)^{n-1} > \log\left(\dfrac{1\,000\,000}{3}\right)$ ——————— Er mwyn datrys yr hafaliad hwn cymerwch logarithmau'r ddwy ochr.

——————— $\log a^n = n \log a$.

$(n-1)\,\overline{\log(2)} > \log\left(\dfrac{1\,000\,000}{3}\right)$

——————— Rhannwch â log 2.

$(n-1) > \dfrac{\log\left(\dfrac{1\,000\,000}{3}\right)}{\log(2)}$

$n - 1 > 18.35$ (2 ll.d.)

$n > 19.35$

$n = 20$ ——————— Mae'n rhaid i n fod yn gyfanrif.

Yr 20fed term yw'r cyntaf sy'n fwy na $1\,000\,000$.

Ymarfer 7C

1 Mae poblogaeth o forgrug yn tyfu ar gyfradd o 10% y flwyddyn. Os oes 200 o forgrug yn y boblogaeth wreiddiol, ysgrifennwch y nifer ar ôl
a 1 flwyddyn, **b** 2 flynedd, **c** 3 blynedd a **ch** 10 mlynedd.

2 Mae gan feic modur bedwar gêr. Y buanedd mwyaf yn y gêr isaf yw 40 km awr⁻¹ a'r buanedd mwyaf yn y gêr uchaf yw 120 km awr⁻¹. O wybod bod y buaneddau mwyaf ym mhob gêr olynol yn ffurfio dilyniant geometrig, cyfrifwch y buaneddau mwyaf yn y ddau gêr canol, mewn km awr⁻¹ i un lle degol.

3 Mae car yn colli 15% o'i werth bob blwyddyn. Os yw gwerth y car yn £11 054.25 ar ôl 3 blynedd, beth oedd ei bris yn newydd a phryd y bydd ei werth yn llai na £5000 am y tro cyntaf?

4 Gellir defnyddio dilyniant geometrig i fodelu gostyngiad mewn haig o forfilod. I gychwyn, roedd yr haig yn cynnwys 80 o forfilod. Bedair blynedd yn ddiweddarach roedd 40 ohonynt. Darganfyddwch faint o forfilod fydd ar ddiwedd y bumed flwyddyn. (Talgrynnwch i'r rhif cyfan agosaf.)

5 Darganfyddwch pa derm yn y dilyniant 3, 12, 48, ... yw'r cyntaf i fod yn fwy na 1 000 000.

6 Mae firws yn lledaenu fel bod nifer y bobl sy'n cael eu heintio yn cynyddu 4% bob dydd. Yn gyntaf darganfuwyd bod gan 100 o bobl y firws. Sawl diwrnod a gymer i 1000 o bobl gael eu heintio?

7 Rwyf yn buddsoddi £A yn y banc ar gyfradd llog o 3.5% y flwyddyn. Faint o amser a gymer i mi ddyblu fy arian?

8 Mae nifer y pysgod mewn rhan arbennig o Fôr y Gogledd yn gostwng 6% bob blwyddyn oherwydd gorbysgota. Faint o amser a gymer i'r cyflenwadau pysgod haneru?

7.4 Mae angen i chi allu darganfod swm cyfres geometrig.

Enghraifft 7

Darganfyddwch derm cyffredinol ar gyfer swm n term cyntaf cyfres geometrig $a, ar, ar^2, ..., ar^n$.

Gadewch i $S_n = a + ar + ar^2 + ar^3 + ... + ar^{n-2} + ar^{n-1}$ ①

$rS_n = ar + ar^2 + ar^3 + ... + ar^{n-1} + ar^n$ ② — Lluoswch ag r.

Mae ① − ② yn rhoi $S_n - rS_n = a - ar^n$ — Tynnwch rS_n o S_n.

$S_n(1 - r) = a(1 - r^n)$ — Ewch â'r ffactor cyffredin y tu allan i'r cromfachau.

$S_n = \dfrac{a(1 - r^n)}{1 - r}$ — Rhannwch ag $(1 - r)$.

■ Y rheol gyffredinol ar gyfer swm cyfres geometrig yw $S_n = \dfrac{a(r^n - 1)}{r - 1}$ neu $\dfrac{a(1 - r^n)}{1 - r}$

Enghraifft 8

Darganfyddwch swm y cyfresi canlynol:

a $2 + 6 + 18 + 54 + ...$ (10 term)

b $1024 - 512 + 256 - 128 + ... + 1$

a Y gyfres yw

$2 + 6 + 18 + 54 + ...$ (10 term) — Fel yn yr holl gwestiynau, ysgrifennwch yr hyn sy'n cael ei roi.

Felly mae $a = 2$, $r = \frac{6}{2} = 3$ ac $n = 10$

Felly mae $S_{10} = \dfrac{2(3^{10} - 1)}{3 - 1} = 59\,048$ — Gan fod $r = 3$ (>1), defnyddiwch y fformiwla $S_n = \dfrac{a(r^n - 1)}{r - 1}$.

b Y gyfres yw

$1024 - 512 + 256 - 128 + \ldots + 1$

Felly mae $a = 1024$, $r = -\frac{512}{1024} = -\frac{1}{2}$

a'r nfed term $= 1$

$$1024\left(-\tfrac{1}{2}\right)^{n-1} = 1$$ — Yn gyntaf datryswch ar $r^{n-1} = 1$ i ddarganfod n.

$$(-2)^{n-1} = 1024$$

$$2^{n-1} = 1024$$ — $(-2)^{n-1} = (-1)^{n-1}(2^{n-1}) = 1024$, felly mae'n rhaid bod $(-1)^{n-1}$ yn bositif a $2^{n-1} = 1024$.

$$n - 1 = \frac{\log 1024}{\log 2}$$

$$n - 1 = 10$$ — $1024 = 2^{10}$

$$n = 11$$

Felly mae $S_{11} = \dfrac{1024\left[1 - \left(-\tfrac{1}{2}\right)^{11}\right]}{1 - \left(-\tfrac{1}{2}\right)}$ — Gan fod $r = -\frac{1}{2}$ (<1) rydym yn defnyddio'r fformiwla $S_n = \dfrac{a(1 - r^n)}{1 - r}$.

$$= \frac{1024\left(1 + \tfrac{1}{2048}\right)}{1 + \tfrac{1}{2}}$$

$$= \frac{1024.5}{\tfrac{3}{2}} = 683$$

Enghraifft 9

Mae buddsoddwr yn buddsoddi £2000 ar Ionawr y 1af bob blwyddyn mewn cyfrif cynilo sy'n gwarantu 4% y flwyddyn am weddill ei oes. Os yw llog yn cael ei gyfrifo ar yr 31ain o Ragfyr bob blwyddyn, faint o arian fydd yn y cyfrif ar ddiwedd y 10fed blwyddyn?

Diwedd blwyddyn 1, swm $= 2000 \times 1.04$ — Mae cyfradd o 4% yn golygu $\times 1.04$.

Dechrau blwyddyn 2, swm $= 2000 \times 1.04 + 2000$ — Bob blwyddyn newydd mae'n buddsoddi £2000.

Diwedd blwyddyn 2, swm $= (2000 \times 1.04 + 2000) \times 1.04$

$\qquad = 2000 \times 1.04^2 + 2000 \times 1.04$ — Ar ddiwedd bob blwyddyn mae'r cyfanswm yn y cyfrif yn cael ei luosi ag 1.04.

Dechrau blwyddyn 3,

swm $= 2000 \times 1.04^2 + 2000 \times 1.04 + 2000$

Diwedd blwyddyn 3,

swm $= (2000 \times 1.04^2 + 2000 \times 1.04 + 2000) \times 1.04$

$\qquad = 2000 \times 1.04^3 + 2000 \times 1.04^2 + 2000 \times 1.04$

Felly erbyn diwedd blwyddyn 10, — Edrychwch ar werthoedd diwedd blwyddyn 3 ac estynwch y rhain am 10 mlynedd.

swm $= 2000 \times 1.04^{10} + 2000 \times 1.04^9 + \ldots$

$\qquad + 2000 \times 1.04$

$= 2000(1.04^{10} + 1.04^9 + \ldots + 1.04)$ — Mae hon yn gyfres geometrig. Rhowch y gwerthoedd $a = 1.04$, $r = 1.04$ ac $n = 10$ yn $S = \dfrac{a(r^n - 1)}{r - 1}$

$= 2000 \times \dfrac{1.04(1.04^{10} - 1)}{1.04 - 1}$

$= 2000 \times 12.486 \ldots = £24\,972.70$

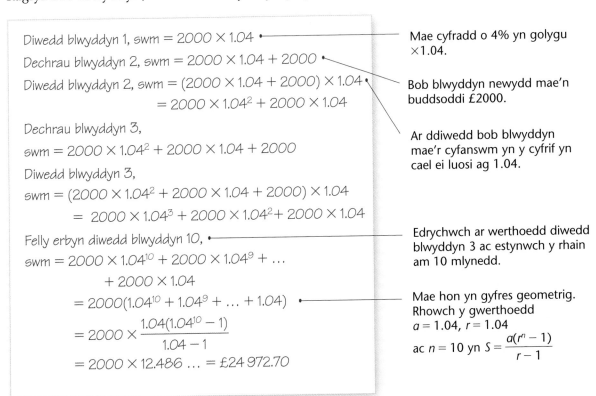

Enghraifft 10

Darganfyddwch werth lleiaf n fel bod swm $1 + 2 + 4 + 8 + \ldots$ hyd at yr $n$fed term yn fwy na $2\,000\,000$.

Swm hyd at $n$fed term yw $S_n = 1\dfrac{(2^n - 1)}{2 - 1}$

Rhowch y gwerthoedd $a = 1$, $r = 2$ yn $S_n = \dfrac{a(r^n - 1)}{r - 1}$.

$$= 2^n - 1$$

Os yw hyn i fod yn fwy na $2\,000\,000$ yna

$$S_n > 2\,000\,000$$

$$2^n - 1 > 2\,000\,000$$

$$2^n > 2\,000\,001$$

Adiwch 1.

$$n \log(2) > \log(2\,000\,001)$$

$$n > \dfrac{\log(2\,000\,001)}{\log(2)}$$

Defnyddiwch ddeddfau logarithmau: $\log a^n = n \log a$.

$$n > 20.9$$

Mae angen 21 term i fod yn fwy na $2\,000\,000$

Talgrynnwch n i'r cyfanrif agosaf.

Enghraifft 11

Darganfyddwch $\displaystyle\sum_{r=1}^{10} (3 \times 2^r)$.

$$S_{10} = \sum_{r=1}^{10} (3 \times 2^r)$$

Mae 'Σ' yn golygu 'swm' – yn yr achos hwn swm (3×2^r) o $r = 1$ hyd at $r = 10$.

$$= 3 \times 2^1 + 3 \times 2^2 + 3 \times 2^3$$
$$+ \ldots + 3 \times 2^{10}$$

$$= 3(2^1 + 2^2 + 2^3 + \ldots + 2^{10})$$

Mae hon yn gyfres geometrig lle mae $a = 2$, $r = 2$ ac $n = 10$.

$$= 3 \times 2\dfrac{(2^{10} - 1)}{2 - 1}$$

Defnyddiwch $s = \dfrac{a(r^n - 1)}{r - 1}$

Felly $S_{10} = 6138$

Ymarfer 7Ch

1 Darganfyddwch swm y gyfres geometrig ganlynol (i 3 lle degol os oes angen):

    a $1 + 2 + 4 + 8 + \ldots$ (8 term)   **b** $32 + 16 + 8 + \ldots$ (10 term)

    c $4 - 12 + 36 - 108 \ldots$ (6 therm)   **ch** $729 - 243 + 81 - \ldots -\frac{1}{3}$

    d $\displaystyle\sum_{r=1}^{6} 4^r$ **dd** $\displaystyle\sum_{r=1}^{8} 2 \times (3)^r$

    e $\displaystyle\sum_{r=1}^{10} 6 \times (\tfrac{1}{2})^r$ **f** $\displaystyle\sum_{r=0}^{5} 60 \times (-\tfrac{1}{3})^r$

2 Mae swm tri therm cyntaf cyfres geometrig yn 30.5. Os yw'r term cyntaf yn 8, darganfyddwch werthoedd posibl r.

3 Gofynnwyd i'r dyn a ddyfeisiodd y gêm 'gwyddbwyll' enwi ei wobr. Gofynnodd am 1 gronyn o ŷd ar sgwâr cyntaf ei fwrdd gwyddbwyll, 2 ronyn ar yr ail sgwâr, 4 ar y trydydd ac yn y blaen nes bod pob un o'r 64 sgwâr wedi eu gorchuddio. Yna dywedodd yr hoffai yr un faint o ronynnau o ŷd ag oedd yn bosibl eu rhoi ar y bwrdd. Sawl gronyn o ŷd a hawliai yn wobr?

4 Mae Elen yn buddsoddi £4000 ar ddechrau pob blwyddyn. Mae hi'n cael cyfradd llog o 4% y flwyddyn, sy'n cael ei dalu ar ddiwedd y flwyddyn. Faint fydd hi wedi ei fuddsoddi ar ddiwedd **a** y 10fed blwyddyn **b** yr 20fed blwyddyn?

5 Mae pêl yn cael ei gollwng o uchder o 10 m. Mae hi'n adlamu hyd at uchder o 7 m ac yn parhau i adlamu. Mae uchderau olynol yr adlamu mewn dilyniant geometrig. Darganfyddwch y canlynol:

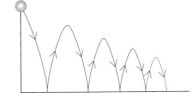

a Uchder adlamu'r bêl ar ôl y bedwaredd adlam.
b Cyfanswm y pellter a deithiodd y bêl nes taro'r llawr am y chweched tro.

6 Darganfyddwch werth lleiaf n fel bod swm 3 + 6 + 12 + 24 + … hyd at n term yn fwy nag 1.5 miliwn am y tro cyntaf.

7 Darganfyddwch werth lleiaf n fel bod swm 5 + 4.5 + 4.05 + … hyd at n term yn fwy na 45 am y tro cyntaf.

8 Mae Rhodri yn cael ei noddi i seiclo 1000 milltir dros nifer o ddyddiau. Mae'n seiclo 10 milltir y diwrnod cyntaf, ac yn cynyddu'r pellter hwn 10% bob dydd. Faint o amser a gymer iddo gwblhau'r sialens? Beth oedd y nifer mwyaf o filltiroedd a gwblhaodd mewn un diwrnod?

9 Mae cynllun cynilo yn cynnig cyfradd llog o 3.5% y flwyddyn yn ystod oes y cynllun. Mae Alan eisiau cynilo hyd at £20 000. Mae'n cyfrifo y gall fforddio cynilo £500 bob blwyddyn, a bydd yn rhoi'r arian hwn yn y cyfrif ar Ionawr 1af. Os telir llog ar Ragfyr 31, sawl blwyddyn a gymer iddo gynilo'r £20 000?

7.5 **Mae angen i chi allu darganfod swm i anfeidredd cyfres geometrig gydgyfeiriol.**

Ystyriwch y gyfres $S = 3 + 1.5 + 0.75 + 0.375 + …$

Waeth beth fo nifer y termau a gymerwch, nid yw'r swm byth yn fwy na rhif arbennig. Rydym yn galw'r rhif hwn yn derfan y swm, neu yn amlach, ei swm i anfeidredd.

Gallwn ddarganfod beth yw'r derfan hon.

Gan fod $a = 3$ ac $r = \frac{1}{2}$, mae $S = \dfrac{a(1 - r^n)}{1 - r} = \dfrac{3(1 - (\frac{1}{2})^n)}{1 - \frac{1}{2}} = 6(1 - (\frac{1}{2})^n)$

Os ydym yn rhoi gwerthoedd arbennig yn lle n i ddarganfod y swm, rydym yn darganfod y canlynol:

$\qquad$ pan yw $n = 3$, mae $S_3 = 5.25$
$\qquad$ pan yw $n = 5$, mae $S_5 = 5.8125$
$\qquad$ pan yw $n = 10$, mae $S_{10} = 5.9994$
$\qquad$ pan yw $n = 20$, mae $S_{20} = 5.999\,994$

Gallwch weld, wrth i n fynd yn fwy, fod S yn dod yn nes ac yn nes at 6.

Dywedwn fod y gyfres anfeidraidd hon yn **gydgyfeiriol**, a bod ei swm i anfeidredd yn 6. Golyga 'cydgyfeiriol' fod y gyfres yn tueddu tuag at werth penodol wrth i fwy o dermau gael eu hychwanegu.

Nid yw pob cyfres yn cydgyfeirio. Y rheswm pam y mae hon yn gwneud yw oherwydd bod termau'r dilyniant yn mynd yn llai.

Mae hyn yn digwydd oherwydd bod $-1 < r < 1$.

Dim ond pan yw $-1 < r < 1$ y mae swm i anfeidredd cyfres yn bodoli.

$$S_n = \frac{a(1 - r^n)}{1 - r}$$

Os $-1 < r < 1$, mae $r^n \to 0$ wrth i $n \to \infty$

$$S_\infty = \frac{a(1 - 0)}{1 - r} = \frac{a}{1 - r}$$

> **Awgrym:** Gallwch ysgrifennu 'mae'r swm i anfeidredd' yn S_∞.

■ **Swm i anfeidredd cyfres geometrig yw $\dfrac{a}{1 - r}$ os yw $|r| < 1$.**

> **Awgrym:** Mae $|r|$ yn golygu $-1 < r < 1$.

Enghraifft 12

Darganfyddwch symiau i anfeidredd y cyfresi canlynol:

a $40 + 10 + 2.5 + 0.625 + \ldots$

b $1 + \dfrac{1}{p} + \dfrac{1}{p^2} + \ldots$

---

a $40 + 10 + 2.5 + 0.625 + \ldots$

Yn y gyfres hon mae $a = 40$ ac $r = \dfrac{10}{40}$

$= \dfrac{1}{4}$, $-1 < r < 1$, felly mae S_∞ yn bodoli

$$S = \frac{a}{1 - r} = \frac{40}{1 - \frac{1}{4}} = \frac{40}{\frac{3}{4}} = \frac{160}{3}$$

Ysgrifennwch werthoedd a ac r bob tro gan ddefnyddio $\dfrac{u_2}{u_1}$ ar gyfer r.

Rhowch y gwerthoedd $a = 40$ ac $r = \dfrac{10}{40} = \dfrac{1}{4}$ yn $S = \dfrac{a}{1 - r}$.

---

b $1 + \dfrac{1}{p} + \dfrac{1}{p^2} + \ldots$

Yn y gyfres hon mae $a = 1$ ac $r = \dfrac{u_2}{u_1} = \dfrac{\frac{1}{p}}{1} = \dfrac{1}{p}$

Bydd S yn bodoli os $\left| \dfrac{1}{p} \right| < 1$ felly $p > 1$.

Os $p > 1$, $S_\infty = \dfrac{1}{1 - \frac{1}{p}}$

$$= \frac{p}{p - 1}$$

Lluoswch y top a'r gwaelod â p.

Enghraifft 13

Mae swm 4 term cyntaf cyfres geometrig yn 15 ac mae'r swm i anfeidredd yn 16.

a Darganfyddwch werthoedd posibl r.

b O wybod bod y termau i gyd yn bositif, darganfyddwch derm cyntaf y gyfres.

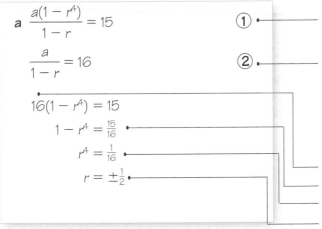

a $\dfrac{a(1 - r^4)}{1 - r} = 15$ ①

    $\dfrac{a}{1 - r} = 16$ ②

    $16(1 - r^4) = 15$

       $1 - r^4 = \frac{15}{16}$

         $r^4 = \frac{1}{16}$

          $r = \pm\frac{1}{2}$

Mae $S_4 = 15$ felly defnyddiwch y fformiwla

$S_n = \dfrac{a(1 - r^n)}{1 - r}$ lle mae $n = 4$.

Mae $S_\infty = 16$ felly defnyddiwch y fformiwla

$S_\infty = \dfrac{a}{1 - r}$ lle mae $S_\infty = 16$.

Datryswch yr hafaliadau yn gydamserol.

Rhowch 16 yn lle $\dfrac{a}{1 - r}$ yn hafaliad ①

Rhannwch ag 16.

Aildrefnwch.

Darganfyddwch 4ydd isradd $\frac{1}{16}$.

b Gan fod yr holl dermau yn bositif, $r = +\frac{1}{2}$

Rhowch $r = +\frac{1}{2}$ yn ôl yn hafaliad ②

i ddarganfod a

$\dfrac{a}{1 - \frac{1}{2}} = 16$

$16(1 - \frac{1}{2}) = a$

$a = 8$

Y term cyntaf yn y gyfres yw 8.

Ymarfer 7D

1 Darganfyddwch swm i anfeidredd y cyfresi canlynol os yw'n bodoli:

    a $1 + 0.1 + 0.01 + 0.001 + \dots$ **b** $1 + 2 + 4 + 8 + 16 + \dots$

    c $10 - 5 + 2.5 - 1.25 + \dots$ **ch** $2 + 6 + 10 + 14$

    d $1 + 1 + 1 + 1 + 1 + \dots$ **dd** $3 + 1 + \frac{1}{3} + \frac{1}{9} + \dots$

    e $0.4 + 0.8 + 1.2 + 1.6 + \dots$ **f** $9 + 8.1 + 7.29 + 6.561 + \dots$

    ff $1 + r + r^2 + r^3 + \dots$ **g** $1 - 2x + 4x^2 - 8x^3 + \dots$

2 Darganfyddwch gymhareb gyffredin cyfres geometrig lle mae'r term cyntaf yn 10 a'r swm i anfeidredd yn 30.

3 Darganfyddwch gymhareb gyffredin cyfres geometrig lle mae'r term cyntaf yn -5 a'r swm i anfeidredd yn -3.

4 Darganfyddwch derm cyntaf cyfres geometrig lle mae'r gymhareb gyffredin yn $\frac{2}{3}$ a'r swm i anfeidredd yn 60.

5 Darganfyddwch derm cyntaf cyfres geometrig lle mae'r gymhareb gyffredin yn $-\frac{1}{3}$ a'r swm i anfeidredd yn 10.

6 Darganfyddwch y ffracsiwn sy'n hafal i'r degolyn cylchol 0.232 323 232 3.

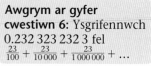

Awgrym ar gyfer cwestiwn 6: Ysgrifennwch 0.232 323 232 3 fel $\frac{23}{100} + \frac{23}{10\,000} + \frac{23}{1\,000\,000} + \ldots$

7 Darganfyddwch $\displaystyle\sum_{r=1}^{\infty} 4(0.5)^r$.

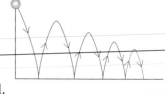

8 Mae pêl yn cael ei gollwng o uchder o 10 m. Mae'n adlamu i uchder 6 m, yna 3.6 m, ac yn y blaen yn ôl dilyniant geometrig. Dargafyddwch gyfanswm y pellter a deithiodd y bêl.

9 Mae swm tri therm cyntaf cyfres geometrig yn 9 a'i swm i anfeidredd yn 8. Beth allech chi ei ddiddwytho ynglŷn â'r gymhareb gyffredin. Pam? Darganfyddwch y term cyntaf a'r gymhareb gyffredin.

10 Mae swm i anfeidredd cyfres geometrig yn deirgwaith swm y 2 derm cyntaf. Darganfyddwch holl werthoedd posibl y gymhareb gyffredin.

Ymarfer cymysg 7Dd

1 Nodwch pa rai o'r cyfresi canlynol sy'n geometrig. Yn achos y rhai sydd, rhowch werth y gymhareb gyffredin, *r*.

    a $4 + 7 + 10 + 13 + 16 + \ldots$ **b** $4 + 6 + 9 + 13.5 + \ldots$

    c $20 + 10 + 5 + 2.5 + \ldots$ **ch** $4 - 8 + 16 - 32 + \ldots$

    d $4 - 2 - 8 - 14 - \ldots$ **dd** $1 + 1 + 1 + 1 + \ldots$

2 Darganfyddwch 8fed ac *n*fed term y dilyniannau geometrig canlynol:

    a $10, 7, 4.9, \ldots$ **b** $5, 10, 20, \ldots$

    c $4, -4, 4, \ldots$ **ch** $3, -1.5, 0.75, \ldots$

3 Darganfyddwch swm 10 term cyntaf y cyfresi geometrig canlynol.

    a $4 + 8 + 16 + \ldots$ **b** $30 - 15 + 7.5, \ldots$

    c $5 + 5 + 5, \ldots$ **ch** $2 + 0.8 + 0.32, \ldots$

4 Pennwch pa rai o'r cyfresi geometrig canlynol sy'n gydgyfeiriol. Yn achos y rhai sydd, rhowch werth terfannol swm y gyfres (h.y. S_∞).

    a $6 + 2 + \frac{2}{3} + \ldots$ **b** $4 - 2 + 1 - \ldots$

    c $5 + 10 + 20 + \ldots$ **ch** $4 + 1 + 0.25 + \ldots$

5 Mae trydydd term cyfres geometrig yn 27 ac mae'r chweched term yn 8:

    a Dangoswch fod cymhareb gyffredin y gyfres yn $\frac{2}{3}$.

    b Darganfyddwch derm cyntaf y gyfres.

    c Darganfyddwch swm i anfeidredd y gyfres.

    ch Darganfyddwch y gwahaniaeth rhwng swm 10 term cyntaf y gyfres a swm i anfeidredd y gyfres, i 3 ffigur ystyrlon.

6 Mae ail derm cyfres geometrig yn 80 a phumed term y gyfres yn 5.12:

   a Dangoswch fod cymhareb gyffredin y gyfres yn 0.4.

   Cyfrifwch:

   b Derm cyntaf y gyfres.

   c Swm i anfeidredd y gyfres, gan roi eich ateb fel ffracsiwn union.

   ch Y gwahaniaeth rhwng swm i anfeidredd y gyfres a swm 14 term cyntaf y gyfres, gan roi eich ateb yn y ffurf $a \times 10^n$, lle mae $1 \leqslant a < 10$ ac n yn gyfanrif. **Ⓐ**

7 Mae $n$fed term dilyniant yn u_n, lle mae $u_n = 95(\frac{4}{5})^n$, $n = 1, 2, 3, \ldots$

   a Darganfyddwch werth u_1 ac u_2.

   Gan roi eich atebion i 3 ffigur ystyrlon, cyfrifwch y canlynol:

   b Gwerth u_{21}.

   c $\displaystyle\sum_{n=1}^{15} u_n$

   ch Darganfyddwch swm i anfeidredd y gyfres lle mae'r term cyntaf yn u_1 a'r $n$fed term yn u_n. **Ⓐ**

8 Rhoddir dilyniant o rifau $u_1, u_2, \ldots, u_n, \ldots$ gan y fformiwla $u_n = 3(\frac{2}{3})^n - 1$ lle mae n yn gyfanrif positif.

   a Darganfyddwch werthoedd u_1, u_2 ac u_3.

   b Dangoswch fod $\displaystyle\sum_{n=1}^{15} u_n = -9.014$ i 4 ffigur ystyrlon.

   c Profwch fod $u_{n+1} = 2(\frac{2}{3})^n - 1$. **Ⓐ**

9 Mae trydydd a phedwerydd term cyfres geometrig yn 6.4 a 5.12 yn eu trefn. Darganfyddwch y canlynol:

   a Cymhareb gyffredin y gyfres.

   b Term cyntaf y gyfres.

   c Swm i anfeidredd y gyfres.

   ch Cyfrifwch y gwahaniaeth rhwng swm i anfeidredd y gyfres a swm 25 term cyntaf y gyfres. **Ⓐ**

10 Mae car yn colli 15% o'i werth bob blwyddyn. Os yw pris y car yn newydd yn £20 000, darganfyddwch y canlynol:

   a Fformiwla sy'n cysylltu ei werth £V â'i oedran a blwyddyn.

   b Ei werth ar ôl 5 mlynedd.

   c Ym mha flwyddyn y bydd yn werth llai na £4000.

11 Tri therm cyntaf cyfres geometrig yw $p(3q + 1)$, $p(2q + 2)$ a $p(2q - 1)$ yn eu trefn, lle mae p a q yn gysonion ansero.

   a Defnyddiwch algebra i ddangos mai un gwerth posibl q yw 5 ac i ddarganfod gwerth arall posibl q.

   b Ar gyfer pob gwerth posibl q cyfrifwch werth cymhareb gyffredin y gyfres.

   O wybod bod $q = 5$ a bod swm i anfeidredd y gyfres geometrig yn 896, cyfrifwch y canlynol:

   c Gwerth p.

   ch Swm deuddeg term cyntaf y gyfres, i 2 le degol. **Ⓐ**

12 Mae cynllun cynilo yn talu 5% y flwyddyn o adlog. Mae taliad o £100 yn cael ei fuddsoddi yn y cynllun hwn ar ddechrau pob blwyddyn.

   a Ar ddechrau'r drydedd flwyddyn, ar ôl y taliad blynyddol, dangoswch fod cyfanswm yr arian sydd yn y cynllun yn £315.25.

   b Darganfyddwch faint o arian sydd yn y cynllun ar ddechrau'r 40fed blwyddyn, ar ôl y taliad blynyddol.

13 Mae cystadleuwraig yn rhedeg mewn ras 25 km. Yn ystod y 15 km cyntaf, mae hi'n rhedeg ar gyfradd gyson o 12 km awr^{-1}. Ar ôl cwblhau 15 km, mae hi'n arafu ac yna gwelir ei bod hi'n cymryd 20% yn fwy o amser i gwblhau pob cilometr nag a gymerodd i gwblhau'r cilometr blaenorol.

   a Darganfyddwch yr amser, mewn oriau a munudau, a gymer y gystadleuwraig i gwblhau 16 km cyntaf y ras.

   Yr amser a gymerwyd i gwblhau'r $r$fed cilometr yw u_r awr.

   b Dangoswch, pan yw $16 \leqslant r \leqslant 25$, fod $u_r = \frac{1}{12}(1.2)^{r-15}$.

   c Gan ddefnyddio'r ateb i **b**, neu fel arall, darganfyddwch, i'r funud agosaf, faint o amser a gymer hi i gwblhau'r ras.

14 Mae hylif yn cael ei gadw mewn casgen. Ar ddechrau'r flwyddyn mae'r gasgen yn cael ei llenwi â 160 litr o'r hylif. Oherwydd anweddiad, ar ddiwedd pob blwyddyn mae cyfaint yr hylif sydd yn y gasgen wedi gostwng 15%.

   a Cyfrifwch faint o hylif sydd yn y gasgen ar ddiwedd y flwyddyn gyntaf.

   b Dangoswch fod tua 31.5 litr o hylif yn y gasgen ar ddiwedd deng mlynedd.

   Ar ddechrau pob blwyddyn newydd mae casgen newydd yn cael ei llenwi â 160 litr o hylif, fel bod 20 casgen yn cynnwys hylif ar ddiwedd 20 mlynedd.

   c Cyfrifwch gyfanswm yr hylif sydd yn y casgenni ar ddiwedd 20 mlynedd, i'r litr agosaf.

15 Ar ddechrau'r flwyddyn 2000 prynodd cwmni beiriant newydd am £15 000. Bob blwyddyn mae gwerth y peiriant yn gostwng 20% o'i gymharu â'i werth ar ddechrau'r flwyddyn.

   a Dangoswch mai gwerth y peiriant oedd £9600 ar ddechrau'r flwyddyn 2002.

   b Pan yw gwerth y peiriant yn gostwng yn is na £500, bydd y cwmni yn ei newid. Darganfyddwch ym mha flwyddyn y bydd y peiriant yn cael ei newid.

   c Fel rhan o gynllun i dalu am beiriant newydd, mae'r cwmni'n talu £1000 ar ddechrau pob blwyddyn i gyfrif cynilo. Mae'r cyfrif yn talu llog o 5% y flwyddyn. Gwnaed y taliad cyntaf pan brynwyd y peiriant i ddechrau a bydd y taliad olaf yn cael ei wneud ar ddechrau'r flwyddyn pan fydd y peiriant yn cael ei newid. Gan ddefnyddio'ch ateb i ran **b**, darganfyddwch faint fydd gwerth y cyfrif cynilo pan fydd y peiriant yn cael ei newid.

16 Mae morgais yn cael ei drefnu am £80 000. Bydd yn cael ei dalu fesul rhandaliadau blynyddol o £5000 â'r taliad cyntaf yn cael ei wneud ar ddiwedd y flwyddyn gyntaf pan drefnwyd y morgais. Yna codir llog o 4% ar unrhyw arian sy'n ddyledus. Darganfyddwch faint o amser a gymer i dalu'r morgais i gyd.

> **Awgrym ar gyfer cwestiwn 16:**
> Darganfyddwch fynegiad sy'n rhoi'r ddyled sy'n weddill ar ôl n blwyddyn a datryswch gan ddefnyddio'r ffaith os yw'n cael ei thalu, fod y ddyled = 0.

Crynodeb o'r pwyntiau allweddol

1   Mewn cyfres geometrig rydych yn symud o un term
    i'r nesaf drwy luosi â chysonyn a elwir yn gymhareb
    gyffredin.

2   Y fformiwla sy'n rhoi'r $n$fed term $= ar^{n-1}$ lle mae
    a = term cyntaf ac r = cymhareb gyffredin.

3   Y fformiwla sy'n rhoi'r swm i n term yw

    $$S_n = \frac{a(1 - r^n)}{1 - r} \text{ neu } S_n = \frac{a(r^n - 1)}{r - 1}$$

4   Mae'r swm i anfeidredd yn bodoli os yw $|r| < 1$ ac mae'n $S_\infty = \dfrac{a}{1 - r}$

8 Graffiau ffwythiannau trigonometrig

Yn y bennod hon byddwch yn dysgu am ffwythiannau sin, cosin a tan a'u graffiau.

8.1 Mae angen i chi allu defnyddio'r tri ffwythiant trigonometrig sylfaenol yn achos unrhyw ongl.

Gallwch ddefnyddio'r cymarebau trigonometrig

$$\sin \theta = \frac{\text{cyferbyn}}{\text{hypotenws}} \qquad \cos \theta = \frac{\text{agos}}{\text{hypotenws}} \qquad \tan \theta = \frac{\text{cyferbyn}}{\text{agos}}$$

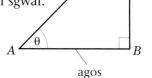

i ddarganfod yr ochrau a'r onglau sydd ar goll mewn triongl ongl sgwâr.

Er mwyn estyn y gwaith ar sin, cosin a tangiadau i gynnwys onglau o unrhyw faint, rhai positif a negatif, mae angen i ni addasu'r diffiniadau hyn.

Mae angen i chi wybod beth yw ystyr onglau positif a negatif.

Enghraifft 1

Mae llinell OP, lle mae O yn darddbwynt, yn llunio ongl θ ag echelin bositif x.
Lluniwch ddiagramau i ddangos safle OP pan yw θ yn hafal i:

a $+60°$ **b** $+210°$ **c** $-60°$ **ch** $-200°$

a

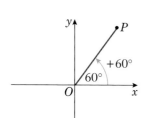

b

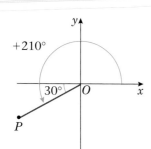

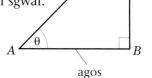

c

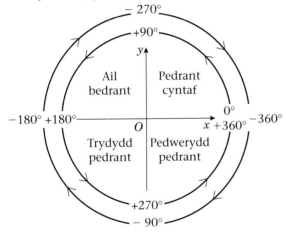

Gallech hefyd roi'r onglau mewn radianau fel

a $+\dfrac{\pi}{3}$ **b** $+\dfrac{7\pi}{6}$ **c** $-\dfrac{\pi}{3}$ **ch** $-\dfrac{10\pi}{9}$

d

Cofiwch: Mae onglau gwrthglocwedd yn bositif, mae onglau clocwedd yn negatif, wedi eu mesur o'r echelin x bositif.

■ **Mae'r plân x–y yn cael ei rannu'n bedrannau**

Ail bedrant
Pedrant cyntaf
Trydydd pedrant
Pedwerydd pedrant

Awgrym: Gall onglau fod y tu allan i'r amrediad 0–360°, ond byddant bob tro y tu mewn i un o'r pedwar pedrant.

Enghraifft 2

Lluniwch ddiagramau i ddangos safle OP lle mae $\theta =$: **a** $+400°$, **b** $+700°$, **c** $-480°$.

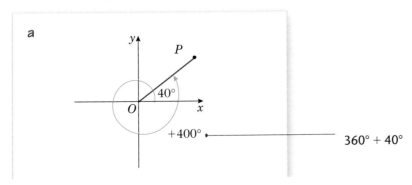

a

$360° + 40°$

111

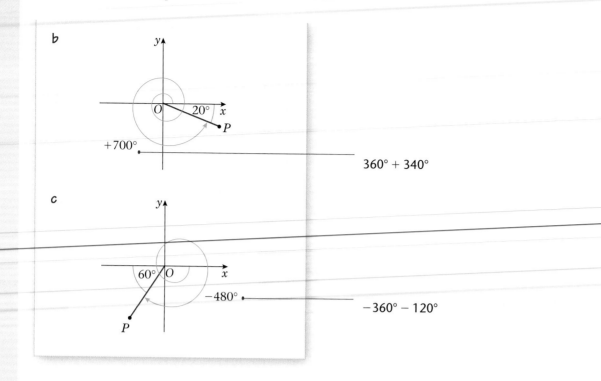

b +700°   360° + 340°

c −480°   −360° − 120°

Ymarfer 8A

1 Lluniwch ddiagramau, fel y rhai yn Enghreifftiau **1** a **2** , i ddangos yr onglau canlynol. Marciwch yr ongl lem y mae *OP* yn ei llunio ag echelin *x*.

    a −80°   **b** 100°   **c** 200°

    ch 165°   **d** −145°   **dd** 225°

    e 280°   **f** 330°   **ff** −160°

    g −280°   **ng** $\dfrac{3\pi}{4}$ **h** $\dfrac{7\pi}{6}$

    i $-\dfrac{5\pi}{3}$ **j** $-\dfrac{5\pi}{8}$ **l** $\dfrac{19\pi}{9}$

2 Nodwch ym mha bedrant y mae *OP* pan yw'r ongl y mae *OP* yn ei llunio â'r echelin *x* bositif yn:

    a 400°   **b** 115°   **c** −210°   **ch** 255°

    d −100°   **dd** $\dfrac{7\pi}{8}$ **e** $-\dfrac{11\pi}{6}$ **f** $\dfrac{13\pi}{7}$

■ Yn achos holl werthoedd θ, cymerir bod y diffiniadau o $\sin\theta$, $\cos\theta$ a $\tan\theta$ yn

$$\sin\theta = \frac{y}{r} \quad \cos\theta = \frac{x}{r} \quad \tan\theta = \frac{y}{x}$$

lle mae x ac y yn gyfesurynnau *P*, ac *r* yn hyd *OP*.

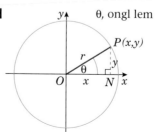
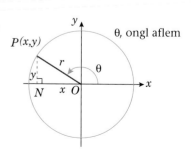

Mae gwerthoedd $\sin\theta$ a $\cos\theta$, lle mae θ yn lluosrif 90°, yn dilyn o'r diffiniadau uchod.

Enghraifft 3

Ysgrifennwch werthoedd **a** sin 90°, **b** sin 180°, **c** sin 270°, **ch** cos 180°, **d** cos (−90)° **dd** cos 450°.

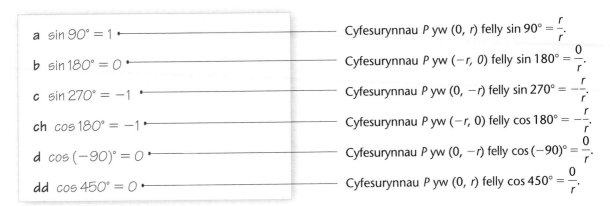

Mae $\tan \theta = \dfrac{y}{x}$ felly pan yw $x = 0$ ac $y \neq 0$ mae $\tan \theta$ yn amhenodol.

Mae hyn yn wir pan yw P yn $(0, r)$ neu yn $(0, −r)$.

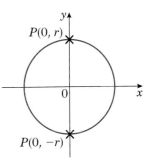

- Mae $\tan \theta$ yn amhenodol pan yw θ yn lluosrif odrifol o 90° $\left(\text{neu } \dfrac{\pi}{2} \text{ radian}\right)$.

Pan yw $y = 0$, mae $\tan \theta = 0$.
Mae hyn yn wir pan yw P yn $(r, 0)$ neu yn $(−r, 0)$.

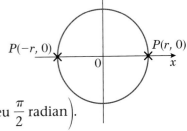

- Mae $\tan \theta = 0$ pan yw θ yn 0° neu yn lluosrif eilrifol o 90° $\left(\text{neu } \dfrac{\pi}{2} \text{ radian}\right)$.

Ymarfer 8B

(*Noder:* peidiwch â defnyddio cyfrifiannell.)

1 Ysgrifennwch werthoedd y canlynol:

   a sin (−90)°   **b** sin 450°   **c** sin 540°   **ch** sin (−450)°

   d cos (−180)°   **dd** cos (−270)°   **e** cos 270°   **f** cos 810°

   ff tan 360°   **g** tan (−180)°

2 Ysgrifennwch werthoedd y canlynol, lle mae'r onglau mewn radianau:

   a $\sin \dfrac{3\pi}{2}$ **b** $\sin \left(-\dfrac{\pi}{2}\right)$ **c** $\sin 3\pi$ **ch** $\sin \dfrac{7\pi}{2}$

   d $\cos 0$ **dd** $\cos \pi$ **e** $\cos \dfrac{3\pi}{2}$ **f** $\cos \left(-\dfrac{3\pi}{2}\right)$

   ff $\tan \pi$ **g** $\tan (−2\pi)$

8.2 Mae angen i chi wybod arwyddion y tri ffwythiant trigonometrig yn y pedwar pedrant.

Yn y pedrant cyntaf mae sin, cos a tan yn bositif.

Drwy ystyried arwydd x ac y, sef cyfesurynnau P, gallwch ddarganfod arwydd y tri ffwythiant trigonometrig yn y pedrannau eraill.

Enghraifft 4

Darganfyddwch arwyddion $\sin \theta$, $\cos \theta$ a $\tan \theta$ yn yr ail bedrant
(mae ongl θ yn aflem, $90° < \theta < 180°$).

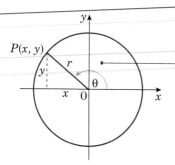

Lluniwch gylch, canol O a radiws r, lle mae $P(x, y)$ ar y cylch yn yr ail bedrant.

Gan fod x yn negatif ac y yn bositif yn y pedrant hwn

$$\sin \theta = \frac{y}{r} = \frac{+if}{+if} = +if$$

$$\cos \theta = \frac{x}{r} = \frac{-if}{+if} = -if$$

$$\tan \theta = \frac{y}{x} = \frac{+if}{-if} = -if$$

Felly dim ond $\sin \theta$ sy'n bositif.

■ Yn y pedrant *cyntaf*, mae sin, cos a tan *i gyd* yn bositif.
   Yn yr *ail* bedrant dim ond *sin* sy'n bositif.
   Yn y *trydydd* pedrant dim ond *tan* sy'n bositif.
   Yn y *pedwerydd* pedrant dim ond *cos* sy'n bositif.

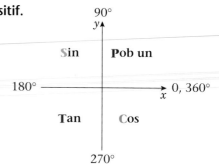

Mae'r diagram yn dangos pa ffwythiannau trigonometrig sy'n *bositif* ym mhob pedrant.

Efallai y byddai o gymorth i chi lunio brawddeg i gofio'r canlyniadau hyn. Er enghraifft:
Prynu **S**udd **T**omato **C**och.

Os meddyliwch am frawddeg, mae'n syniad da cadw at y drefn **P**, **S**, **T**, **C**.

Enghraifft 5

Dangoswch fod:

a $\sin(180 - \theta)° = \sin\theta°$

b $\sin(180 + \theta)° = -\sin\theta°$

c $\sin(360 - \theta)° = -\sin\theta°$

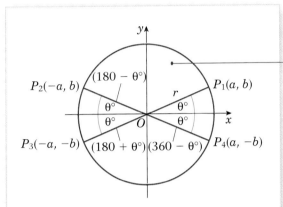

Lluniwch ddiagram i ddangos safle'r pedair ongl $\theta°$, $(180 - \theta)°$, $(180 + \theta)°$ a $(360 - \theta)°$.

Awgrym: Mae'r pedair llinell, OP_1, OP_2, OP_3 ac OP_4, sy'n cynrychioli'r pedair ongl i gyd ar oledd $\theta°$ o'r llorwedd.

Gan fod $\sin\theta = \dfrac{y}{r}$, mae'n dilyn fod:

$$\sin(180 - \theta)° = \frac{b}{r} = \sin\theta°$$

$$\sin(180 + \theta)° = -\frac{b}{r} = -\sin\theta°$$

$$\sin(360 - \theta)° = \frac{-b}{r} = -\sin\theta°$$

■ Dyma'r canlyniadau yn achos sin, cosin a thangiad:

$\sin(180 - \theta)° = \sin\theta°$

$\sin(180 + \theta)° = -\sin\theta°$

$\sin(360 - \theta)° = -\sin\theta°$

$\cos(180 - \theta)° = -\cos\theta°$

$\cos(180 + \theta)° = -\cos\theta°$

$\cos(360 - \theta)° = \cos\theta°$

$\tan(180 - \theta)° = -\tan\theta°$

$\tan(180 + \theta)° = \tan\theta°$

$\tan(360 - \theta)° = -\tan\theta°$

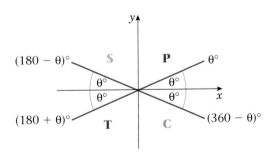

Awgrym: Pan yw onglau wedi eu mesur mewn radianau, mae'r un canlyniadau yn wir, a π yn cael ei roi yn lle 180°, e.e. $\sin(\pi - \theta) = \sin\theta$, $\cos(\pi + \theta) = -\cos\theta$; $\tan(2\pi - \theta) = -\tan\theta$.

Awgrym: Mae maint cymarebau trigonometrig onglau hafal sy'n cael eu mesur o'r echelin x bositif neu'r echelin x negatif yn hafal o ran maint, ond mae eu harwydd yn dibynnu ar y pedrant dan sylw.

Enghraifft 6

Mynegwch y canlynol yn nhermau cymarebau trigonometrig onglau llym:

a $\sin(-100)°$ **b** $\cos 330°$ **c** $\tan 500°$

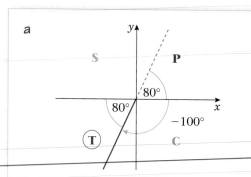

Ym mhob rhan, lluniwch ddiagramau sy'n dangos safle *OP* yn achos yr ongl dan sylw a rhowch yr ongl lem y mae OP yn ei llunio ag echelin x.

Mae'r ongl lem sy'n cael ei llunio ag echelin x yn 80°. Yn y trydydd pedrant dim ond tan sy'n bositif, felly mae sin yn negatif.

Felly $\sin(-100)° = -\sin 80°$

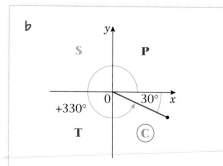

Mae'r ongl lem sy'n cael ei llunio ag echelin x yn 30°. Yn y pedwerydd pedrant dim ond cos sy'n bositif. Felly $\cos 330° = +\cos 30°$

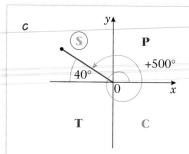

Mae'r ongl lem sy'n cael ei llunio ag echelin x yn 40°. Yn yr ail bedrant dim ond sin sy'n bositif. Felly $\tan 500° = -\tan 40°$

Ymarfer 8C

(*Noder:* Peidiwch â defnyddio cyfrifiannell.)

1. Drwy lunio diagramau, fel y rhai yn Enghraifft **6**, mynegwch y canlynol yn nhermau cymarebau trigonometrig onglau llym:

    a $\sin 240°$ **b** $\sin(-80)°$ **c** $\sin(-200)°$ **ch** $\sin 300°$ **d** $\sin 460°$

    dd $\cos 110°$ **e** $\cos 260°$ **f** $\cos(-50)°$ **ff** $\cos(-200)°$ **g** $\cos 545°$

    ng $\tan 100°$ **h** $\tan 325°$ **i** $\tan(-30)°$ **j** $\tan(-175)°$ **l** $\tan 600°$

    ll $\sin \dfrac{7\pi}{6}$ **m** $\cos \dfrac{4\pi}{3}$ **n** $\cos\left(-\dfrac{3\pi}{4}\right)$ **o** $\tan \dfrac{7\pi}{5}$ **p** $\tan\left(-\dfrac{\pi}{3}\right)$

    ph $\sin \dfrac{15\pi}{16}$ **r** $\cos \dfrac{8\pi}{5}$ **rh** $\sin\left(-\dfrac{6\pi}{7}\right)$ **s** $\tan \dfrac{15\pi}{8}$

2. O wybod bod θ yn ongl lem wedi ei mesur mewn graddau, mynegwch y canlynol yn nhermau $\sin \theta$:

    a $\sin(-\theta)$ **b** $\sin(180° + \theta)$ **c** $\sin(360° - \theta)$

    ch $\sin -(180° + \theta)$ **d** $\sin(-180° + \theta)$ **dd** $\sin(-360° + \theta)$

    e $\sin(540° + \theta)$ **f** $\sin(720° - \theta)$ **ff** $\sin(\theta + 720°)$

3. O wybod bod θ yn ongl lem wedi ei mesur mewn graddau, mynegwch y canlynol yn nhermau $\cos \theta$ neu $\tan \theta$:

    a $\cos(180° - \theta)$ **b** $\cos(180° + \theta)$ **c** $\cos(-\theta)$

    ch $\cos -(180° - \theta)$ **d** $\cos(\theta - 360°)$ **dd** $\cos(\theta - 540°)$

    e $\tan(-\theta)$ **f** $\tan(180° - \theta)$ **ff** $\tan(180° + \theta)$

    g $\tan(-180° + \theta)$ **ng** $\tan(540° - \theta)$ **h** $\tan(\theta - 360°)$

    > Mae'r canlyniadau a gafwyd yng nghwestiynau **2** a **3** yn wir yn achos holl werthoedd θ.

4. Mae ffwythiant f yn ffwythiant eilrif os yw $f(-\theta) = f(\theta)$.

    Mae ffwythiant f yn ffwythiant odrif os yw $f(-\theta) = -f(\theta)$.

    Gan ddefnyddio'ch canlyniadau yng nghwestiwn **2a**, **3c** a **3e**, nodwch a yw $\sin \theta$, $\cos \theta$ a $\tan \theta$ yn ffwythiannau odrifol ynteu'n ffwythiannau eilrifol.

8.3   **Mae angen i chi allu darganfod union werthoedd rhai cymarebau trigonometregol.**

Gallwch ddarganfod cymarebau trigonometregol onglau $30°$, $45°$ a $60°$ yn union. Ystyriwch driongl hafalochrog ABC, ochr 2 uned.
Os ydych yn llunio perpendicwlar o A i BC yn D, yna mae
$BD = DC = 1$ uned, $\angle BAD = 30°$ ac $\angle ABD = 60°$.
Gan ddefnyddio theorem Pythagoras yn $\triangle ABD$

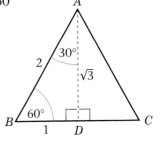

$$AD^2 = 2^2 - 1^2 = 3$$
Felly $AD = \sqrt{3}$ uned

Gan ddefnyddio $\triangle ABD$, mae $\sin 30° = \dfrac{1}{2}$, $\cos 30° = \dfrac{\sqrt{3}}{2}$, $\tan 30° = \dfrac{1}{\sqrt{3}} = \dfrac{\sqrt{3}}{3}$,

ac mae $\sin 60° = \dfrac{\sqrt{3}}{2}$, $\cos 60° = \dfrac{1}{2}$, $\tan 60° = \sqrt{3}$.

Os ydych nawr yn ystyried triongl isosgeles ongl sgwâr *PQR*, lle mae
PQ = QR = 1 uned, yna gellir darganfod y cymarebau ar gyfer 45°.

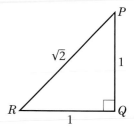

Gan ddefnyddio theorem Pythagoras

$$PR^2 = 1^2 + 1^2 = 2$$
Felly mae $PR = \sqrt{2}$ uned

Yna mae $\sin 45° = \cos 45° = \dfrac{1}{\sqrt{2}} = \dfrac{\sqrt{2}}{2}$ a $\tan 45° = 1$

Ymarfer 8Ch

1   Mynegwch y canlynol ar ffurf cymarebau trigonometrig naill ai 30°, 45° neu 60°,
    a thrwy hyn darganfyddwch eu gwerthoedd union.

a $\sin 135°$	**b** $\sin(-60°)$	**c** $\sin 330°$	**ch** $\sin 420°$	**d** $\sin(-300°)$
dd $\cos 120°$	**e** $\cos 300°$	**f** $\cos 225°$	**ff** $\cos(-210°)$	**g** $\cos 495°$
ng $\tan 135°$	**h** $\tan(-225°)$	**i** $\tan 210°$	**j** $\tan 300°$	**l** $\tan(-120°)$

2   Yn Adran 8.3 gwelsoch fod $\sin 30° = \cos 60°$, $\cos 30° = \sin 60°$, a $\tan 60° = \dfrac{1}{\tan 30°}$.

Mae'r rhain yn enghreifftiau arbennig o'r canlyniadau cyffredinol: $\sin(90° - \theta) = \cos\theta$,
a $\cos(90° - \theta) = \sin\theta$, a $\tan(90° - \theta) = \dfrac{1}{\tan\theta}$, lle mae ongl θ yn cael ei mesur mewn graddau.

Defnyddiwch driongl ongl sgwâr *ABC* i wirio'r canlyniadau hyn pan yw θ yn ongl lem.

8.4   Mae angen i chi allu adnabod graffiau sin θ, cos θ a tan θ.

y = sin θ

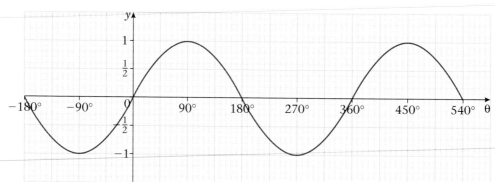

Gelwir ffwythiannau sy'n ailadrodd eu hunain ar ôl cyfwng penodol
yn ffwythiannau cyfnodol, a gelwir y cyfwng yn gyfnod y
ffwythiant. Gallwch weld bod sin θ yn gyfnodol gyda chyfnod o 360°.

> **Awgrym:** Mae gan graff
> sin θ, lle mae θ mewn
> radianau, gyfnod o 2π.

Mae gan sin θ nifer o nodweddion cymesurol (gwelwyd rhai
ohonynt yn Enghraifft 5) ond gallwch weld o'r graff fod

> **Awgrym:** Oherwydd ei fod
> yn gyfnodol.

$$\sin(\theta + 360°) = \sin\theta \text{ a } \sin(\theta - 360°) = \sin\theta$$
$$\sin(90° - \theta) = \sin(90° + \theta)$$

> **Awgrym:** Cymesuredd o
> amgylch θ = 90°.

$y = \cos\theta$

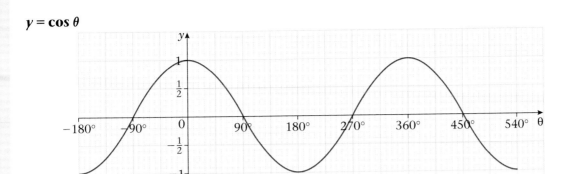

Fel sin θ, mae cos θ yn gyfnodol gyda chyfnod o 360°. Yn wir, mae graff cos θ yr un fath â graff sin θ pan yw wedi ei drawsfudo 90° i'r chwith.

Dwy nodwedd gymesurol arall cos θ yw

$$\cos(\theta + 360°) = \cos\theta \text{ a } \cos(\theta - 360°) = \cos\theta$$
$$\cos(-\theta) = \cos\theta \text{ (gwelwyd ar dudalen 117)}$$

Awgrym: Oherwydd ei fod yn gyfnodol.

Awgrym: Cymesuredd o amgylch $\theta = 0°$.

$y = \tan\theta$

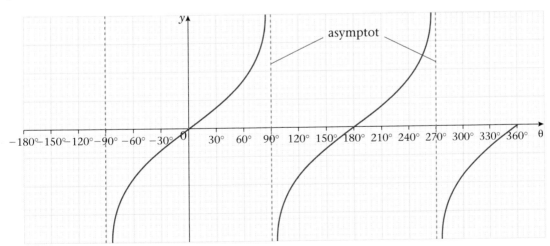

asymptot

Mae'r ffwythiant hwn yn ymddwyn yn wahanol iawn i'r ffwythiannau sin a chosin ond mae'n dal i fod yn gyfnodol, mae'n ei ailadrodd ei hun mewn cylchredau o 180° felly mae ei gyfnod yn 180°.

Dyma nodweddion cymesuredd cyfnod tan θ

$$\tan(\theta + 180°) = \tan\theta$$
$$\tan(\theta - 180°) = \tan\theta$$

Awgrym: Gelwir y llinellau toredig ar y graff yn asymptotau, llinellau y mae'r gromlin yn agosáu atynt ond byth yn eu cyffwrdd; mae'r rhain yn digwydd yn $\theta = (2n + 1)90°$ lle mae n yn gyfanrif.

Enghraifft 7

Brasluniwch graff $y = \cos \theta°$ yn y cyfwng $-360 \leqslant \theta \leqslant 360$.

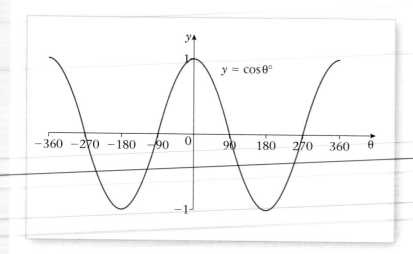

Yr echelinau yw θ ac y.
Mae'r cromliniau yn cyffwrdd echelin θ yn $\theta = \pm270°$ a $\theta = \pm90°$.
Sylwer bod ffurf yr hafaliad a roddir yma yn golygu bod θ yn rhif.
Mae'r gromlin yn croesi echelin y yn (0, 1).

Enghraifft 8

Brasluniwch graff $y = \sin x$ yn y cyfwng $-\pi \leqslant x \leqslant \dfrac{3\pi}{2}$.

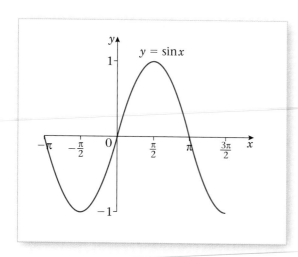

Yma yr echelinau yw x ac y, ac mae'r cyfwng yn dweud wrthych bod x mewn radianau.
Mae'r gromlin yn croesi echelin x yn $x = \pm\pi$ ac $x = 0$.

Ymarfer 8D

1 Brasluniwch graff $y = \cos \theta$ yn y cyfwng $-\pi \leqslant \theta \leqslant \pi$.

2 Brasluniwch graff $y = \tan \theta°$ yn y cyfwng $-180 \leqslant \theta \leqslant 180$.

3 Brasluniwch graff $y = \sin \theta°$ yn y cyfwng $-90 \leqslant \theta \leqslant 270$.

8.5 Mae angen i chi allu gwneud trawsffurfiadau syml ar graffiau sin θ, cos θ a tan θ.

Gallwch fraslunio graffiau $a \sin \theta$, $a \cos \theta$ ac $a \tan \theta$, lle mae a yn gysonyn.

Enghraifft 9

Brasluniwch graffiau'r canlynol ar echelinau ar wahân:

a $y = 3 \sin x$, $0 \leqslant x \leqslant 360°$

b $y = -\tan \theta$, $-\pi \leqslant \theta \leqslant \pi$

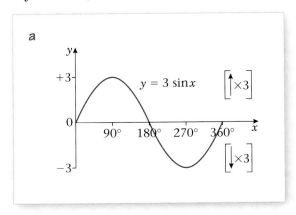

Effaith y ffactor lluosi 3 yw estyn graff sin x yn fertigol â ffactor graddfa 3; nid oes effaith i gyfeiriad x.

Yn yr achos hwn mae'r rhyngdoriadau ar echelin x yn cael eu labelu mewn graddau (°).

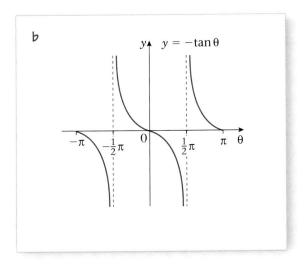

Effaith y ffactor lluosi -1, yw adlewyrchu graff tan θ yn echelin θ. Mae'r labelu ar echelin θ mewn radianau.

Gallwch fraslunio graffiau sin θ + a, cos θ + a a tan θ + a.

Enghraifft 10

Brasluniwch graffiau'r canlynol ar echelinau ar wahân:

a $y = -1 + \sin x$, $0 \leq x \leq 2\pi$ **b** $y = \frac{1}{2} + \cos\theta$, $0 \leq \theta \leq 360°$

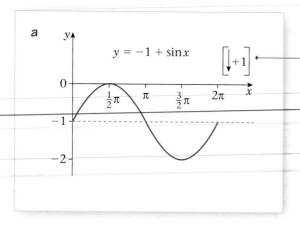

Mae graff $y = \sin x$ yn cael ei drawsfudo 1 uned i'r cyfeiriad y negatif.

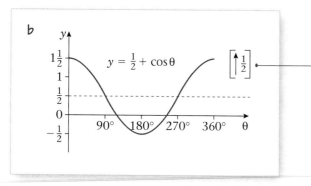

Mae graff $y = \cos\theta$ yn cael ei drawsfudo $\frac{1}{2}$ uned i'r cyfeiriad y positif. Er mwyn darganfod y rhyngdoriadau ar echelin θ mae angen datrys yr hafaliad $\frac{1}{2} + \cos\theta = 0$, ond os edrychwch yn ôl ar y graff ar dudalen 119 gallwch weld bod y rhain yn 120° a 240°.

Gallwch fraslunio graffiau sin (θ + α), cos (θ + α) a tan (θ + α).

Enghraifft 11

Brasluniwch graffiau'r canlynol ar echelinau ar wahân:

a $y = \tan\left(\theta + \frac{\pi}{4}\right)$, $0 \leq \theta \leq 2\pi$ **b** $y = \cos(\theta - 90°)$, $-360° \leq \theta \leq 360°$

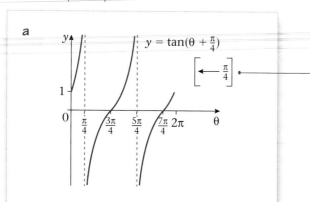

Mae graff $y = \tan\theta$ yn cael ei drawsfudo $\frac{\pi}{4}$ i'r chwith. Nawr mae'r asymptotau yn $\theta = \frac{\pi}{4}$ a $\theta = \frac{5\pi}{4}$. Mae'r gromlin yn croesi echelin y lle mae $\theta = 0$, felly $y = 1$.

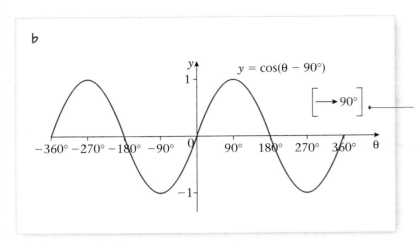

b

$y = \cos(\theta - 90°)$

Mae graff $y = \cos\theta$ yn cael ei drawsfudo 90° i'r dde. Sylwer mai union yr un gromlin yw hon ag $y = \sin\theta$, felly nodwedd arall yw bod $\cos(\theta - 90°) = \sin\theta$.

Gallwch fraslunio graffiau sin $n\theta$, cos $n\theta$ a tan $n\theta$.

Cofiwch fod y gromlin sydd â hafaliad $y = f(ax)$ yn estyniad llorweddol, ffactor graddfa $\dfrac{1}{a}$, o'r gromlin $y = f(x)$. Yn yr achos arbennig lle mae $a = -1$, mae hyn yn gywerth ag adlewyrchiad yn echelin y.

Enghraifft 12

Brasluniwch graffiau'r canlynol ar echelinau ar wahân:

a $y = \sin 2x$, $0 \leqslant x \leqslant 360°$

b $y = \cos\dfrac{\theta}{3}$, $-3\pi \leqslant \theta \leqslant 3\pi$

c $y = \tan(-x)$, $-360° \leqslant x \leqslant 360°$

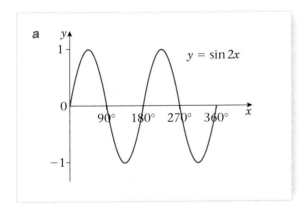

a

$y = \sin 2x$

Mae graff $y = \sin x$ yn cael ei estyn yn llorweddol â ffactor graddfa $\frac{1}{2}$.

Nawr mae'r cyfnod yn 180° a gwelir dwy 'don' gyflawn yn y cyfwng $0 \leqslant x \leqslant 360°$.

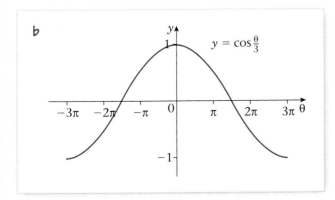

b

$y = \cos\dfrac{\theta}{3}$

Mae graff $y = \cos\theta$ yn cael ei estyn yn llorweddol â ffactor graddfa 3.

Mae cyfnod $\cos\dfrac{\theta}{3}$ yn 6π a dim ond un don gyflawn a welir yn $-3\pi \leqslant \theta \leqslant 3\pi$.

Mae'r gromlin yn croesi echelin θ yn $\theta = \pm\frac{3}{2}\pi$.

c

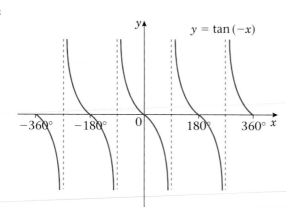

$y = \tan(-x)$

Mae graff $y = \tan x$ yn cael ei adlewyrchu yn echelin y.

Ymarfer 8Dd

1 Ysgrifennwch **i** werth macsimwm, a **ii** gwerth minimwm, y mynegiadau canlynol, ac ym mhob achos rhowch werth positif lleiaf (neu sero) x pob un:

    a $\cos x°$ **b** $4\sin x°$ **c** $\cos(-x)°$

    ch $3 + \sin x°$ **d** $-\sin x°$ **dd** $\sin 3x°$

2 Ar yr un set o echelinau, brasluniwch graffiau $\cos\theta$ a $\cos 3\theta$ yn y cyfwng $0 \leqslant \theta \leqslant 360°$.

3 Ar echelinau ar wahân, brasluniwch graffiau'r canlynol, yn y cyfwng $0 \leqslant \theta \leqslant 360°$. Rhowch gyfesurynnau'r croestorfannau â'r echelinau, a phwyntiau macsimwm a minimwm pan fo hynny'n briodol:

    a $y = -\cos\theta$ **b** $y = \frac{1}{3}\sin\theta$

    c $y = \sin \frac{1}{3}\theta$ **ch** $y = \tan(\theta - 45°)$

4 Ar echelinau ar wahân, brasluniwch graffiau'r canlynol, yn y cyfwng $-180 \leqslant \theta \leqslant 180$. Rhowch gyfesurynnau'r croestorfannau â'r echelinau, a phwyntiau macsimwm a minimwm pan fo hynny'n briodol:

    a $y = -2\sin\theta°$ **b** $y = \tan(\theta + 180)°$ **c** $y = \cos 4\theta°$ **ch** $y = \sin(-\theta)°$

5 Yn y cwestiwn hwn mae θ yn cael ei fesur mewn radianau. Ar echelinau ar wahân, brasluniwch graffiau'r canlynol yn y cyfwng $-2\pi \leqslant \theta \leqslant 2\pi$. Ym mhob achos rhowch gyfnod y ffwythiant.

    a $y = \sin \frac{1}{2}\theta$ **b** $y = -\frac{1}{2}\cos\theta$ **c** $y = \tan\left(\theta - \dfrac{\pi}{2}\right)$ **ch** $y = \tan 2\theta$

6 **a** Drwy ystyried graffiau'r ffwythiannau, neu fel arall, gwiriwch y canlynol:

        i $\cos\theta = \cos(-\theta)$

        ii $\sin\theta = -\sin(-\theta)$

        iii $\sin(\theta - 90°) = -\cos\theta$

    b Defnyddiwch y canlyniadau yn **a ii** a **iii** i ddangos bod $\sin(90° - \theta) = \cos\theta$.

    c Yn Enghraifft 11 gwelsoch fod $\cos(\theta - 90°) = \sin\theta$.
        Defnyddiwch y canlyniad hwn gyda rhan **a i** i ddangos bod $\cos(90° - \theta) = \sin\theta$.

Ymarfer cymysg 8E

1 Ysgrifennwch bob un o'r canlynol ar ffurf cymhareb drigonometrig ongl lem:

   a $\cos 237°$ **b** $\sin 312°$ **c** $\tan 190°$ **ch** $\sin 2.3^c$ **d** $\cos\left(-\dfrac{\pi}{15}\right)$

2 Heb ddefnyddio'ch cyfrifiannell, cyfrifwch werth y canlynol:

   a $\cos 270°$ **b** $\sin 225°$ **c** $\cos 180°$ **ch** $\tan 240°$ **d** $\tan 135°$

   dd $\cos 690°$ **e** $\sin \dfrac{5\pi}{3}$ **f** $\cos\left(-\dfrac{2\pi}{3}\right)$ **ff** $\tan 2\pi$ **g** $\sin\left(-\dfrac{7\pi}{6}\right)$

3 Disgrifiwch yn geometregol y trawsffurfiadau sy'n mapio:

   a Graff $y = \tan x°$ ar graff $\tan \frac{1}{2}x°$.

   b Graff $y = \tan \frac{1}{2}x°$ ar graff $3 + \tan \frac{1}{2}x°$.

   c Graff $y = \cos x°$ ar graff $-\cos x°$.

   d Graff $y = \sin (x - 10)°$ ar graff $\sin (x + 10)°$.

4 **a** Ar yr un set o echelinau, brasluniwch graffiau $y = \tan (x - \frac{1}{4}\pi)$ ac $y = -2\cos x$, yn y cyfwng $0 \leqslant x \leqslant \pi$ gan ddangos cyfesurynnau'r croestorfannau â'r echelinau.

   b Diddwythwch nifer datrysiadau'r hafaliad $\tan (x - \frac{1}{4}\pi) + 2\cos x = 0$, yn y cyfwng $0 \leqslant x \leqslant \pi$.

5 Mae'r diagram yn dangos rhan o graff $y = f(x)$. Mae'n croesi echelin x yn $A(120, 0)$ a $B(p, 0)$. Mae'n croesi echelin y yn $C(0, q)$ ac mae ei werth macsimwm yn D, fel y dangosir.

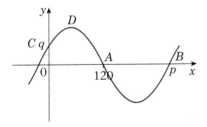

O wybod bod $f(x) = \sin (x + k)°$, lle mae $k > 0$, ysgrifennwch y canlynol:

   a Gwerth p

   b Cyfesurynnau D

   c Gwerth lleiaf k

   ch Gwerth q

6 Ystyriwch y ffwythiant $f(x) = \sin px$, $p \in \mathbb{R}$, $0 \leqslant x \leqslant 2\pi$.

   Cyfesuryn x y pwynt agosaf i'r tarddbwynt lle mae graff $f(x)$ yn croesi echelin x yw $\dfrac{\pi}{5}$.

   a Brasluniwch graff $f(x)$.

   b Ysgrifennwch gyfnod $f(x)$.

   c Darganfyddwch werth p.

7 Mae'r graff isod yn dangos $y = \sin\theta$, $0 \leqslant \theta \leqslant 360°$, ac mae un gwerth θ ($\theta = \alpha°$) wedi ei farcio ar yr echelin.

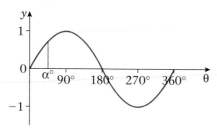

   a Copïwch y graff ac ar echelin θ marciwch safleoedd $(180 - \alpha)°$, $(180 + \alpha)°$, a $(360 - \alpha)°$.

   b Sefydlwch y canlyniad $\sin\alpha° = \sin(180 - \alpha)° = -\sin(180 + \alpha)° = -\sin(360 - \alpha)°$.

8 **a** Ar echelinau ar wahân brasluniwch graffiau $y = \cos\theta$ ($0 \leqslant \theta \leqslant 360°$) ac $y = \tan\theta$ ($0 \leqslant \theta \leqslant 360°$), ac ar bob echelin θ marciwch y pwynt $(\alpha°, 0)$ fel yng nghwestiwn **7**.

   b Gwiriwch y canlynol:

   i $\cos\alpha° = -\cos(180 - \alpha)° = -\cos(180 + \alpha)° = \cos(360 - \alpha)°$.

   ii $\tan\alpha° = -\tan(180 - \alpha)° = -\tan(180 + \alpha)° = -\tan(360 - \alpha)°$.

Crynodeb o'r pwyntiau allweddol

1 Mae'r plân *x–y* wedi ei rannu yn bedrannau:

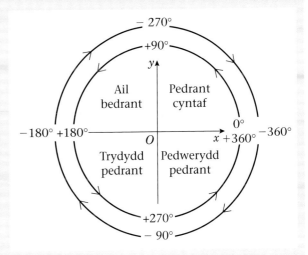

2 Ar gyfer pob gwerth θ, cymerir bod diffiniadau $\sin \theta$, $\cos \theta$ a $\tan \theta$ yn

$$\sin \theta = \frac{y}{r} \quad \cos \theta = \frac{x}{r} \quad \tan \theta = \frac{y}{x}$$

lle mae *x* ac *y* yn gyfesurynnau *P* ac *r* yn radiws y cylch.

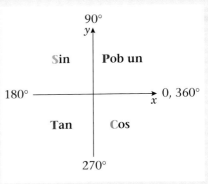

3 Yn y pedrant cyntaf, lle mae θ yn ongl lem, mae **P**ob ffwythiant trigonometrig yn bositif.
Yn yr ail bedrant, lle mae θ yn ongl aflem, **S**in yn unig sy'n bositif.
Yn y trydydd pedrant, lle mae θ yn ongl atblyg, $180° < \theta < 270°$, **T**an yn unig sy'n bositif.
Yn y pedwerydd pedrant, lle mae θ yn ongl atblyg $270° < \theta < 360°$, **C**osin yn unig sy'n bositif.

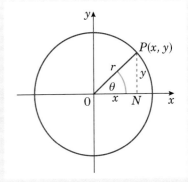

4 Mae perthynas rhwng cymarebau trigonometrig onglau sy'n llunio onglau hafal â'r llorwedd:

$\sin (180 - \theta)° = \sin \theta°$
$\sin (180 + \theta)° = -\sin \theta°$
$\sin (360 - \theta)° = -\sin \theta°$
$\cos (180 - \theta)° = -\cos \theta°$
$\cos (180 + \theta)° = -\cos \theta°$
$\cos (360 - \theta)° = \cos \theta°$
$\tan (180 - \theta)° = -\tan \theta°$
$\tan (180 + \theta)° = \tan \theta°$
$\tan (360 - \theta)° = -\tan \theta°$

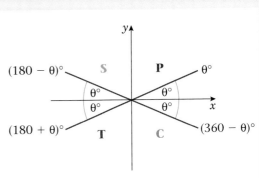

5 Mae gan gymarebau trigonometrig 30°, 45° a 60° ffurfiau union gywir, ac fe'u dangosir isod:

$$\sin 30° = \frac{1}{2} \qquad \cos 30° = \frac{\sqrt{3}}{2} \qquad \tan 30° = \frac{1}{\sqrt{3}} = \frac{\sqrt{3}}{3}$$

$$\sin 45° = \frac{1}{\sqrt{2}} = \frac{\sqrt{2}}{2} \qquad \cos 45° = \frac{1}{\sqrt{2}} = \frac{\sqrt{2}}{2} \qquad \tan 45° = 1$$

$$\sin 60° = \frac{\sqrt{3}}{2} \qquad \cos 60° = \frac{1}{2} \qquad \tan 60° = \sqrt{3}$$

6 Mae gan ffwythiannau sin a chosin gyfnod o 360°, (neu 2π radian).
Dyma'r priodweddau cyfnodol

$$\sin(\theta \pm 360°) = \sin\theta \ \ a \ \ \cos(\theta \pm 360°) = \cos\theta$$

yn eu trefn.

7 Mae gan y ffwythiant tan gyfnod o 180°, (neu π radian).

Dyma'r briodwedd gyfnodol: $\tan(\theta \pm 180°) = \tan\theta$.

8 Dyma briodweddau defnyddiol eraill

$$\sin(-\theta) = -\sin\theta; \cos(-\theta) = \cos\theta; \tan(-\theta) = -\tan\theta;$$
$$\sin(90° - \theta) = \cos\theta; \cos(90° - \theta) = \sin\theta$$

9 Differu

Yn y bennod hon byddwch yn dysgu sut i ddefnyddio differu er mwyn gallu:
- gwahaniaethu rhwng ffwythiannau cynyddol a lleihaol
- darganfod cyfesurynnau pwyntiau macsimwm a minimwm ar gromlin
- cymhwyso'r technegau hyn i broblemau bywyd bob dydd

9.1 Bydd angen i chi wybod y gwahaniaeth rhwng ffwythiannau cynyddol a lleihaol.

Mae ffwythiant f sy'n cynyddu wrth i x gynyddu yn y cyfwng o $x = a$ i $x = b$ yn ffwythiant cynyddol yn y cyfwng (a, b).

■ Yn achos ffwythiant cynyddol yn y cyfwng (a, b), os yw x_1 ac x_2 yn ddau werth x yn y cyfwng $a \leqslant x \leqslant b$ ac os yw $x_1 < x_2$ yna mae $f(x_1) < f(x_2)$.
Mae'n dilyn bod $f'(x) > 0$ yn y cyfwng $a \leqslant x \leqslant b$.

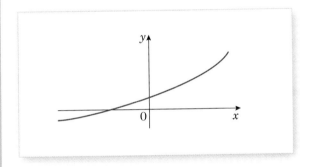

Dyma graff ffwythiant cynyddol. Mae'r graddiant yn bositif ym mhob pwynt ar y graff.

Mae ffwythiant f sy'n lleihau wrth i x gynyddu yn y cyfwng o $x = a$ i $x = b$ yn ffwythiant lleihaol yn y cyfwng (a, b).

■ Yn achos ffwythiant lleihaol yn y cyfwng (a, b), os yw x_1 ac x_2 yn ddau werth x yn y cyfwng $a \leqslant x \leqslant b$ ac os yw $x_1 < x_2$ yna $f(x_1) > f(x_2)$.
Mae'n dilyn bod $f'(x) < 0$ yn y cyfwng $a \leqslant x \leqslant b$.

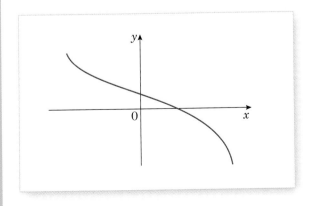

Dyma graff ffwythiant lleihaol. Mae'r graddiant yn negatif ym mhob pwynt ar y graff.

Mae rhai ffwythiannau yn cynyddu wrth i x gynyddu mewn un cyfwng ac yn lleihau wrth i x gynyddu mewn cyfwng arall.

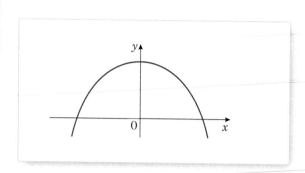

Dyma graff ffwythiant sy'n cynyddu pan yw $x < 0$ ac sy'n lleihau pan yw $x > 0$.

Yn $x = 0$ mae'r graddiant yn sero a dywedir bod y ffwythiant yn sefydlog.

Enghraifft 1

Dangoswch fod y ffwythiant $f(x) = x^3 + 24x + 3$ $(x \in \Re)$ yn ffwythiant cynyddol.

$f(x) = x^3 + 24x + 3$

$f'(x) = 3x^2 + 24$

Gan fod $x^2 \geq 0$ ar gyfer holl werthoedd real x

Mae $3x^2 + 24 > 0$

Felly mae $f(x)$ yn ffwythiant cynyddol.

Yn gyntaf differwch i gael y ffwythiant graddiant.

Gan fod $3x^2 > 0$, ar gyfer gwerthoedd real x, a $24 > 0$ yna mae $f'(x) > 0$ yn achos holl werthoedd x. Felly mae gan y gromlin raddiant positif bob amser.

Enghraifft 2

Darganfyddwch werthoedd x pan yw'r ffwythiant $f(x) = x^3 + 3x^2 - 9x$ yn ffwythiant lleihaol.

$f(x) = x^3 + 3x^2 - 9x$

$f'(x) = 3x^2 + 6x - 9$

Os yw $f'(x) < 0 \Rightarrow 3x^2 + 6x - 9 < 0$

Felly $3(x^2 + 2x - 3) < 0$

$3(x + 3)(x - 1) < 0$

Felly $-3 < x < 1$

Darganfyddwch $f'(x)$ a rhowch y mynegiad hwn < 0.

Datryswch yr anhafaledd drwy ffactorio, a thrwy ystyried y tri rhanbarth $x < -3$, $-3 < x < 1$ ac $x > 1$, gan chwilio am arwyddion yn newid.

Nodwch yr ateb.

Ymarfer 9A

1 Darganfyddwch werthoedd x pan yw $f(x)$ yn ffwythiant cynyddol, o wybod bod $f(x)$ yn hafal i:

a $3x^2 + 8x + 2$ **b** $4x - 3x^2$ **c** $5 - 8x - 2x^2$

ch $2x^3 - 15x^2 + 36x$ **d** $3 + 3x - 3x^2 + x^3$ **dd** $5x^3 + 12x$

e $x^4 + 2x^2$ **f** $x^4 - 8x^3$

2 Darganfyddwch werthoedd x pan yw f(x) yn ffwythiant lleihaol, o wybod bod f(x) yn hafal i::

a $x^2 - 9x$ **b** $5x - x^2$ **c** $4 - 2x - x^2$

ch $2x^3 - 3x^2 - 12x$ **d** $1 - 27x + x^3$ **dd** $x + \dfrac{25}{x}$

e $x^{\frac{1}{2}} + 9x^{-\frac{1}{2}}$ **f** $x^2(x + 3)$

9.2 Mae angen i chi allu darganfod cyfesurynnau pwynt sefydlog ar gromlin a chyfrifo p'un ai yw'n bwynt minimwm, yn bwynt macsimwm ynteu'n bwynt ffurfdro.

Yn achos rhai cromliniau, mae ffwythiant f(x) yn cynyddu mewn rhai cyfyngau ac yn lleihau mewn rhai eraill.

■ Gelwir y pwyntiau lle mae f(x) yn peidio â chynyddu ac yn dechrau gostwng yn **bwyntiau macsimwm.**

■ Gelwir y pwyntiau lle mae f(x) yn peidio â gostwng ac yn dechrau cynyddu yn **bwyntiau minimwm.**

Gyda'i gilydd gelwir y pwyntiau hyn yn **drobwyntiau**, ac yn y pwyntiau hyn mae f'(x) = 0. Gallwch ddarganfod cyfesurynnau pwyntiau macsimwm a minimwm ar gromlin. Bydd hyn yn eich helpu i fraslunio cromliniau yn fanwl gywir.

Nid oes gan rai pwyntiau ffurfdro raddiant sero.

> **Awgrym:** Nid yw pwyntiau ffurfdro lle nad yw'r graddiant yn sero yn cael eu cynnwys yn y fanyleb C2.

■ **Pwynt ffurfdro** yw pwynt lle mae gan y graddiant werth macsimwm neu finimwm yng nghyffiniau'r pwynt.

■ Gelwir pwyntiau graddiant sero yn **bwyntiau sefydlog** a gall pwyntiau sefydlog fod yn bwyntiau macsimwm, yn bwyntiau minimwm neu'n bwyntiau ffurfdro.

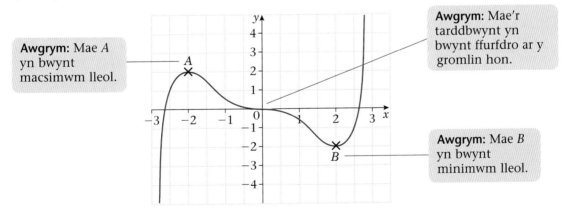

> **Awgrym:** Mae A yn bwynt macsimwm lleol.

> **Awgrym:** Mae'r tarddbwynt yn bwynt ffurfdro ar y gromlin hon.

> **Awgrym:** Mae B yn bwynt minimwm lleol.

■ Er mwyn darganfod cyfesurynnau pwynt sefydlog:

① Darganfyddwch $\dfrac{dy}{dx}$, h.y. f'(x), a datryswch yr hafaliad f'(x) = 0 i ddarganfod gwerth, neu werthoedd, x.

② Rhowch y gwerth(oedd) x yr ydych chi wedi ei/eu (d)darganfod yn yr hafaliad y = f(x) i ddarganfod gwerth(oedd) cyfatebol y.

③ Mae hyn yn rhoi cyfesurynnau unrhyw bwyntiau sefydlog.

Enghraifft 3

Darganfyddwch gyfesurynnau'r trobwynt ar y gromlin sydd â'r hafaliad $y = x^4 - 32x$.
Sefydlwch p'un ai yw'n bwynt macsimwm neu finimwm ynteu'n bwynt ffurfdro drwy
ystyried pwyntiau bob ochr i'r trobwyntiau.

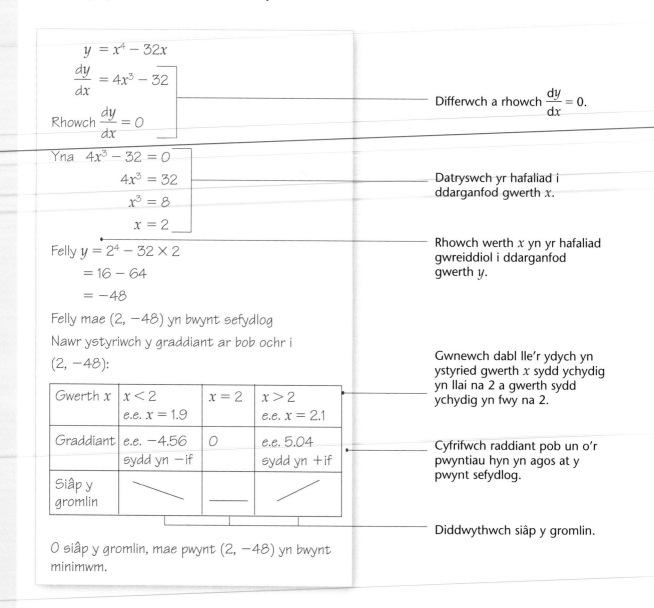

$y = x^4 - 32x$

$\dfrac{dy}{dx} = 4x^3 - 32$

Rhowch $\dfrac{dy}{dx} = 0$

Differwch a rhowch $\dfrac{dy}{dx} = 0$.

Yna $4x^3 - 32 = 0$

$4x^3 = 32$

$x^3 = 8$

$x = 2$

Datryswch yr hafaliad i ddarganfod gwerth x.

Felly $y = 2^4 - 32 \times 2$

$= 16 - 64$

$= -48$

Rhowch werth x yn yr hafaliad gwreiddiol i ddarganfod gwerth y.

Felly mae $(2, -48)$ yn bwynt sefydlog

Nawr ystyriwch y graddiant ar bob ochr i $(2, -48)$:

Gwnewch dabl lle'r ydych yn ystyried gwerth x sydd ychydig yn llai na 2 a gwerth sydd ychydig yn fwy na 2.

Gwerth x	$x < 2$ e.e. $x = 1.9$	$x = 2$	$x > 2$ e.e. $x = 2.1$
Graddiant	e.e. -4.56 sydd yn $-$if	0	e.e. 5.04 sydd yn $+$if
Siâp y gromlin	\	—	/

Cyfrifwch raddiant pob un o'r pwyntiau hyn yn agos at y pwynt sefydlog.

Diddwythwch siâp y gromlin.

O siâp y gromlin, mae pwynt $(2, -48)$ yn bwynt minimwm.

- Gallwch hefyd ddarganfod p'un ai yw pwyntiau sefydlog yn bwyntiau macsimwm, yn bwyntiau minimwm ynteu'n bwyntiau ffurfdro drwy ddarganfod gwerth $\dfrac{d^2y}{dx^2}$ a, phan fo hynny'n angenrheidiol, $\dfrac{d^3y}{dx^3}$ yn y pwynt sefydlog. Y rheswm am hyn yw bod $\dfrac{d^2y}{dx^2}$ yn mesur y newid yn y graddiant.

> **Awgrym:** $\dfrac{d^2y}{dx^2}$ yw ail ddeilliad y mewn perthynas ag x. Rydych yn darganfod $\dfrac{d^2y}{dx^2}$ drwy ddifferu $\dfrac{dy}{dx}$ mewn perthynas ag x.

- Os yw $\dfrac{dy}{dx} = 0$ a $\dfrac{d^2y}{dx^2} > 0$, mae'r pwynt yn bwynt minimwm.

- Os yw $\dfrac{dy}{dx} = 0$ a $\dfrac{d^2y}{dx^2} < 0$, mae'r pwynt yn bwynt macsimwm.

- Os yw $\dfrac{dy}{dx} = 0$ a $\dfrac{d^2y}{dx^2} = 0$, mae'r pwynt naill ai'n bwynt macsimwm neu finimwm neu'n bwynt ffurfdro.

> **Awgrym:** Yn yr achos hwn, mae angen i chi ddefnyddio'r dull tabl ac ystyried y graddiant ar bob ochr i'r pwynt sefydlog.

- Os yw $\dfrac{dy}{dx} = 0$ a $\dfrac{d^2y}{dx^2} = 0$, ond $\dfrac{d^3y}{dx^3} \neq 0$, yna mae'r pwynt yn bwynt ffurfdro.

> **Awgrym:** $\dfrac{d^3y}{dx^3}$ yw trydydd deilliad y mewn perthynas ag x. Rydych yn darganfod $\dfrac{d^3y}{dx^3}$ drwy ddifferu $\dfrac{d^2y}{dx^2}$ mewn perthynas ag x.

Gallech hefyd weld y nodiant hwn: $f''(x)$ yw ail ddeilliad ffwythiant f mewn perthynas ag x. $f'''(x)$ yw'r trydydd deilliad, ac yn y blaen.

Enghraifft 4

Darganfyddwch y pwyntiau sefydlog ar y gromlin sydd â'r hafaliad $y = 2x^3 - 15x^2 + 24x + 6$ a, thrwy ddarganfod yr ail ddeilliad, penderfynwch p'un ai pwyntiau macsimwm, pwyntiau minimwm ynteu pwyntiau ffurfdro yw'r pwyntiau sefydlog.

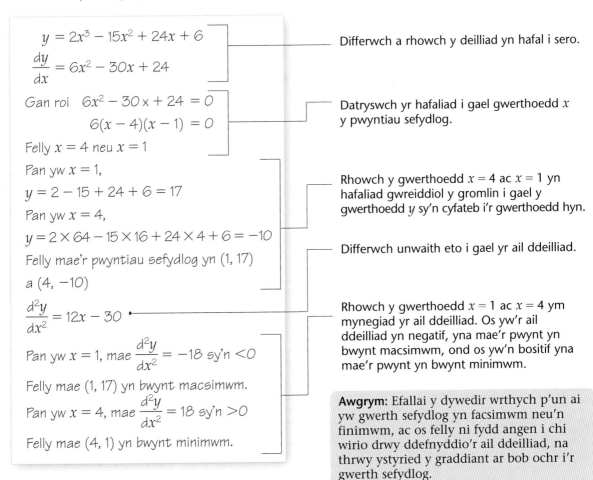

$y = 2x^3 - 15x^2 + 24x + 6$

$\dfrac{dy}{dx} = 6x^2 - 30x + 24$

Differwch a rhowch y deilliad yn hafal i sero.

Gan roi $6x^2 - 30x + 24 = 0$

$6(x - 4)(x - 1) = 0$

Felly $x = 4$ neu $x = 1$

Datryswch yr hafaliad i gael gwerthoedd x y pwyntiau sefydlog.

Pan yw $x = 1$,

$y = 2 - 15 + 24 + 6 = 17$

Pan yw $x = 4$,

$y = 2 \times 64 - 15 \times 16 + 24 \times 4 + 6 = -10$

Felly mae'r pwyntiau sefydlog yn (1, 17) a (4, −10)

Rhowch y gwerthoedd $x = 4$ ac $x = 1$ yn hafaliad gwreiddiol y gromlin i gael y gwerthoedd y sy'n cyfateb i'r gwerthoedd hyn.

$\dfrac{d^2y}{dx^2} = 12x - 30$

Differwch unwaith eto i gael yr ail ddeilliad.

Pan yw $x = 1$, mae $\dfrac{d^2y}{dx^2} = -18$ sy'n <0

Felly mae (1, 17) yn bwynt macsimwm.

Pan yw $x = 4$, mae $\dfrac{d^2y}{dx^2} = 18$ sy'n >0

Felly mae (4, 1) yn bwynt minimwm.

Rhowch y gwerthoedd $x = 1$ ac $x = 4$ ym mynegiad yr ail ddeilliad. Os yw'r ail ddeilliad yn negatif, yna mae'r pwynt yn bwynt macsimwm, ond os yw'n bositif yna mae'r pwynt yn bwynt minimwm.

> **Awgrym:** Efallai y dywedir wrthych p'un ai yw gwerth sefydlog yn facsimwm neu'n finimwm, ac os felly ni fydd angen i chi wirio drwy ddefnyddio'r ail ddeilliad, na thrwy ystyried y graddiant ar bob ochr i'r gwerth sefydlog.

Enghraifft 5

Darganfyddwch werth mwyaf $6x - x^2$. Nodwch amrediad y ffwythiant $f(x) = 6x - x^2$.

Gadewch i $y = 6x - x^2$

Yna $\dfrac{dy}{dx} = 6 - 2x$

Rhowch $\dfrac{dy}{dx} = 0$, yna $x = 3$

Felly mae $y = 18 - 3^2 = 9$

Gwerth mwyaf y ffwythiant cwadratig hwn yw 9 a rhoddir yr amrediad gan

$f(x) \leqslant 9$

Gellir gwneud y cwestiwn hwn drwy gwblhau'r sgwâr, ond mae calcwlws yn ffordd arall dda o wneud y gwaith.

Dim ond un trobwynt oedd ar y parabola hwn a dywedodd y cwestiwn fod yna werth mwyaf, felly nid oedd angen i chi wirio.

Rhowch werth x yn yr hafaliad gwreiddiol. Y gwerth mwyaf yw gwerth y yn y pwynt sefydlog.

Amrediad y ffwythiant yw'r set o werthoedd y gall y eu cymryd.

Ymarfer 9B

1 Darganfyddwch werth lleiaf pob un o'r ffwythiannau canlynol:

a $f(x) = x^2 - 12x + 8$ **b** $f(x) = x^2 - 8x - 1$ **c** $f(x) = 5x^2 + 2x$

2 Darganfyddwch werth mwyaf pob un o'r ffwythiannau canlynol:

a $f(x) = 10 - 5x^2$ **b** $f(x) = 3 + 2x - x^2$ **c** $f(x) = (6 + x)(1 - x)$

3 Darganfyddwch gyfesurynnau'r pwyntiau lle mae'r graddiant yn sero ar y cromliniau â'r hafaliadau a roddir. Sefydlwch pa fath o bwyntiau yw'r rhain: pwyntiau macsimwm, pwyntiau minimwm ynteu pwyntiau ffurfdro, drwy ystyried yr ail ddeilliad ym mhob achos.

a $y = 4x^2 + 6x$ **b** $y = 9 + x - x^2$ **c** $y = x^3 - x^2 - x + 1$

ch $y = x(x^2 - 4x - 3)$ **d** $y = x + \dfrac{1}{x}$ **dd** $y = x^2 + \dfrac{54}{x}$

e $y = x - 3\sqrt{x}$ **f** $y = x^{\frac{1}{2}}(x - 6)$ **ff** $y = x^4 - 12x^2$

4 Brasluniwch y cromliniau â'r hafaliadau a roddir yng nghwestiwn **3** rhannau **a**, **b**, **c** ac **ch**, gan labelu unrhyw werthoedd sefydlog.

5 Drwy ystyried y graddiant ar bob ochr i'r pwynt sefydlog ar y gromlin $y = x^3 - 3x^2 + 3x$, dangoswch fod y pwynt hwn yn bwynt ffurfdro. Brasluniwch y gromlin $y = x^3 - 3x^2 + 3x$.

6 Darganfyddwch werth macsimwm a, thrwy hynny, amrediad gwerthoedd y ffwythiant $f(x) = 27 - 2x^4$.

9.3 **Mae angen i chi allu defnyddio'r hyn rydych chi wedi ei ddysgu am drobwyntiau i ddatrys problemau.**

Enghraifft 6

Mae'r diagram yn dangos sector lleiaf *OMN* cylch, canol *O* a radiws *r* cm. Mae perimedr y sector yn 100 cm ac mae arwynebedd y sector yn *A* cm².

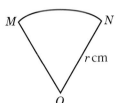

a Dangoswch fod $A = 50r - r^2$.

O wybod bod *r* yn amrywio, darganfyddwch y canlynol:

b Gwerth *r* pan yw *A* yn facsimwm a dangoswch fod *A* yn facsimwm.

c Gwerth $\angle MON$ yn achos yr arwynebedd macsimwm hwn.

ch Arwynebedd macsimwm sector *OMN*.

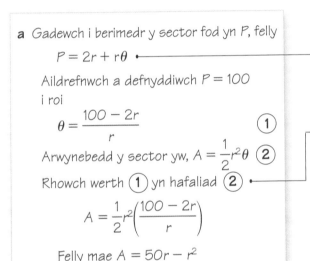

a Gadewch i berimedr y sector fod yn P, felly

$$P = 2r + r\theta$$

Dyma swm dau radiws (2r) ac arc, hyd MN (rθ).

Aildrefnwch a defnyddiwch P = 100 i roi

$$\theta = \frac{100 - 2r}{r} \quad \text{①}$$

Mae'r fformiwla arwynebedd yn nhermau dau newidyn r a θ, felly mae angen i chi amnewid yn achos θ fel bo'r fformiwla yn nhermau un newidyn r.

Arwynebedd y sector yw, $A = \frac{1}{2}r^2\theta$ ②

Rhowch werth ① yn hafaliad ②

$$A = \frac{1}{2}r^2\left(\frac{100 - 2r}{r}\right)$$

Felly mae $A = 50r - r^2$

b $\dfrac{dA}{dr} = 50 - 2r$

Pan yw $\dfrac{dA}{dr} = 0$, r = 25

Defnyddiwch y dull a ddysgoch i ddarganfod gwerthoedd sefydlog: rhowch y deilliad cyntaf yn hafal i sero, yna gwiriwch arwydd yr ail ddeilliad.

Hefyd $\dfrac{d^2A}{dr^2} = -2$, sy'n negatif

Felly mae'r arwynebedd yn facsimwm pan yw r = 25.

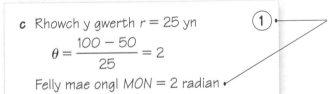

c Rhowch y gwerth r = 25 yn ①

$$\theta = \frac{100 - 50}{25} = 2$$

Felly mae ongl MON = 2 radian

Atebwch ddwy ran olaf y cwestiwn drwy ddefnyddio'r hafaliadau priodol a rhowch yr unedau yn eich ateb.

ch Gwerth macsimwm yr arwynebedd yw

$$50 \times 25 - 25^2 = 625 \text{ cm}^2$$

Defnyddiwch $A = 50r - r^2$.

Enghraifft 7

Mae tanc mawr siâp ciwboid yn mynd i gael ei wneud o 54 m² o len fetel. Mae gan y tanc sylfaen lorweddol ac nid oes ganddo gaead. Mae uchder y tanc yn x metr. Mae dau o'r wynebau fertigol cyferbyn yn sgwariau.

a Dangoswch fod cyfaint, V m³, y tanc yn cael ei roi gan $V = 18x - \frac{2}{3}x^3$.

b O wybod y gall x amrywio, differwch i ddarganfod gwerth macsimwm neu finimwm V.

c Cyfiawnhewch fod y gwerth V rydych chi wedi ei ddarganfod yn facsimwm.

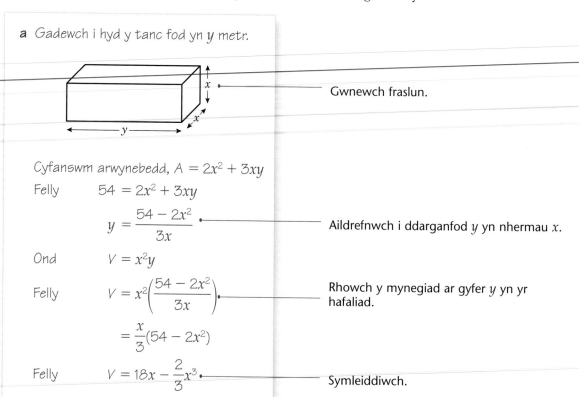

a Gadewch i hyd y tanc fod yn y metr.

Gwnewch fraslun.

Cyfanswm arwynebedd, $A = 2x^2 + 3xy$

Felly $\qquad 54 = 2x^2 + 3xy$

$$y = \frac{54 - 2x^2}{3x}$$

Aildrefnwch i ddarganfod y yn nhermau x.

Ond $\qquad V = x^2 y$

Felly $\qquad V = x^2 \left(\dfrac{54 - 2x^2}{3x} \right)$

Rhowch y mynegiad ar gyfer y yn yr hafaliad.

$$= \frac{x}{3}(54 - 2x^2)$$

Felly $\qquad V = 18x - \dfrac{2}{3}x^3$

Symleiddiwch.

b Felly $\dfrac{dV}{dx} = 18 - 2x^2$

Rhowch $\dfrac{dV}{dx} = 0$

$$0 = 18 - 2x^2$$

Differwch V mewn perthynas ag x a rhowch $\dfrac{dV}{dx} = 0$.

Felly $\quad x^2 = 9$

$$x = -3 \text{ or } 3$$

Aildrefnwch i ddarganfod x.

Ond mae x yn hyd felly mae $x = 3$

Pan yw $x = 3$, $V = 18 \times 3 - \dfrac{2}{3} \times 3^3$

Rhowch werth x yn y mynegiad ar gyfer V.

$$= 54 - 18$$

$$= 36$$

Mae $V = 36$ yn werth macsimwm neu finimwm ar gyfer V.

c $\dfrac{d^2V}{dx^2} = -4x$ ———————————— Darganfyddwch ail ddeilliad V.

Pan yw $x = 3$, $\dfrac{d^2V}{dx^2} = -4 \times 3 = -12$

Mae hwn yn negatif, felly $V = 36$ yw

gwerth macsimwm V.

Ymarfer 9C

1 Mae ffens o amgylch tair ochr gardd betryalog, ac mae'r tŷ yn ffurfio pedwaredd ochr y
petryal.

O wybod bod cyfanswm hyd y ffens yn 80 m dangoswch fod arwynebedd, A, yr ardd
yn cael ei roi gan y fformiwla $A = y(80 - 2y)$, lle mae y yn cynrychioli'r pellter o'r tŷ i
ben draw'r ardd.

O wybod bod yr arwynebedd yn facsimwm yn achos yr hyd hwn o ffens,
darganfyddwch fesuriadau'r ardd, a'r arwynebedd sydd wedi ei amgáu.

2 Mae cyfanswm arwynebedd arwyneb silindr caeedig yn hafal i 600π. Dangoswch fod
cyfaint, V cm^3, y silindr hwn yn cael ei roi gan y fformiwla $V = 300\pi r - \pi r^3$, lle mae
r cm yn radiws y silindr.

Darganfyddwch gyfaint macsimwm silindr o'r fath.

3 Mae arwynebedd sector cylch yn 100 cm^2. Dangoswch fod perimedr

y sector hwn yn cael ei roi gan y fformiwla $P = 2r + \dfrac{200}{r}$, $r > \sqrt{\dfrac{100}{\pi}}$.

Darganfyddwch werth minimwm perimedr sector o'r fath.

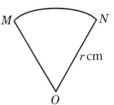

4 Mae siâp yn cynnwys sail betryalog â phen hanner cylch, fel y dangosir
yn y diagram. O wybod bod perimedr y siâp yn 40 cm, dangoswch fod
ei arwynebedd, A cm^2, yn cael ei roi gan y fformiwla

$$A = 40r - 2r^2 - \dfrac{\pi r^2}{2}$$

lle mae r cm yn radiws yr hanner cylch. Darganfyddwch werth macsimwm yr
arwynebedd hwn.

5 Ffrâm wifren ar ffurf petryal mawr yw'r siâp a ddangosir yn y diagram. Mae'r petryal
wedi ei rannu, gan hydoedd paralel o wifren, yn 12 petryal llai sy'n hafal o ran maint.

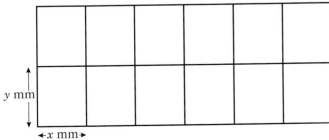

O wybod bod cyfanswm hyd y wifren a ddefnyddiwyd i gwblhau'r ffrâm gyfan yn 1512 mm,

dangoswch fod arwynebedd y siâp cyfan yn A mm^2, lle mae $A = 1296x - \dfrac{108x^2}{7}$, lle mae

x mm yn lled un o'r petryalau bychan.

Darganfyddwch yr arwynebedd macsimwm y gellir ei amgáu fel hyn.

Ymarfer cymysg 9Ch

1 O wybod bod: $y = x^{\frac{3}{2}} + \dfrac{48}{x}$ $(x > 0)$

   a Darganfyddwch werth x a gwerth y pan yw $\dfrac{dy}{dx} = 0$.

   b Dangoswch fod gwerth y y gwnaethoch ei ddarganfod yn **a**, yn finimwm.

2 Hafaliad cromlin yw $y = x^3 - 5x^2 + 7x - 14$. Drwy gyfrifo, pennwch beth yw cyfesurynnau pwyntiau sefydlog cromlin C.

3 Mae'r ffwythiant f, sydd wedi ei ddiffinio ar gyfer $x \in R$, $x > 0$, yn peri bod:

$f'(x) = x^2 - 2 + \dfrac{1}{x^2}$

   a Darganfyddwch werth $f''(x)$ yn $x = 4$.

   b O wybod bod $f(3) = 0$, darganfyddwch $f(x)$.

   c Profwch fod f yn ffwythiant cynyddol.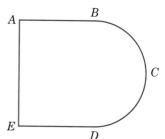

4 Hafaliad cromlin yw $y = x^3 - 6x^2 + 9x$.
Darganfyddwch gyfesurynnau ei drobwynt macsimwm.

5 Mae gwifren yn cael ei phlygu i ffurfio'r siâp $ABCDEA$, sydd yn blân, fel y dangosir. Mae siâp $ABDE$ yn betryal a BCD yn hanner cylch, diamedr BD. Mae arwynebedd y rhanbarth sy'n cael ei amgáu gan y wifren yn R m², mae $AE = x$ metr, ac $AB = ED = y$ metr. Mae cyfanswm hyd y wifren yn 2 m.

   a Darganfyddwch fynegiad sy'n rhoi y yn nhermau x.

   b Profwch fod $R = \dfrac{x}{8}(8 - 4x - \pi x)$

O wybod y gall x amrywio, gan ddefnyddio calcwlws a chan ddangos eich gwaith cyfrifo,

   c darganfyddwch werth macsimwm R. (Nid oes raid i chi brofi bod y gwerth rydych yn ei gael yn facsimwm.)

6 Cyfesurynnau pwynt sefydlog A yw $(8, -6, 5)$ a chyfesurynnau pwynt newidiol P yw $(t, t, 2t)$.

   a Dangoswch fod $AP^2 = 6t^2 - 24t + 125$.

   b Drwy wneud hyn darganfyddwch werth t pan yw pellter AP ar ei leiaf.

   c Pennwch beth yw'r pellter lleiaf hwn.

7 Mae gan dun bisgedi silindrog gaead sy'n ffitio'n dynn ac mae ei ddyfnder yn 1 cm, fel y dangosir. Mae radiysau'r tun a'r caead yn x cm. Mae'r tun a'r caead wedi eu gwneud o len denau o fetel, arwynebedd 80π cm² ac nid oes dim gwastraff. Mae cyfaint y tun yn V cm³.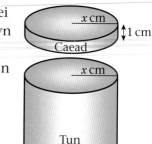

   a Dangoswch fod $V = \pi(40x - x^2 - x^3)$.

O wybod y gall x amrywio:

   b Differwch i ddarganfod gwerth positif x pan fo V yn sefydlog.

   c Profwch fod y gwerth x hwn yn rhoi gwerth macsimwm V.

   ch Darganfyddwch y gwerth hwn.

   d Penderfynwch pa ganran o'r llen fetel a ddefnyddiwyd i wneud y caead pan yw V yn facsimwm.

8 Mae'r diagram yn dangos tanc agored, *ABCDEF*, i storio dŵr. Mae'r ochrau *ABFE* ac *CDEF* yn betryalau. Mae'r ddau ben trionglog *ADE* a *BCF* yn isosgeles, ac mae $\angle AED = \angle BFC = 90°$. Mae'r ddau ben *ADE* a *BCF* yn fertigol ac mae *EF* yn llorweddol.

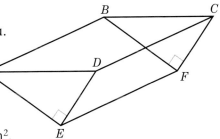

O wybod bod *AD* = *x* metr:

a Dangoswch fod arwynebedd triongl *ADE* yn $\frac{1}{4}x^2$ m^2.

O wybod hefyd bod cynhwysedd y cynhwysydd yn 4000 m^3 a bod cyfanswm arwynebedd dwy ochr drionglog a dwy ochr betryalog y cynhwysydd yn *S* m^2:

b Dangoswch fod $S = \dfrac{x^2}{2} + \dfrac{16\,000\sqrt{2}}{x}$.

O wybod y gall *x* amrywio:

c Defnyddiwch galcwlws i ddarganfod gwerth minimwm *S*.

ch Cyfiawnhewch fod y gwerth *S* rydych chi wedi ei ddarganfod yn finimwm.

9 Mae'r diagram yn dangos rhan o'r gromlin, hafaliad *y* = f(*x*), lle mae:

$$f(x) \equiv 200 - \frac{250}{x} - x^2, \; x > 0$$

Mae'r gromlin yn torri echelin *x* ym mhwyntiau *A* ac *C*. Pwynt *B* yw pwynt macsimwm y gromlin.

a Darganfyddwch f'(*x*).

b Defnyddiwch eich ateb i ran **a** i gyfrifo cyfesurynnau *B*.

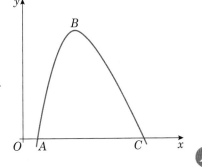

10 Mae'r diagram yn dangos rhan o gromlin, hafaliad $y = 5 - \frac{1}{2}x^2$ pan yw $y \geqslant 0$.
Mae pwynt *P*(*x*, *y*) ar y gromlin ac *O* yw'r tardd.

a Dangoswch fod $OP^2 = \frac{1}{4}x^4 - 4x^2 + 25$.
Gan gymryd $f(x) \equiv \frac{1}{4}x^4 - 4x^2 + 25$:

b Darganfyddwch werthoedd *x* pan yw f'(*x*) = 0.

c Drwy wneud hyn, neu fel arall, darganfyddwch y pellter minimwm o *O* i'r gromlin, gan ddangos bod eich ateb yn finimwm.

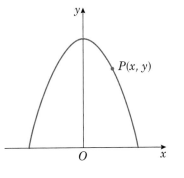

11 Mae'r diagram yn dangos rhan o gromlin, hafaliad $y = 3 + 5x + x^2 - x^3$. Mae'r gromlin yn cyffwrdd echelin *x* yn *A* ac yn croesi echelin *x* yn *C*. Mae pwyntiau *A* a *B* yn bwyntiau sefydlog ar y gromlin.

a Dangoswch mai cyfesurynnau *C* yw (3, 0).

b Gan ddefnyddio calcwlws a chan ddangos eich holl waith cyfrifo, darganfyddwch gyfesurynnau *A* a *B*.

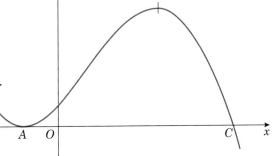

Crynodeb o'r pwyntiau allweddol

1 Yn achos ffwythiant cynyddol f(x) yn y cyfwng (a, b), mae f'(x) > 0 yn y cyfwng $a \leqslant x \leqslant b$.

2 Yn achos ffwythiant lleihaol f(x) yn y cyfwng (a, b), mae f'(x) < 0 yn y cyfwng $a \leqslant x \leqslant b$.

3 Gelwir y pwyntiau lle mae f(x) yn peidio â chynyddu ac yn dechrau lleihau yn bwyntiau macsimwm.

4 Gelwir y pwyntiau lle mae f(x) yn peidio â lleihau ac yn dechrau cynyddu yn bwyntiau minimwm.

5 Pwynt ffurfdro yw pwynt lle mae'r graddiant yn werth macsimwm neu finimwm yng nghyffiniau'r pwynt.

6 Mae pwynt sefydlog yn bwynt graddiant sero. Gall fod yn facsimwm, yn finimwm neu'n bwynt ffurfdro.

7 Er mwyn darganfod cyfesurynnau pwynt sefydlog darganfyddwch $\dfrac{dy}{dx}$, h.y. f'(x), a datryswch yr hafaliad f'(x) = 0 i ddarganfod gwerth, neu werthoedd, x. Yna rhowch y gwerth(oedd) yn y = f(x) i ddarganfod gwerth(oedd) cyfatebol y.

8 Gwerth sefydlog ffwythiant yw gwerth y yn y pwynt sefydlog. Weithiau gallwch ddefnyddio hwn i ddarganfod amrediad ffwythiant.

9 Gallwch benderfynu natur pwynt sefydlog drwy ddefnyddio'r ail ddeilliad.

Os yw $\dfrac{dy}{dx} = 0$ a $\dfrac{d^2y}{dx^2} > 0$, mae'r pwynt yn bwynt minimwm.

Os yw $\dfrac{dy}{dx} = 0$ a $\dfrac{d^2y}{dx^2} < 0$, mae'r pwynt yn bwynt macsimwm.

Os yw $\dfrac{dy}{dx} = 0$ a $\dfrac{d^2y}{dx^2} = 0$, mae'r pwynt naill ai'n bwynt macsimwm neu'n bwynt minimwm neu'n bwynt ffurfdro.

Os yw $\dfrac{dy}{dx} = 0$ a $\dfrac{d^2y}{dx^2} = 0$, ond $\dfrac{d^3y}{dx^3} \neq 0$, yna mae'r pwynt yn bwynt ffurfdro.

Awgrym: Yn yr achos hwn mae angen i chi ddefnyddio'r dull tabl ac ystyried y graddiant ar bob ochr i'r pwynt sefydlog.

10 Mewn problemau lle mae angen i chi ddarganfod gwerth macsimwm neu werth minimwm newidyn y, yn gyntaf sefydlwch fformiwla sy'n rhoi y yn nhermau x, yna differwch a rhowch y ffwythiant deilliadol yn hafal i sero i ddarganfod x ac yna y.

10 Unfathiannau trigonometrig a hafaliadau syml

Mae'r bennod hon yn cyflwyno unfathiannau trigonometrig a hafaliadau trigonometrig syml.

10.1 Mae angen i chi allu defnyddio'r perthnasau $\tan \theta \equiv \dfrac{\sin \theta}{\cos \theta}$ a $\sin^2 \theta + \cos^2 \theta \equiv 1$

Ar dudalen 112 gwelsoch, yn achos holl werthoedd θ, fod

$$\sin \theta = \frac{y}{r} \quad \cos \theta = \frac{x}{r} \quad \tan \theta = \frac{y}{x}$$

lle mae (x, y) yn gyfesurynnau pwynt P wrth iddo symud o amgylch cylchyn cylch, canol O a radiws r, ac mae OP yn ffurfio ongl θ â'r echelin x bositif.

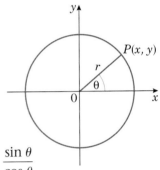

Nawr, mae $\tan \theta = \dfrac{y}{x} = \dfrac{y}{r} \times \dfrac{r}{x} = \sin \theta \times \dfrac{1}{\cos \theta} = \dfrac{\sin \theta}{\cos \theta}$, felly mae $\tan \theta = \dfrac{\sin \theta}{\cos \theta}$

■ Yn achos holl werthoedd θ (ac eithrio pan yw $\cos \theta = 0$, h.y. yn achos lluosrifau odrif 90°, lle nad yw $\tan \theta$ yn cael ei ddiffinio):

$$\tan \theta \equiv \frac{\sin \theta}{\cos \theta}$$

Gwyddoch, o Bennod 4, fod hafaliad y cylch, canol yn y tarddbwynt a radiws r, yn

$$x^2 + y^2 = r^2$$

Gan ddefnyddio'r hafaliadau ar ben y dudalen gallwch fynegi cyfesurynnau P yn nhermau r a θ:

$$x = r \cos \theta \text{ ac } y = r \sin \theta$$

Gan fod P ar y cylch hwn:

$$(r \cos \theta)^2 + (r \sin \theta)^2 = r^2$$

Felly $\quad (\cos \theta)^2 + (\sin \theta)^2 \equiv 1$

Awgrym: Ysgrifennir pwerau positif ffwythiannau trigonometrig heb gromfachau ond ysgrifennir y pŵer o flaen yr ongl: er enghraifft ysgrifennir $(\cos \theta)^n$ fel $\cos^n \theta$, os yw n yn bositif.

■ Yn achos holl werthoedd θ, $\cos^2 \theta + \sin^2 \theta \equiv 1$.

Awgrym: Weithiau gelwir hyn yn theorem Pythagoras mewn trigonometreg.

Enghraifft 1

Symleiddiwch y mynegiadau canlynol:

a $\sin^2 3\theta + \cos^2 3\theta$

b $5 - 5\sin^2 \theta$

c $\dfrac{\sin 2\theta}{\sqrt{1 - \sin^2 2\theta}}$

a $\sin^2 3\theta + \cos^2 3\theta = 1$

$\sin^2 \theta + \cos^2 \theta \equiv 1$, gyda 3θ yn lle θ.

b $5 - 5\sin^2 \theta = 5(1 - \sin^2 \theta)$

$ = 5\cos^2 \theta.$

Chwiliwch am ffactorau bob tro.

$\sin^2 \theta + \cos^2 \theta \equiv 1$, felly $1 - \sin^2 \theta \equiv \cos^2 \theta$.

c $\dfrac{\sin 2\theta}{\sqrt{1 - \sin^2 2\theta}} = \dfrac{\sin 2\theta}{\sqrt{\cos^2 2\theta}}$

$\phantom{\dfrac{\sin 2\theta}{\sqrt{1 - \sin^2 2\theta}}} = \dfrac{\sin 2\theta}{\cos 2\theta}$

$\phantom{\dfrac{\sin 2\theta}{\sqrt{1 - \sin^2 2\theta}}} = \tan 2\theta$

$\sin^2 2\theta + \cos^2 2\theta \equiv 1$, felly $1 - \sin^2 2\theta \equiv \cos^2 2\theta$.
$\tan \theta \equiv \dfrac{\sin \theta}{\cos \theta}$, felly $\dfrac{\sin 2\theta}{\cos 2\theta} \equiv \tan 2\theta$.

Enghraifft 2

Dangoswch fod $\dfrac{\cos^4 \theta - \sin^4 \theta}{\cos^2 \theta} \equiv 1 - \tan^2\theta$

Pan fydd angen i chi brofi unfathiant fel hwn gallwch ddyfynnu'r unfathiannau sylfaenol fel hyn: '$\sin^2 + \cos^2 \equiv 1$'.

OCHR CHWITH $= \dfrac{\cos^4 \theta - \sin^4 \theta}{\cos^2 \theta}$

$ = \dfrac{(\cos^2 \theta + \sin^2 \theta)(\cos^2 \theta - \sin^2 \theta)}{\cos^2 \theta}$

$ = \dfrac{(\cos^2 \theta - \sin^2 \theta)}{\cos^2 \theta}$

$ = \dfrac{\cos^2 \theta}{\cos^2 \theta} - \dfrac{\sin^2 \theta}{\cos^2 \theta}$

$ = 1 - \tan^2 \theta = $ OCHR DDE

Fel arfer y strategaeth orau yw dechrau â'r ochr fwyaf cymhleth (yr ochr chwith yn yr achos hwn) a cheisio cynhyrchu'r mynegiad ar yr ochr arall.

Gellir ffactorio'r rhifiadur ar ffurf 'y gwahaniaeth rhwng dau sgwâr'.
$\sin^2 \theta + \cos^2 \theta \equiv 1$.

Rhannwch bopeth â $\cos^2 \theta$ a nodwch fod $\dfrac{\sin^2 \theta}{\cos^2 \theta} = \left(\dfrac{\sin \theta}{\cos \theta}\right)^2 = \tan^2 \theta.$

Enghraifft 3

O wybod bod $\cos \theta = -\frac{3}{5}$ a bod θ yn atblyg, darganfyddwch werth: **a** $\sin \theta$ a **b** $\tan \theta$.

Dull 1

a Gan fod $\sin^2 \theta + \cos^2 \theta \equiv 1$,

$$\sin^2 \theta = 1 - \left(-\frac{3}{5}\right)^2$$

$$= 1 - \frac{9}{25}$$

$$= \frac{16}{25}$$

Felly $\sin \theta = -\frac{4}{5}$

Mae'r wybodaeth bod 'θ yn atblyg' yn allweddol. Byddai defnyddio eich cyfrifiannell i ddatrys $\cos \theta = -\frac{3}{5}$, heb ystyried y pedrant cywir, yn rhoi atebion anghywir i $\sin \theta$ a $\tan \theta$.

Ystyr 'mae θ yn atblyg' yw bod θ yn y 3ydd neu'r 4ydd pedrant, ond gan fod $\cos \theta$ yn negatif, mae'n rhaid bod θ yn y 3ydd pedrant. $\sin \theta = \pm\frac{4}{5}$ ond yn y trydydd pedrant mae $\sin \theta$ yn negatif.

b $\tan \theta = \dfrac{\sin \theta}{\cos \theta}$

$$= \frac{\frac{-4}{5}}{\frac{-3}{5}}$$

$$= \frac{4}{3}$$

Dull 2

a Defnyddiwch y triongl ongl sgwâr â'r ongl lem ϕ, lle mae $\cos \phi = \dfrac{3}{5}$.

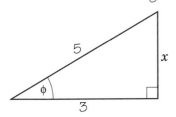

Gan ddefnyddio theorem Pythagoras, $x = 4$

$$\text{felly } \sin \phi = \frac{4}{5}$$

Gan fod $\sin \theta = -\sin \phi$, $\sin \theta = -\dfrac{4}{5}$

b Hefyd o'r triongl, $\tan \phi = \dfrac{4}{3}$

Gan fod $\tan \theta = +\tan \phi$, $\tan \theta = +\dfrac{4}{3}$

Gan fod θ yn y trydydd pedrant fe wyddoch, o'r gwaith ym Mhennod 8, fod $\theta = 180 + \phi$

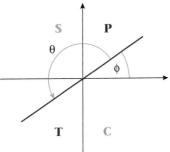

felly
$\sin \theta = -\sin \phi$ a $\tan \theta = +\tan \phi$

Awgrym: O gael ongl θ o unrhyw faint, gallwch bob amser weithio â'i hongl lem ϕ berthynol, a defnyddio gwaith triongl ongl sgwâr i ddarganfod $\sin \phi$, $\cos \phi$ a $\tan \phi$. Ond cofiwch ystyried ym mha bedrant y mae θ wrth roi $\sin \theta$, $\cos \theta$ a $\tan \theta$.

Enghraifft 4

O wybod bod $\sin \alpha = \dfrac{2}{5}$ a bod α yn ongl aflem, darganfyddwch union werth $\cos \alpha$.

Gweithiwch ag ongl lem ϕ, lle mae $\sin \phi = \dfrac{2}{5}$.

Lluniwch y triongl ongl sgwâr a chyfrifwch y drydedd ochr.

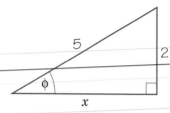

Gan ddefnyddio theorem Pythagoras,

$$2^2 + x^2 = 5^2,$$

felly $x^2 = 21 \Rightarrow x = \sqrt{21}$

Felly $\cos \phi = \dfrac{\sqrt{21}}{5}$

Felly, mae $\cos \alpha = -\dfrac{\sqrt{21}}{5}$ gan fod α yn yr ail bedrant.

Yma mae 'union' yn golygu 'Peidiwch â defnyddio cyfrifiannell i ddarganfod α'.

Fel arall, fel yn Null 1 yn Enghraifft 3:
Gan ddefnyddio $\sin^2 \alpha + \cos^2 \alpha \equiv 1$,

$$\cos^2 \alpha = 1 - \frac{4}{25} = \frac{21}{25}$$

Gan fod α yn ongl aflem, mae $\cos \alpha$ yn negatif felly $\cos \alpha = -\dfrac{\sqrt{21}}{5}$

Enghraifft 5

O wybod bod $p = 3 \cos \theta$, a bod $q = 2 \sin \theta$, dangoswch fod $4p^2 + 9q^2 = 36$.

Gan fod $p = 3 \cos \theta$, a $q = 2 \sin \theta$,

mae $\cos \theta = \dfrac{p}{3}$ a $\sin \theta = \dfrac{q}{2}$

Gan ddefnyddio $\sin^2 \theta + \cos^2 \theta \equiv 1$,

$$\left(\frac{q}{2}\right)^2 + \left(\frac{p}{3}\right)^2 = 1$$

felly $\dfrac{q^2}{4} + \dfrac{p^2}{9} = 1$

$\therefore \quad 9q^2 + 4p^2 = 36$

Mae angen i chi ddileu θ o'r hafaliadau. Gan eich bod yn gallu darganfod $\sin \theta$ a $\cos \theta$ yn nhermau p a q, defnyddiwch yr unfathiant $\sin^2 \theta + \cos^2 \theta \equiv 1$.

Lluosi'r ddwy ochr â 36.

Ymarfer 10A

1 Symleiddiwch bob un o'r mynegiadau canlynol:

   a $1 - \cos^2 \frac{1}{2}\theta$ **b** $5 \sin^2 3\theta + 5 \cos^2 3\theta$ **c** $\sin^2 A - 1$

   ch $\dfrac{\sin \theta}{\tan \theta}$ **d** $\dfrac{\sqrt{1 - \cos^2 x}}{\cos x}$ **dd** $\dfrac{\sqrt{1 - \cos^2 3A}}{\sqrt{1 - \sin^2 3A}}$

   e $(1 + \sin x)^2 + (1 - \sin x)^2 + 2\cos^2 x$

   f $\sin^4 \theta + \sin^2 \theta \cos^2 \theta$

   ff $\sin^4 \theta + 2\sin^2 \theta \cos^2 \theta + \cos^4 \theta$

2 O wybod bod $2 \sin \theta = 3 \cos \theta$, darganfyddwch werth $\tan \theta$.

3 O wybod bod $\sin x \cos y = 3 \cos x \sin y$, mynegwch $\tan x$ yn nhermau $\tan y$.

4 Mynegwch y canlynol yn nhermau $\sin \theta$ yn unig:

   a $\cos^2 \theta$ **b** $\tan^2 \theta$ **c** $\cos \theta \tan \theta$

   ch $\dfrac{\cos \theta}{\tan \theta}$ **d** $(\cos \theta - \sin \theta)(\cos \theta + \sin \theta)$

5 Gan ddefnyddio'r unfathiannau $\sin^2 A + \cos^2 A \equiv 1$ a/neu $\tan A \equiv \dfrac{\sin A}{\cos A}$ $(\cos A \neq 0)$, profwch fod:

   a $(\sin \theta + \cos \theta)^2 \equiv 1 + 2 \sin \theta \cos \theta$ **b** $\dfrac{1}{\cos \theta} - \cos \theta \equiv \sin \theta \tan \theta$

   c $\tan x + \dfrac{1}{\tan x} \equiv \dfrac{1}{\sin x \cos x}$ **ch** $\cos^2 A - \sin^2 A \equiv 2\cos^2 A - 1 \equiv 1 - 2\sin^2 A$

   d $(2 \sin \theta - \cos \theta)^2 + (\sin \theta + 2\cos \theta)^2 \equiv 5$ **dd** $2 - (\sin \theta - \cos \theta)^2 \equiv (\sin \theta + \cos \theta)^2$

   e $\sin^2 x \cos^2 y - \cos^2 x \sin^2 y = \sin^2 x - \sin^2 y$

6 Darganfyddwch werthoedd y canlynol heb ddefnyddio cyfrifiannell:

   a $\sin \theta$ a $\cos \theta$, o wybod bod $\tan \theta = \frac{5}{12}$ a θ yn ongl lem.

   b $\sin \theta$ a $\tan \theta$, o wybod bod $\cos \theta = -\frac{3}{5}$ a θ yn ongl aflem.

   c $\cos \theta$ a $\tan \theta$, o wybod bod $\sin \theta = -\frac{7}{25}$ a $270° < \theta < 360°$.

7 O wybod bod $\sin \theta = \frac{2}{3}$ a bod θ yn ongl aflem, darganfyddwch union werth: **a** $\cos \theta$, **b** $\tan \theta$.

8 O wybod bod $\tan \theta = -\sqrt{3}$ a bod θ yn ongl atblyg, darganfyddwch union werth: **a** $\sin \theta$, **b** $\cos \theta$.

9 O wybod bod $\cos \theta = \frac{3}{4}$ a bod θ yn ongl atblyg, darganfyddwch union werth: **a** $\sin \theta$, **b** $\tan \theta$.

10 Ym mhob un o'r canlynol, dilëwch θ i gael hafaliad sy'n cysylltu x ac y:

   a $x = \sin \theta$, $y = \cos \theta$

   b $x = \sin \theta$, $y = 2 \cos \theta$

   c $x = \sin \theta$, $y = \cos^2 \theta$

   ch $x = \sin \theta$, $y = \tan \theta$

   d $x = \sin \theta + \cos \theta$, $y = \cos \theta - \sin \theta$

10.2 Mae angen i chi allu datrys hafaliadau trigonometrig syml yn y ffurf $\sin \theta = k$, $\cos \theta = k$, (lle mae $-1 \leqslant k \leqslant 1$) a $\tan \theta = p$ ($p \in \mathbb{R}$)

Gallwch ddangos datrysiadau'r hafaliad $\sin \theta = \frac{1}{2}$ yn y cyfwng $0° \leqslant \theta \leqslant 360°$ drwy blotio graffiau $y = \sin \theta$ ac $y = \frac{1}{2}$ a gweld ym mhle maen nhw'n croestorri.

Gallwch ddarganfod y datrysiadau union gywir drwy ddefnyddio'r hyn rydych chi'n ei wybod eisoes am ffwythiannau trigonometrig.

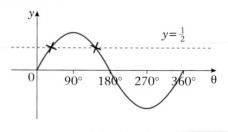

Enghraifft 6

Darganfyddwch ddatrysiadau'r hafaliad $\sin \theta = \frac{1}{2}$ yn y cyfwng $0 \leqslant \theta \leqslant 360°$.

$$\sin \theta = \frac{1}{2}$$
$$\text{Felly } \theta = 30°$$

Defnyddiwch $\sin^{-1}$ ar eich cyfrifiannell i ddarganfod un datrysiad.

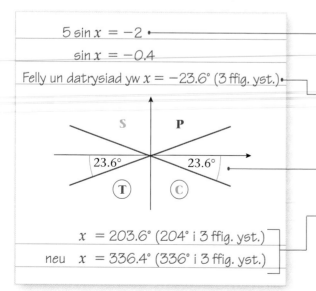

Mae rhoi $30°$ yn y pedwar safle a ddangosir yn rhoi'r onglau $30°$, $150°$, $210°$ a $330°$ ond dim ond yn y pedrant cyntaf a'r ail y mae sin yn bositif.

$$\text{Felly } x = 30°$$
$$\text{neu } x = 180° - 30 = 150°$$

Gallwch wirio hyn drwy roi $\sin 150°$ yn eich cyfrifiannell.

Enghraifft 7

Datryswch $5 \sin x = -2$ yn y cyfwng $0 < x \leqslant 360°$.

$$5 \sin x = -2$$
$$\sin x = -0.4$$

Yn gyntaf ail ysgrifennwch yn y ffurf $\sin x = \ldots$

$$\text{Felly un datrysiad yw } x = -23.6° \text{ (3 ffig. yst.)}$$

Sylwer nad yw'r datrysiad cyfrifiannell hwn yn y cyfwng a roddir.

Mae sin yn negatif felly mae angen i chi chwilio am y datrysiadau yn y 3ydd a'r 4ydd pedrant.

Nawr gallwch ddarllen y datrysiadau yn y cyfwng a roddir.

$$x = 203.6° \text{ (204° i 3 ffig. yst.)}$$
$$\text{neu } x = 336.4° \text{ (336° i 3 ffig. yst.)}$$

Sylwer yn yr achos hwn, os yw $\alpha = \sin^{-1}(-0.4)$ y datrysiadau yw $180 - \alpha$ a $360 + \alpha$.

■ Un datrysiad i'r hafaliad sin $x = k$ yw eich gwerth cyfrifiannell, $\alpha = \sin^{-1} k$. Ail ddatrysiad yw $(180° - \alpha)$, neu $(\pi - \alpha)$ os ydych yn cyfrifo mewn radianau. Gellir darganfod datrysiadau eraill drwy adio neu dynnu lluosrifau 360° neu 2π radian.

Enghraifft 8

Datryswch, yn y cyfwng $0 < x \leqslant 360°$, $\cos x = \dfrac{\sqrt{3}}{2}$.

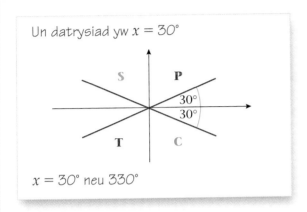

Un datrysiad yw $x = 30°$

$x = 30°$ neu $330°$

Datrysiad cyfrifiannell $\cos x = \dfrac{\sqrt{3}}{2}$, yw $x = 30°$, canlyniad y dylech ei wybod.

Mae $\cos x$ yn bositif felly mae angen i chi edrych yn y pedrant 1af a'r 4ydd pedrant.

Darllenwch y datrysiadau, yn $0 < x \leqslant 360°$, o'ch diagram.

Sylwer bod y canlyniadau hyn yn $\alpha°$ a

$(360 - \alpha)°$ lle mae $\alpha = \cos^{-1}\left(\dfrac{\sqrt{3}}{2}\right)$.

■ Un datrysiad i'r hafaliad cos $x = k$ yw eich gwerth cyfrifiannell $\alpha = \cos^{-1} k$. Ail ddatrysiad yw $(360° - \alpha)$, neu $(2\pi - \alpha)$ os ydych yn cyfrifo mewn radianau. Gellir darganfod datrysiadau eraill drwy adio neu dynnu lluosrifau 360° neu 2π radian.

Enghraifft 9

Darganfyddwch werthoedd θ, mewn radianau, yn y cyfwng $0 < \theta \leqslant 2\pi$, sy'n bodloni'r hafaliad $\sin \theta = \sqrt{3} \cos \theta$.

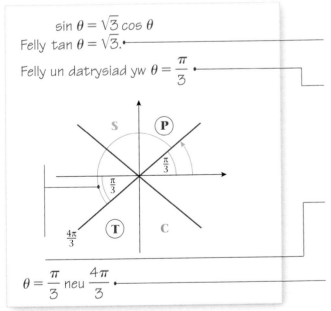

$\sin \theta = \sqrt{3} \cos \theta$

Felly $\tan \theta = \sqrt{3}$.

Felly un datrysiad yw $\theta = \dfrac{\pi}{3}$

$\theta = \dfrac{\pi}{3}$ neu $\dfrac{4\pi}{3}$

Gan nad yw datrysiadau $\cos \theta = 0$ yn bodloni'r hafaliad gallwch rannu'r ddwy ochr â $\cos \theta$.

Dyma'r ateb a gewch ar eich cyfrifiannell. (Defnyddiwch y modd radianau.)

Mae tan yn bositif yn y pedrant 1af a'r 3ydd pedrant, felly rhowch yr ongl yn y lleoliadau cywir.

Mae'r canlyniadau hyn yn α a $(\pi + \alpha)$ lle mae $\alpha = \tan^{-1} \sqrt{3}$.

■ Un datrysiad i'r hafaliad tan $x = k$ yw eich gwerth cyfrifiannell $\alpha = \tan^{-1} k$. Ail ddatrysiad yw $(180° + \alpha)$, neu $(\pi + \alpha)$ os ydych yn cyfrifo mewn radianau. Gellir darganfod datrysiadau eraill drwy adio neu dynnu lluosrifau 360° neu 2π radian.

Mae'n haws darganfod datrysiadau $\sin \theta = -1$ neu 0 neu $+1$, $\cos \theta = -1$ neu 0 neu $+1$ neu $\tan \theta = 0$ drwy ystyried graffiau cyfatebol $y = \sin \theta$, $y = \cos \theta$ ac $y = \tan \theta$ yn eu trefn.

Ymarfer 10B

1 Datryswch yr hafaliadau canlynol i gael θ, yn y cyfwng $0 < \theta \leqslant 360°$:

a $\sin \theta = -1$ **b** $\tan \theta = \sqrt{3}$

c $\cos \theta = \frac{1}{2}$ **ch** $\sin \theta = \sin 15°$

d $\cos \theta = -\cos 40°$ **dd** $\tan \theta = -1$

e $\cos \theta = 0$ **f** $\sin \theta = -0.766$

ff $7 \sin \theta = 5$ **g** $2 \cos \theta = -\sqrt{2}$

ng $\sqrt{3} \sin \theta = \cos \theta$ **h** $\sin \theta + \cos \theta = 0$

i $3 \cos \theta = -2$ **j** $(\sin \theta - 1)(5 \cos \theta + 3) = 0$

l $\tan \theta = \tan \theta (2 + 3 \sin \theta)$

2 Datryswch yr hafaliadau canlynol i gael x, gan roi eich atebion i 3 ffigur ystyrlon pan fo'n briodol, yn y cyfyngau a nodir:

a $\sin x° = -\dfrac{\sqrt{3}}{2}$, $-180 \leqslant x \leqslant 540$

b $2 \sin x° = -0.3$, $-180 \leqslant x \leqslant 180$

c $\cos x° = -0.809$, $-180 \leqslant x \leqslant 180$

ch $\cos x° = 0.84$, $-360 < x < 0$

d $\tan x° = -\dfrac{\sqrt{3}}{3}$, $0 \leqslant x \leqslant 720$

dd $\tan x° = 2.90$, $80 \leqslant x \leqslant 440$

3 Datryswch, yn y cyfyngau a nodir, yr hafaliadau canlynol i gael θ, lle mae θ yn cael ei fesur mewn radianau. Rhowch eich ateb yn nhermau π neu i 2 le degol.

a $\sin \theta = 0$, $-2\pi < \theta \leqslant 2\pi$ **b** $\cos \theta = -\frac{1}{2}$, $-2\pi < \theta \leqslant \pi$

c $\sin \theta = \dfrac{1}{\sqrt{2}}$, $-2\pi < \theta \leqslant \pi$ **ch** $\sin \theta = \tan \theta$, $0 < \theta \leqslant 2\pi$

d $2(1 + \tan \theta) = 1 - 5 \tan \theta$, $-\pi < \theta \leqslant 2\pi$ **dd** $2 \cos \theta = 3 \sin \theta$, $0 < \theta \leqslant 2\pi$

10.3 Mae angen i chi allu datrys hafaliadau yn y ffurf sin $(n\theta + \alpha) = k$, cos $(n\theta + \alpha) = k$, a tan $(n\theta + \alpha) = p$.

Gallwch roi X yn lle $(n\theta + \alpha)$ er mwyn cael y math o hafaliad y gwnaethoch ei ddatrys yn Adran 10.2. Gofalwch sicrhau eich bod yn rhoi'r holl ddatrysiadau yn y cyfwng a nodir.

Enghraifft 10

Datryswch yr hafaliad $\cos 3\theta° = 0.766$, yn y cyfwng $0 \leqslant \theta \leqslant 360$.

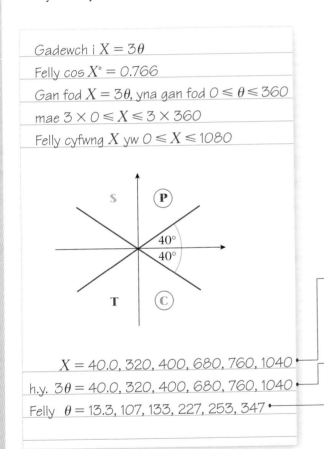

Gadewch i $X = 3\theta$

Felly $\cos X° = 0.766$

Gan fod $X = 3\theta$, yna gan fod $0 \leqslant \theta \leqslant 360$

mae $3 \times 0 \leqslant X \leqslant 3 \times 360$

Felly cyfwng X yw $0 \leqslant X \leqslant 1080$

$X = 40.0, 320, 400, 680, 760, 1040$

h.y. $3\theta = 40.0, 320, 400, 680, 760, 1040$

Felly $\theta = 13.3, 107, 133, 227, 253, 347$

Rhowch X yn lle 3θ a datryswch.

Mae gwerth X o'ch cyfrifiannell yn 40.0. Mae angen i chi restru'r holl werthoedd yn y pedrant 1af a'r 4ydd pedrant yn achos tri chylchdro cyflawn.

Cofiwch fod $X = 3\theta$.

Rhannwch â 3.

Cofiwch wirio bob amser bod eich holl ddatrysiadau yn y cyfwng a roddir.

Enghraifft 11

Datryswch yr hafaliad $\sin(2\theta - 35)° = -1$, yn y cyfwng $-180 \leqslant \theta \leqslant 180$.

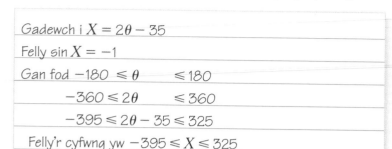

Gadewch i $X = 2\theta - 35$

Felly $\sin X = -1$

Gan fod $-180 \leqslant \theta \leqslant 180$

$-360 \leqslant 2\theta \leqslant 360$

$-395 \leqslant 2\theta - 35 \leqslant 325$

Felly'r cyfwng yw $-395 \leqslant X \leqslant 325$

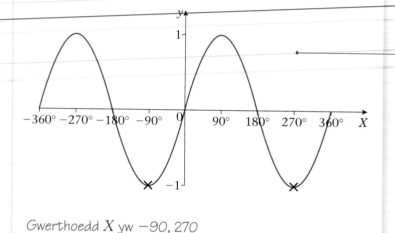

Gallwch fraslunio graff $\sin X$.

Cyfeiriwch at y graff i gael datrysiadau $\sin X = -1$.

Gwerthoedd X yw $-90, 270$

Felly $2\theta - 35 = -90, 270$

$2\theta = -55, 305$

$\theta = -27.5, 152.5$

Ymarfer 10C

1 Darganfyddwch werthoedd θ, yn y cyfwng $0 \leqslant \theta \leqslant 360°$, pan yw:

a $\sin 4\theta = 0$ **b** $\cos 3\theta = -1$ **c** $\tan 2\theta = 1$ **ch** $\cos 2\theta = \frac{1}{2}$

d $\tan \frac{1}{2}\theta = -\frac{1}{\sqrt{3}}$ **dd** $\sin(-\theta) = \frac{1}{\sqrt{2}}$ **e** $\tan(45° - \theta) = -1$

f $2\sin(\theta - 20°) = 1$ **ff** $\tan(\theta + 75°) = \sqrt{3}$ **g** $\cos(50° + 2\theta) = -1$

2 Datryswch bob un o'r hafaliadau canlynol, yn y cyfwng a nodir. Rhowch eich atebion yn gywir i 3 ffigur ystyrlon pan fo'n briodol.

a $\sin(\theta - 10°) = -\frac{\sqrt{3}}{2}, 0 < \theta \leqslant 360°$ **b** $\cos(70 - x)° = 0.6, -180 < x \leqslant 180$

c $\tan(3x + 25)° = -0.51, -90 < x \leqslant 180$ **ch** $5\sin 4\theta + 1 = 0, -90° \leqslant \theta \leqslant 90°$

3 Datryswch yr hafaliadau canlynol i gael θ, yn y cyfyngau a nodir. Rhowch eich atebion mewn radianau.

a $\sin\left(\theta - \frac{\pi}{6}\right) = -\frac{1}{\sqrt{2}}, -\pi < \theta \leqslant \pi$ **b** $\cos(2\theta + 0.2^c) = -0.2, -\frac{\pi}{2} \leqslant \theta \leqslant \frac{\pi}{2}$

c $\tan\left(2\theta + \frac{\pi}{4}\right) = 1, 0 \leqslant \theta \leqslant 2\pi$ **ch** $\sin\left(\theta + \frac{\pi}{3}\right) = \tan\frac{\pi}{6}, 0 \leqslant \theta \leqslant 2\pi$

10.4 Mae angen i chi allu datrys hafaliadau cwadratig sy'n cynnwys $\sin\theta$ neu $\cos\theta$ neu $\tan\theta$. Gellir datrys hafaliad fel $\sin^2\theta + 2\sin\theta - 3 = 0$ yn yr un ffordd ag $x^2 + 2x - 3 = 0$, gyda $\sin\theta$ yn cael ei roi yn lle x.

Enghraifft 12

Datryswch yr hafaliadau canlynol i gael θ, yn y cyfwng $0 \leqslant \theta \leqslant 360°$

a $2\cos^2\theta - \cos\theta - 1 = 0$

b $\sin^2(\theta - 30°) = \frac{1}{2}$

a $2\cos^2\theta - \cos\theta - 1 = 0$

Felly $(2\cos\theta + 1)(\cos\theta - 1) = 0$ ────── Cymharwch â $2x^2 - x - 1 \equiv (2x + 1)(x - 1)$

Felly $\cos\theta = -\dfrac{1}{2}$ neu $\cos\theta = 1$

$\cos\theta = -\dfrac{1}{2}$ felly $\theta = 120°$ ────── Darganfyddwch un datrysiad gan ddefnyddio'ch cyfrifiannell.

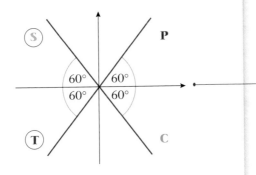

Mae $120°$ yn ffurfio ongl $60°$ â'r llorwedd. Ond mae cosin yn negatif yn yr ail a'r trydydd pedrant felly mae $\theta = 120°$ neu $\theta = 240°$.

$\theta = 120°$ neu $\theta = 240°$

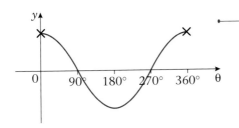

Brasluniwch graff $y = \cos\theta$.

Felly $\theta = 0$ neu $360°$

Felly'r datrysiadau yw $\theta = 0, 120, 240, 360$

b $\sin^2(\theta - 30°) = \dfrac{1}{2}$

Felly $\sin(\theta - 30°) = \dfrac{1}{\sqrt{2}}$

neu $\sin(\theta - 30°) = -\dfrac{1}{\sqrt{2}}$ •———— Datrysiadau $x^2 = k$ yw $x = \pm\sqrt{k}$.

Felly $\theta - 30° = 45°$ neu $\theta - 30° = -45°$ •———— Defnyddiwch eich cyfrifiannell i ddarganfod un datrysiad i bob hafaliad.

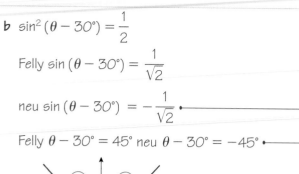

•———— Lluniwch ddiagram i ddarganfod y pedrannau lle mae sin yn bositif a'r pedrannau lle mae sin yn negatif.

Felly o $\quad \sin(\theta - 30°) = \dfrac{1}{\sqrt{2}}$

$\Rightarrow \qquad\qquad \theta - 30° = 45°, 135°$

ac o $\quad \sin(\theta - 30°) = -\dfrac{1}{\sqrt{2}}$,

$\Rightarrow \qquad\qquad \theta - 30° = 225°, 315°$

Felly y datrysiadau yw: $\theta = 75°, 165°, 255°, 345°$

Mewn rhai hafaliadau efallai y bydd angen i chi ddefnyddio'r unfathiant $\sin^2 A + \cos^2 A \equiv 1$ cyn y byddant mewn ffurf lle y gellir eu datrys drwy ffactorio (neu ddefnyddio'r 'fformiwla').

Enghraifft 13

Darganfyddwch werthoedd x, yn y cyfwng $-\pi \leqslant x \leqslant \pi$, sy'n bodloni'r hafaliad $2\cos^2 x + 9\sin x = 3\sin^2 x$.

Gellir ysgrifennu $2\cos^2 x + 9\sin x = 3\sin^2 x$ fel

$2(1 - \sin^2 x) + 9\sin x = 3\sin^2 x$ •————

a gellir ei symleiddio i roi

$\quad 5\sin^2 x - 9\sin x - 2 = 0$

Felly $(5\sin x + 1)(\sin x - 2) = 0$

$\qquad\qquad\qquad \sin x = -\dfrac{1}{5}$ •————

Gan fod $\sin^2 x + \cos^2 x \equiv 1$, rydych yn gallu ailysgrifennu $\cos^2 x$ fel $(1 - \sin^2 x)$, a thrwy hynny ffurfio hafaliad cwadratig yn cynnwys $\sin x$.

Nid oes gan yr hafaliad arall, $\sin x = 2$, ddatrysiadau.

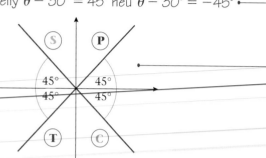

Mae gwerth x eich cyfrifiannell, yn y modd radianau, yn $x = -0.201$ (3 ffig. yst.). Rhowch hwn yn y diagram pedrannau.

Yr ongl leiaf yn y cyfwng, yn y trydydd pedrant, yw $(-\pi + 0.201) = -2.94$; nid oes gwerthoedd x rhwng 0 a π.

Y datrysiadau yw $x = -2.94, -0.201$

Ymarfer 10Ch

1 Datryswch yr hafaliadau canlynol i gael θ, yn y cyfwng $0 \leqslant \theta \leqslant 360°$.
Rhowch eich atebion i 3 ffigur ystyrlon pan nad ydynt yn union gywir.

a $4\cos^2\theta = 1$

b $2\sin^2\theta - 1 = 0$

c $3\sin^2\theta + \sin\theta = 0$

ch $\tan^2\theta - 2\tan\theta - 10 = 0$

d $2\cos^2\theta - 5\cos\theta + 2 = 0$

dd $\sin^2\theta - 2\sin\theta - 1 = 0$

e $\tan^2 2\theta = 3$

f $4\sin\theta = \tan\theta$

ff $\sin\theta + 2\cos^2\theta + 1 = 0$

g $\tan^2(\theta - 45°) = 1$

ng $3\sin^2\theta = \sin\theta\cos\theta$

h $4\cos\theta(\cos\theta - 1) = -5\cos\theta$

i $4(\sin^2\theta - \cos\theta) = 3 - 2\cos\theta$

j $2\sin^2\theta = 3(1 - \cos\theta)$

l $4\cos^2\theta - 5\sin\theta - 5 = 0$

ll $\cos^2\dfrac{\theta}{2} = 1 + \sin\dfrac{\theta}{2}$

2 Datryswch yr hafaliadau canlynol i gael θ, yn y cyfwng $-180° \leqslant \theta \leqslant 180°$.
Rhowch eich atebion i 3 ffigur ystyrlon pan nad ydynt yn union gywir.

a $\sin^2 2\theta = 1$

b $\tan^2\theta = 2\tan\theta$

c $\cos\theta(\cos\theta - 2) = 1$

ch $\sin^2(\theta + 10°) = 0.8$

d $\cos^2 3\theta - \cos 3\theta = 2$

dd $5\sin^2\theta = 4\cos^2\theta$

e $\tan\theta = \cos\theta$

f $2\sin^2\theta + 3\cos\theta = 1$

3 Datryswch yr hafaliadau canlynol i gael x, yn y cyfwng $0 \leqslant x \leqslant 2\pi$.
Rhowch eich atebion i 3 ffigur ystyrlon oni bai y gellir eu hysgrifennu yn y ffurf $\dfrac{a}{b}\pi$,
lle mae a a b yn gyfanrifau.

a $\tan^2\frac{1}{2}x = 1$

b $2\sin^2\left(x + \dfrac{\pi}{3}\right) = 1$

c $3\tan x = 2\tan^2 x$

ch $\sin^2 x + 2\sin x \cos x = 0$

d $6\sin^2 x + \cos x - 4 = 0$

dd $\cos^2 x - 6\sin x = 5$

e $2\sin^2 x = 3\sin x \cos x + 2\cos^2 x$

Ymarfer cymysg 10D

1 O wybod bod ongl A yn aflem a bod $\cos A = -\sqrt{\dfrac{7}{11}}$, dangoswch fod $\tan A = \dfrac{-2\sqrt{7}}{7}$.

2 O wybod bod ongl B yn atblyg a bod $\tan B = +\dfrac{\sqrt{21}}{2}$, darganfyddwch union werth
y canlynol: **a** $\sin B$, **b** $\cos B$.

3 **a** Brasluniwch graff $y = \sin(x + 60)°$, yn y cyfwng $-360 \leqslant x \leqslant 360$, gan roi
cyfesurynnau'r croestorfannau â'r echelinau.
   b Cyfrifwch werthoedd cyfesurynnau x y pwyntiau lle mae'r llinell $y = \frac{1}{2}$ yn croestorri'r
gromlin.

4 Symleiddiwch y mynegiadau canlynol:
   a $\cos^4\theta - \sin^4\theta$
   b $\sin^2 3\theta - \sin^2 3\theta\cos^2 3\theta$
   c $\cos^4\theta + 2\sin^2\theta\cos^2\theta + \sin^4\theta$

5 a O wybod bod $2(\sin x + 2\cos x) = \sin x + 5\cos x$, darganfyddwch union werth $\tan x$.

b O wybod bod $\sin x \cos y + 3\cos x \sin y = 2\sin x \sin y - 4\cos x \cos y$, mynegwch $\tan y$ yn nhermau $\tan x$.

6 Dangoswch, yn achos holl werthoedd θ, fod:

a $(1 + \sin\theta)^2 + \cos^2\theta = 2(1 + \sin\theta)$ **b** $\cos^4\theta + \sin^2\theta = \sin^4\theta + \cos^2\theta$

7 Heb geisio eu datrys, nodwch sawl datrysiad sydd gan yr hafaliadau canlynol yn y cyfwng $0 \leqslant \theta \leqslant 360°$. Yn fyr, rhowch reswm dros eich ateb.

a $2\sin\theta = 3$ **b** $\sin\theta = -\cos\theta$

c $2\sin\theta + 3\cos\theta + 6 = 0$ **ch** $\tan\theta + \dfrac{1}{\tan\theta} = 0$

8 a Ffactoriwch $4xy - y^2 + 4x - y$.

b Datryswch yr hafaliad $4\sin\theta\cos\theta - \cos^2\theta + 4\sin\theta - \cos\theta = 0$, yn y cyfwng $0 \leqslant \theta \leqslant 360°$.

9 a Mynegwch $4\cos 3\theta° - \sin(90 - 3\theta)°$ fel un ffwythiant trigonometrig.

b Drwy wneud hyn datryswch $4\cos 3\theta° - \sin(90 - 3\theta)° = 2$ yn y cyfwng $0 \leqslant \theta \leqslant 360$. Rhowch eich atebion i 3 ffigur ystyrlon.

10 Darganfyddwch werth x yn y cyfwng $0 \leqslant x \leqslant 2\pi$, mewn radianau i ddau le degol, pan yw $3\sin^2 x + \sin x - 2 = 0$.

11 O wybod bod $2\sin 2\theta = \cos 2\theta$:

a Dangoswch fod $\tan 2\theta = 0.5$.

b Drwy wneud hyn darganfyddwch werth θ, i un lle degol, yn y cyfwng $0 \leqslant \theta < 360°$ pan yw $2\sin 2\theta = \cos 2\theta°$.

12 Darganfyddwch holl werthoedd θ yn y cyfwng $0 \leqslant \theta < 360$ pan yw:

a $\cos(\theta + 75)° = 0.5$.

b $\sin 2\theta° = 0.7$, gan roi eich atebion i un lle degol.

13 a Darganfyddwch gyfesurynnau'r pwynt lle mae'r graff $y = 2\sin(2x + \frac{5}{6}\pi)$ yn croesi echelin y.

b Darganfyddwch werthoedd x, lle mae $0 \leqslant x \leqslant 2\pi$, pan yw $y = \sqrt{2}$.

14 Gan roi eich atebion yn nhermau π, rhowch holl werthoedd θ yn y cyfwng $0 < \theta < 2\pi$, pan yw:

a $\tan\left(\theta + \dfrac{\pi}{3}\right) = 1$ **b** $\sin 2\theta = -\dfrac{\sqrt{3}}{2}$

15 Darganfyddwch werthoedd x yn y cyfwng $0 < x < 270°$ sy'n bodloni'r hafaliad

$$\frac{\cos 2x + 0.5}{1 - \cos 2x} = 2$$

16 Darganfyddwch werthoedd x yn y cyfwng $0 \leqslant x < 180°$ i'r cyfanrif agosaf, pan yw $3 \sin^2 3x - 7 \cos 3x - 5 = 0$.

17 Darganfyddwch werthoedd θ yn y cyfwng $0 \leqslant \theta < 360°$ mewn graddau, pan yw:
$2 \cos^2 \theta - \cos \theta - 1 = \sin^2 \theta$
Rhowch eich atebion i 1 lle degol pan fo'n briodol.

18 Ystyriwch y ffwythiant f(x) sy'n cael ei ddiffinio gan

$$f(x) \equiv 3 + 2 \sin (2x + k)°, \quad 0 < x < 360$$

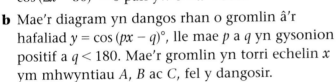

lle mae k yn gysonyn a $0 < k < 360$. Mae'r gromlin, hafaliad $y = $ f(x), yn mynd drwy'r pwynt sydd â'r cyfesurynnau $(15, 3 + \sqrt{3})$.

a Dangoswch fod $k = 30$ yn werth k posibl a darganfyddwch werth arall posibl k.

b O wybod bod $k = 30$, datryswch hafaliad f(x) = 1.

19 a Penderfynwch beth yw datrysiadau'r hafaliad $\cos (2x - 30)° = 0$ pan yw $0 \leqslant x \leqslant 360$.

b Mae'r diagram yn dangos rhan o gromlin â'r hafaliad $y = \cos (px - q)°$, lle mae p a q yn gysonion positif a $q < 180$. Mae'r gromlin yn torri echelin x ym mhwyntiau A, B ac C, fel y dangosir.

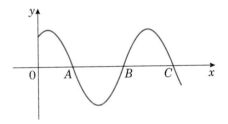

O wybod bod cyfesurynnau A a B yn $(100, 0)$ a $(220, 0)$ yn eu trefn:

i Ysgrifennwch gyfesurynnau C.

ii Darganfyddwch werth p a gwerth q.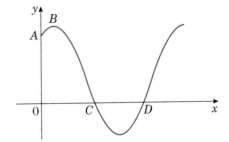

20 Mae'r diagram yn dangos rhan o'r gromlin, hafaliad $y = $ f(x), lle mae f(x) = $1 + 2 \sin (px° + q°)$, a p a q yn gysonion positif a $q \leqslant 90$. Mae'r gromlin yn torri echelin y ym mhwynt A ac echelin x ym mhwyntiau C a D. Mae pwynt B yn bwynt macsimwm ar y gromlin.

O wybod bod cyfesurynnau A ac C yn $(0, 2)$ a $(45, 0)$ yn eu trefn:

a Cyfrifwch werth q.

b Dangoswch fod $p = 4$.

c Darganfyddwch gyfesurynnau B a D.

Crynodeb o'r pwyntiau allweddol

1 $\tan \theta = \dfrac{\sin \theta}{\cos \theta}$ (os yw $\cos \theta \neq 0$, pan nad yw $\tan \theta$ yn cael ei ddiffinio)

2 $\sin^2 \theta + \cos^2 \theta = 1$

3   Un datrysiad i'r hafaliad $\sin x = k$ yw'r gwerth a gewch ar eich cyfrifiannell, $\alpha = \sin^{-1} k$. Ail ddatrysiad yw $(180° - \alpha)$, neu $(\pi - \alpha)$ os ydych yn cyfrifo mewn radianau. Gellir darganfod datrysiadau eraill drwy adio neu dynnu lluosrifau $360°$ neu 2π radian.

4   Un datrysiad i'r hafaliad $\cos x = k$ yw'r gwerth a gewch ar eich cyfrifiannell sef $\alpha = \cos^{-1} k$. Ail ddatrysiad yw $(360° - \alpha)$, neu $(2\pi - \alpha)$ os ydych yn cyfrifo mewn radianau. Gellir darganfod datrysiadau eraill drwy adio neu dynnu lluosrifau $360°$ neu 2π radian.

5   Un datrysiad i'r hafaliad $\tan x = k$ yw'r gwerth a gewch ar eich cyfrifiannell, $\alpha = \tan^{-1} k$. Ail ddatrysiad yw $(180° + \alpha)$, neu $(\pi + \alpha)$ os ydych yn cyfrifo mewn radianau. Gellir darganfod datrysiadau eraill drwy adio neu dynnu lluosrifau $360°$ neu 2π radian.

11 | Integru

Mae'r bennod hon yn eich cyflwyno i integru pendant ac yn dangos sut y defnyddir hyn i ddarganfod arwynebeddau.

11.1 Bydd angen i chi allu integru ffwythiannau syml o fewn terfannau pendant. Gelwir hyn yn integru pendant.

Gwelsoch integru amhendant yn Llyfr C1:

$$\int 3x^2 \, dx = \frac{3x^{2+1}}{3} + C$$
$$= x^3 + C$$

lle mae C yn gysonyn mympwyol.

Gallwch hefyd integru ffwythiant rhwng terfannau pendant, e.e. $x = 1$ ac $x = 2$. Mae hyn yn cael ei ysgrifennu

$$\int_1^2 3x^2 \, dx$$

Dyma sut i gyfrifo'r integryn pendant hwn:

Awgrym: Sylwch ar y defnydd o gromfachau [ ]. Mae hyn yn nodiant safonol.

Awgrym: Mae terfannau'r integryn o $x = 1$ i $x = 2$.

$$\int_1^2 3x^2 \, dx = [x^3]_1^2$$

$$= (2^3) - (1^3)$$

Awgrym: Sylwch ar y defnydd o ( ). Mae hyn yn nodiant safonol ar gyfer y cam hwn.

Awgrym: Enrhifwch yr integryn yn y derfan uchaf.

$$= 8 - 1$$

$$= 7$$

Awgrym: Enrhifwch yr integryn yn y derfan isaf.

Dyma'r tri cham pan ydych yn cyfrifo integryn pendant:

Y mynegiad		*Ar ôl integru* [cromfachau sgwâr]		*Yr enrhifiad* (cromfachau crwm)
$\int_a^b \ldots dx$	$=$	$[\ldots]_a^b$	$=$	$(\ldots) - (\ldots)$

Dylech sylwi ar y nodiant a ddefnyddir i enrhifo integrynnau pendant a cheisio'i ddefnyddio wrth ateb cwestiynau.

■ Mae'r integryn pendant yn cael ei ddiffinio fel:

$$\int_a^b f'(x) \, dx = [f(x)]_a^b = f(b) - f(a)$$

cyhyd ag y bo f' yn ffwythiant deilliadol f drwy'r cyfwng (a, b).

Enghraifft 1

Enrhifwch y canlynol

a $\displaystyle\int_1^4 (2x - 3x^{\frac{1}{2}} + 1)\, dx$ **b** $\displaystyle\int_{-1}^0 (x^{\frac{1}{3}} - 1)^2\, dx.$

a $\displaystyle\int_1^4 (2x - 3x^{\frac{1}{2}} + 1)\, dx$

$$= \left[x^2 - \frac{3x^{\frac{3}{2}}}{\frac{3}{2}} + x \right]_1^4$$

$$= \left[x^2 - 2x^{\frac{3}{2}} + x \right]_1^4$$

$$= (4^2 - 2 \times 2^3 + 4) - (1 - 2 + 1)$$

$$= 4 - 0$$

$$= 4.$$

Cofiwch:

$$\int_1^4 x^n\, dx = \left[\frac{x^{n+1}}{n+1} \right]_1^4$$

Symleiddiwch y termau.

Enrhifwch y mynegiad yn $x = 1$.

Enrhifwch y mynegiad yn $x = 4$.
Sylwer bod $4^{\frac{3}{2}} = 2^3$.

b $\displaystyle\int_{-1}^0 (x^{\frac{1}{3}} - 1)^2\, dx$

$$= \int_{-1}^0 (x^{\frac{2}{3}} - 2x^{\frac{1}{3}} + 1)\, dx$$

$$= \left[\frac{x^{\frac{5}{3}}}{\frac{5}{3}} - 2\frac{x^{\frac{4}{3}}}{\frac{4}{3}} + x \right]_{-1}^0$$

$$= \left[\frac{3}{5}x^{\frac{5}{3}} - \frac{6}{4}x^{\frac{4}{3}} + x \right]_{-1}^0$$

$$= (0 + 0 + 0) - \left(-\frac{3}{5} - \frac{3}{2} - 1 \right)$$

$$= 3\tfrac{1}{10} \text{ neu } 3.1$$

Yn gyntaf lluoswch y cromfachau i roi'r mynegiad mewn ffurf lle bydd yn barod i gael ei integru. (Gweler Llyfr C1.)

Cofiwch:

$$\int_{-1}^0 x^{\frac{a}{b}}\, dx = \left[\frac{x^{\frac{a}{b}+1}}{(\frac{a}{b}+1)} \right]_{-1}^0$$

Symleiddiwch bob term.

Sylwch fod $(-1)^{\frac{4}{3}} = +1$

Ymarfer 11A

1 Enrhifwch yr integrynnau pendant canlynol:

a $\displaystyle\int_1^2 \left(\frac{2}{x^3} + 3x \right) dx$ **b** $\displaystyle\int_0^2 (2x^3 - 4x + 5)\, dx$

c $\displaystyle\int_4^9 \left(\sqrt{x} - \frac{6}{x^2} \right) dx$ **ch** $\displaystyle\int_1^2 \left(6x - \frac{12}{x^4} + 3 \right) dx$

d $\displaystyle\int_1^8 (x^{-\frac{1}{3}} + 2x - 1)\, dx$

2 Enrhifwch yr integrynnau pendant canlynol:

a $\int_1^3 \left(\dfrac{x^3 + 2x^2}{x}\right) dx$

b $\int_1^4 (\sqrt{x} - 3)^2\, dx$

c $\int_3^6 \left(x - \dfrac{3}{x}\right)^2 dx$

ch $\int_0^1 x^2\left(\sqrt{x} + \dfrac{1}{x}\right) dx$

d $\int_1^4 \dfrac{2 + \sqrt{x}}{x^2}\, dx$

11.2 Mae angen i chi allu defnyddio integru pendant i ddarganfod arwynebeddau o dan gromliniau.

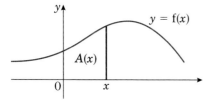

Yn achos unrhyw gromlin, hafaliad $y = \mathrm{f}(x)$, gallwch ddiffinio'r arwynebedd o dan y gromlin ac i'r chwith o x fel ffwythiant x a elwir yn $A(x)$. Wrth i x gynyddu mae'r arwynebedd hwn, $A(x)$, hefyd yn cynyddu (gan fod x yn symud ymhellach i'r dde).

Os ydych yn edrych ar gynnydd bychan yn x, dyweder δx, yna mae'r arwynebedd yn cynyddu $\delta A = A(x + \delta x) - A(x)$.

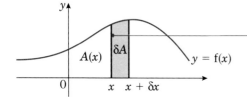

> **Awgrym:** Bydd yr uchder fertigol hwn yn y neu $\mathrm{f}(x)$.

Mae'r cynnydd ychwanegol hwn yn arwynebedd δA fwy neu lai yn betryalog a'i faint yn $y\delta x$. (Wrth i ni wneud δx yn llai bydd unrhyw gyfeiliornad rhwng y gwir arwynebedd a hyn yn ddibwys.)

Felly mae gennym $\qquad \delta A \approx y\delta x$

neu $\qquad\qquad\qquad \dfrac{\delta A}{\delta x} \approx y$

ac os cymerwch y derfan $\lim\limits_{\delta x \to 0} \left(\dfrac{\delta A}{\delta x}\right)$ yna o Bennod 7, Llyfr C1 fe welwch fod $\dfrac{dA}{dx} = y$.

Nawr, os gwyddoch fod $\dfrac{dA}{dx} = y$, yna er mwyn darganfod A mae'n rhaid i chi integru, gan roi $A = \int y\, dx$.

■ **Yn arbennig, os dymunwch ddarganfod yr arwynebedd rhwng cromlin, echelin x a llinellau $x = a$ ac $x = b$, mae gennych**

$$\textbf{arwynebedd} = \int_a^b \textbf{\textit{y}} \, \textbf{d}\textbf{\textit{x}}$$

lle mae $y = \mathrm{f}(x)$ yn hafaliad y gromlin.

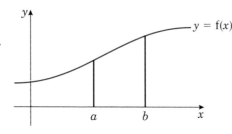

Enghraifft 2

Darganfyddwch arwynebedd y rhanbarth R sydd wedi'i ffinio gan y gromlin â'r hafaliad $y = (4 - x)(x + 2)$ a'r echelinau x ac y positif.

Pan yw $x = 0$, $y = 8$

Pan yw $y = 0$, $x = 4$ neu -2

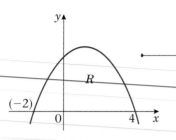

Bydd braslun o'r gromlin yn aml o gymorth yn y math hwn o gwestiwn. (Gweler Pennod 4, Llyfr C1.)

Rhoddir arwynebedd R gan

$$A = \int_0^4 (4 - x)(x + 2)\, dx$$

Felly $\quad A = \int_0^4 (8 + 2x - x^2)\, dx$ — Lluoswch y cromfachau.

$$A = \left[8x + x^2 - \frac{x^3}{3} \right]_0^4$$ — Integrwch.

$$A = \left(32 + 16 - \frac{64}{3} \right) - (0)$$ — Defnyddiwch derfannau 4 a 0.

Felly mae'r arwynebedd yn $26\frac{2}{3}$

Enghraifft 3

Mae rhanbarth R yn cael ei amgáu gan gromlin, hafaliad $y = x^2 + \dfrac{4}{x^2}$; $x > 0$, echelin x a llinellau $x = 1$ ac $x = 3$. Darganfyddwch arwynebedd R.

Nid yw'r gromlin hon yn un y byddai disgwyl i chi ei braslunio ond terfannau'r integryn yn syml yw $x = 1$ ac $x = 3$, felly gallwch ysgrifennu mynegiad sy'n rhoi'r arwynebedd heb gyfeirio at fraslun.

$$\text{Arwynebedd} = \int_1^3 \left(x^2 + \frac{4}{x^2} \right) dx = \int_1^3 (x^2 + 4x^{-2})\, dx$$

$$= \left[\frac{x^3}{3} - 4x^{-1} \right]_1^3$$ — Ysgrifennwch y mynegiad mewn ffurf fydd yn addas ar gyfer integru.

$$= \left(9 - \frac{4}{3} \right) - \left(\frac{1}{3} - 4 \right)$$ — Nawr integrwch.

$$= 13 - \frac{5}{3} = 11\frac{1}{3}$$

Efallai y byddwch yn gallu defnyddio cyfrifiannell graffig i wirio'ch ateb, ond mae'n rhaid i chi ddangos eich gwaith cyfrifo.

Ymarfer 11B

1 Darganfyddwch yr arwynebedd rhwng cromlin, hafaliad $y = f(x)$, echelin x a llinellau $x = a$ ac $x = b$ ym mhob un o'r achosion canlynol:

a $f(x) = 3x^2 - 2x + 2;$ $\qquad a = 0, b = 2$

b $f(x) = x^3 + 4x;$ $\qquad a = 1, b = 2$

c $f(x) = \sqrt{x} + 2x;$ $\qquad a = 1, b = 4$

ch $f(x) = 7 + 2x - x^2;$ $\qquad a = -1, b = 2$

d $f(x) = \dfrac{8}{x^3} + \sqrt{x};$ $\qquad a = 1, b = 4$

2 Mae'r braslun yn dangos rhan o gromlin, hafaliad $y = x(x^2 - 4)$.
Darganfyddwch arwynebedd y rhanbarth sydd wedi ei liwio.

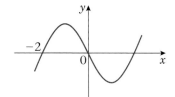

3 Mae'r diagram yn dangos braslun o gromlin, hafaliad $y = 3x + \dfrac{6}{x^2} - 5, x > 0$.

Mae rhanbarth R wedi ei ffinio gan y gromlin, echelin x a llinellau $x = 1$ ac $x = 3$. Darganfyddwch arwynebedd R.

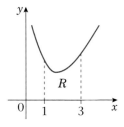

4 Darganfyddwch arwynebedd y rhanbarth meidraidd rhwng y gromlin sydd â'r hafaliad $y = (3 - x)(1 + x)$ ac echelin x.

5 Darganfyddwch arwynebedd y rhanbarth meidraidd rhwng y gromlin sydd â'r hafaliad $y = x(x - 4)^2$ ac echelin x.

6 Darganfyddwch arwynebedd y rhanbarth meidraidd rhwng y gromlin sydd â'r hafaliad $y = x^2(2 - x)$ ac echelin x.

11.3 Mae angen i chi allu cyfrifo arwynebeddau cromliniau o dan echelin x.

Yn yr enghreifftiau hyd yma mae'r arwynebedd yr ydych wedi bod yn ei gyfrifo uwchben echelin x. Os yw'r arwynebedd rhwng cromlin ac echelin x o dan echelin x yna bydd $\int y \, dx$ yn rhoi ateb negatif.

Enghraifft 4

Darganfyddwch arwynebedd y rhanbarth meidraidd sydd wedi'i ffinio gan y gromlin $y = x(x - 3)$ ac echelin x.

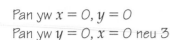
Pan yw $x = 0$, $y = 0$
Pan yw $y = 0$, $x = 0$ neu 3

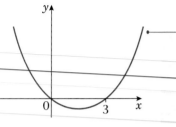

Yn gyntaf brasluniwch y gromlin. Mae ar ffurf U. Mae'n croesi echelin x yn 0 a 3.

Arwynebedd $= \displaystyle\int_{0}^{3} x(x - 3)\, dx$ ———— Felly terfannau'r integryn fydd 0 a 3.

$= \displaystyle\int_{0}^{3} (x^2 - 3x)\, dx$ ———— Lluoswch y cromfachau.

$= \left[\dfrac{x^3}{3} - \dfrac{3x^2}{2} \right]_{0}^{3}$ ———— Integrwch fel arfer.

$= \left(\dfrac{27}{3} - \dfrac{27}{2} \right) - (0)$

$= -\dfrac{27}{6}$ neu $-\dfrac{9}{2}$ neu -4.5

Felly mae'r arwynebedd yn 4.5 ———— Nodwch yr arwynebedd fel gwerth positif.

Mae'r enghraifft ganlynol yn dangos bod yn rhaid bod yn ofalus iawn os ydych yn ceisio darganfod arwynebedd sydd ar ddwy ochr yr echelin x, megis y rhanbarth sydd wedi ei liwio isod, ac sy'n cael ei ffinio gan y gromlin sydd â'r hafaliad $y = (x + 1)(x - 1)x = x^3 - x$.

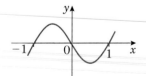

Sylwch fod:

$$\int_{-1}^{1} (x^3 - x)\, dx = \left[\dfrac{x^4}{4} - \dfrac{x^2}{2} \right]_{-1}^{1}$$

$$= \left(\dfrac{1}{4} - \dfrac{1}{2} \right) - \left(\dfrac{1}{4} - \dfrac{1}{2} \right)$$

$$= 0.$$

Y rheswm am hyn yw:

$$\int_0^1 (x^3 - x)\, dx = \left[\frac{x^4}{4} - \frac{x^2}{2}\right]_0^1$$

$$= \left(\frac{1}{4} - \frac{1}{2}\right) - (0) = -\frac{1}{4}$$

ac
$$\int_{-1}^0 (x^3 - x)\, dx = \left[\frac{x^4}{4} - \frac{x^2}{2}\right]_{-1}^0$$

$$= -\left(\frac{1}{4} - \frac{1}{2}\right) = \frac{1}{4}$$

Felly mae arwynebedd y rhanbarth sydd wedi ei liwio mewn gwirionedd yn $\frac{1}{4} + \frac{1}{4} = \frac{1}{2}$.

Gydag enghreifftiau o'r math hwn mae angen i chi lunio braslun, oni bai y rhoddir un yn y cwestiwn.

Enghraifft 5

Brasluniwch y gromlin sydd â'r hafaliad $y = x(x - 1)(x + 3)$ a darganfyddwch arwynebedd y rhanbarth meidraidd sydd wedi'i ffinio gan y gromlin ac echelin x.

Pan yw $x = 0$, $y = 0$

Pan yw $y = 0$, $x = 0, 1$ neu -3

$x \to \infty$, $y \to \infty$

$x \to -\infty$, $y \to -\infty$

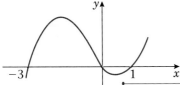

Rhoddir yr arwynebedd gan $\int_{-3}^0 y\, dx + -\int_0^1 y\, dx$

Nawr $\int y\, dx = \int (x^3 + 2x^2 - 3x)\, dx$

$$= \left[\frac{x^4}{4} + \frac{2x^3}{3} - \frac{3x^2}{2}\right]$$

Felly $\int_{-3}^0 y\, dx = (0) - \left(\frac{81}{4} - \frac{2}{3} \times 27 - \frac{3}{2} \times 9\right)$

$$= 11.25$$

ac $\int_0^1 y\, dx = \left(\frac{1}{4} + \frac{2}{3} - \frac{3}{2}\right) - (0)$

$$= -\frac{7}{12}$$

Felly mae'r arwynebedd sydd ei angen yn

$11.25 + \frac{7}{12} = 11\frac{5}{6}$

Darganfyddwch ym mhle mae'r gromlin yn croesi'r echelinau.

Darganfyddwch beth sy'n digwydd i y pan yw x yn fawr ac yn bositif neu'n fawr ac yn negatif.

Gan fod yr arwynebedd rhwng $x = 0$ ac 1 o dan yr echelin bydd yr integryn rhwng y pwyntiau hyn yn rhoi ateb negatif.

Lluoswch y cromfachau.

Ymarfer 11C

Braslunwch y canlynol a darganfyddwch arwynebedd y rhanbarth neu'r rhanbarthau meidraidd a ffinnir gan y cromliniau ac echelin x:

1 $y = x(x + 2)$ **2** $y = (x + 1)(x - 4)$

3 $y = (x + 3)x(x - 3)$ **4** $y = x^2(x - 2)$

5 $y = x(x - 2)(x - 5)$

11.4 Mae angen i chi allu cyfrifo'r arwynebedd rhwng cromlin a llinell syth.

Weithiau efallai byddwch eisiau darganfod arwynebedd rhwng cromlin a llinell. (Gellir defnyddio'r dull hefyd i ddarganfod yr arwynebedd rhwng dwy gromlin, ond nid yw hyn yn angenrheidiol yn C2.)

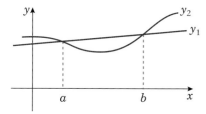

Rydych yn darganfod arwynebedd y rhanbarth sydd wedi ei liwio drwy gyfrifo $\int_a^b (y_1 - y_2)\, dx$.

Y rheswm am hyn yw bod $\int_a^b y_1\, dx$ yn rhoi'r arwynebedd o dan y llinell (neu'r gromlin) sydd â'r hafaliad y_1, ac mae $\int_a^b y_2\, dx$ yn rhoi'r arwynebedd o dan y_2. Felly, yn syml, y rhanbarth sydd wedi ei liwio yw $\int_a^b y_1\, dx - \int_a^b y_2\, dx = \int_a^b (y_1 - y_2)\, dx$.

■ **Rhoddir yr arwynebedd rhwng llinell (hafaliad y_1) a chromlin (hafaliad y_2) gan**

$$\text{arwynebedd} = \int_a^b (y_1 - y_2)\, dx$$

Enghraifft 6

Mae'r diagram yn dangos braslun o ran o gromlin, hafaliad $y = x(4 - x)$, a llinell, hafaliad $y = x$.

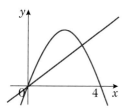

Darganfyddwch arwynebedd y rhanbarth sydd wedi'i ffinio gan y gromlin a'r llinell.

Dull 1

$$x = x(4 - x)$$
$$x = 4x - x^2$$
$$x^2 - 3x = 0$$
$$x(x - 3) = 0$$

Felly $\quad x = 0$ neu 3

Felly mae'r llinell yn croesi'r gromlin yn

$(0, 0)$ a $(3, 3)$

Rhoddir yr arwynebedd gan $\displaystyle\int_0^3 [x(4 - x) - x]\, dx$

$$\text{Arwynebedd} = \int_0^3 (3x - x^2)\, dx$$

$$= \left[\frac{3}{2}x^2 - \frac{x^3}{3}\right]_0^3$$

$$= \left(\frac{27}{2} - 9\right) - (0) = 4.5$$

Yn gyntaf darganfyddwch ym mhle mae'r llinell a'r gromlin yn croesi.

Darganfyddwch gyfesurynnau y drwy roi'r gwerthoedd yn un o'r ddau hafaliad. Llinell $y = x$ yw'r symlaf.

Defnyddiwch y fformiwla 'cromlin – llinell' gan fod y gromlin uwchben y llinell.

Symleiddiwch y mynegiad sydd angen ei integru.

Dull 2

Arwynebedd o dan   minws   Arwynebedd y triongl
y gromlin

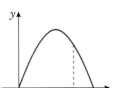
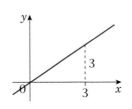

$\displaystyle\int_0^3 (4x - x^2)\, dx$ $\qquad$ – $\qquad$ $\dfrac{1}{2} \times 3 \times 3$

$= \left[2x^2 - \dfrac{x^3}{3}\right]_0^3$ $\qquad$ – $\qquad$ 4.5

$= \left(18 - \dfrac{27}{3}\right) - (0)$ $\qquad$ – $\qquad$ 4.5

$= 9 - 4.5$

$= 4.5$

Dylech sylwi y gallech fod wedi darganfod yr arwynebedd hwn drwy, yn gyntaf, ddarganfod yr arwynebedd o dan y gromlin rhwng $x = 0$ ac $x = 3$, ac yna tynnu arwynebedd triongl.

Gellir defnyddio'r fformiwla $\int_a^b (y_1 - y_2)\,\mathrm{d}x$ hyd yn oed os yw rhan o'r rhanbarth o dan echelin x. Ystyriwch y canlynol:

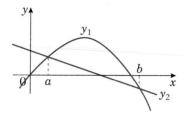

Os yw'r gromlin a'r llinell yn cael eu trawsfudo tuag i fyny gan $+k$, lle mae k yn ddigon mawr i sicrhau bod yr arwynebedd sydd ei angen yn gyfan gwbl uwchben echelin x bydd y diagram yn edrych fel hyn:

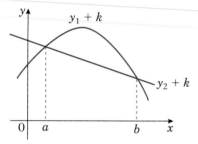

Dylech sylwi, gan fod y trawsfudiad i gyfeiriad y yn unig, nad yw cyfesurynnau x y croestorfannau yn newid ac felly bydd terfannau'r integryn yn aros yr un fath.

Felly yn yr achos hwn rhoddir yr arwynebedd gan $\int_a^b [y_1 + k - (y_2 + k)]\,\mathrm{d}x$

$$= \int_a^b (y_1 - y_2)\,\mathrm{d}x$$

Sylwch nad yw gwerth k yn ymddangos yn y fformiwla derfynol felly gallwch ddefnyddio'r dull hwn bob amser i ateb cwestiynau o'r math hwn.

Weithiau bydd angen i chi adio neu dynnu arwynebedd a ddarganfuwyd drwy integru at arwynebedd triongl, trapesiwm neu siâp arall tebyg fel y dengys yr enghraifft isod.

Enghraifft 7

Mae'r diagram yn dangos braslun o gromlin, hafaliad $y = x(x - 3)$, a llinell, hafaliad $y = 2x$.

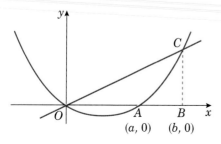

Darganfyddwch arwynebedd y rhanbarth sydd wedi ei liwio OAC.

Rhoddir yr arwynebedd sydd ei angen gan:

arwynebedd triongl $OBC - \int_a^b x(x-3)\,dx$

Mae'r gromlin yn torri echelin x yn $x = 3$
(ac $x = 0$) felly mae $a = 3$

Mae'r gromlin yn croesi llinell $y = 2x$ pan yw

$2x = x(x-3)$ •————————————— Llinell = cromlin.

Felly $\qquad 0 = x^2 - 5x$ •—————————

$\qquad\qquad 0 = x(x-5)$ —————— Symleiddiwch yr hafaliad.

$\qquad\qquad x = 0$ neu 5, felly $b = 5$

Pwynt C yw $(5, 10)$ •—————————— $y = 2 \times 5 = 10$, gan roi'r
gwerth $x = 5$ yn hafaliad y
llinell.

Arwynebedd triongl $OBC = \frac{1}{2} \times 5 \times 10 = 25$

Yr arwynebedd rhwng y gromlin, echelin x a llinell $x = 5$ yw

$$\int_3^5 x(x-3)\,dx = \int_3^5 (x^2 - 3x)\,dx$$
$$= \left[\frac{x^3}{3} - \frac{3x^2}{2} \right]_3^5$$
$$= \left(\frac{125}{3} - \frac{75}{2} \right) - \left(\frac{27}{3} - \frac{27}{2} \right)$$
$$= \left(\frac{25}{6} \right) - \left(-\frac{27}{6} \right)$$
$$= \frac{52}{6} \text{ neu } \frac{26}{3}$$

Felly mae'r rhanbarth sydd wedi ei liwio

$= 25 - \frac{26}{3} = \frac{49}{3}$ neu $16\frac{1}{3}$

Ymarfer 11Ch

1 Mae'r diagram yn dangos rhan o gromlin, hafaliad $y = x^2 + 2$, a llinell, hafaliad $y = 6$.
Mae'r llinell yn torri'r gromlin ym mhwyntiau A a B.

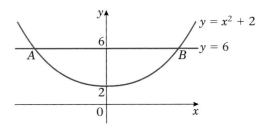

a Darganfyddwch gyfesurynnau pwyntiau A a B.

b Darganfyddwch arwynebedd y rhanbarth meidraidd a ffinnir gan AB a'r gromlin.

2 Mae'r diagram yn dangos rhanbarth meidraidd, R, a ffinnir gan gromlin, hafaliad $y = 4x - x^2$, a llinell $y = 3$. Mae'r llinell yn torri'r gromlin ym mhwyntiau A a B.

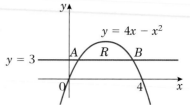

  a Darganfyddwch gyfesurynnau pwyntiau A a B.

  b Darganfyddwch arwynebedd R.

3 Mae'r diagram yn dangos braslun o ran o gromlin, hafaliad $y = 9 - 3x - 5x^2 - x^3$, a llinell, hafaliad $y = 4 - 4x$. Mae'r llinell yn torri'r gromlin ym mhwyntiau $A (-1, 8)$ a $B (1, 0)$.

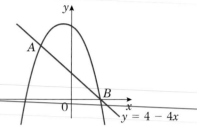

Darganfyddwch arwynebedd y rhanbarth sydd wedi ei liwio rhwng AB a'r gromlin.

4 Darganfyddwch arwynebedd y rhanbarth meidraidd a ffinnir gan y gromlin sydd â'r hafaliad $y = (1 - x)(x + 3)$ a'r llinell $y = x + 3$.

5 Mae'r diagram yn dangos rhanbarth meidraidd, R, a ffinnir gan gromlin, hafaliad $y = x(4 + x)$, llinell, hafaliad $y = 12$, ac echelin y.

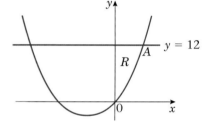

  a Darganfyddwch gyfesuryn pwynt A lle mae'r llinell yn croesi'r gromlin.

  b Darganfyddwch arwynebedd R.

6 Mae'r diagram yn dangos braslun o ran o gromlin, hafaliad $y = x^2 + 1$, a llinell, hafaliad $y = 7 - x$. Mae rhanbarth meidraidd R_1 wedi ei ffinio gan y llinell a'r gromlin. Mae rhanbarth meidraidd R_2 o dan y gromlin a'r llinell ac wedi ei ffinio gan yr echelinau x ac y positif fel y dangosir yn y diagram.

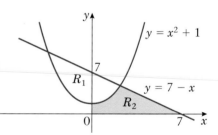

  a Darganfyddwch arwynebedd R_1.

  b Darganfyddwch arwynebedd R_2.

7 Hafaliad cromlin C yw $y = x^{\frac{2}{3}} - \dfrac{2}{x^{\frac{1}{3}}} + 1$.

  a Gwiriwch fod C yn croesi echelin x ym mhwynt $(1, 0)$.

  b Dangoswch fod pwynt $A (8, 4)$ hefyd ar C.

  c Mae pwynt B yn $(4, 0)$. Darganfyddwch hafaliad y llinell sy'n mynd trwy AB. Mae rhanbarth meidraidd R wedi ei ffinio gan C, AB a'r echelin x bositif.

  ch Darganfyddwch arwynebedd R.

8 Mae'r diagram yn dangos rhan o fraslun o gromlin, hafaliad $y = \dfrac{2}{x^2} + x$. Cyfesurynnau x A a B yw $\frac{1}{2}$ a 2 yn eu trefn.

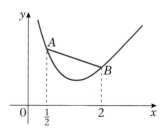

Darganfyddwch arwynebedd y rhanbarth meidraidd rhwng AB a'r gromlin.

9 Mae'r diagram yn dangos rhan o gromlin, hafaliad
$y = 3\sqrt{x} - \sqrt{x^3} + 4$, a llinell, hafaliad $y = 4 - \frac{1}{2}x$.

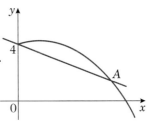

a Gwiriwch fod y llinell a'r gromlin yn croesi ym mhwynt $A(4, 2)$.

b Darganfyddwch arwynebedd y rhanbarth meidraidd
a ffinnir gan y gromlin a'r llinell.

10 Mae'r braslun yn dangos rhan o gromlin, hafaliad
$y = x^2(x + 4)$. Mae rhanbarth meidraidd R_1 wedi ei ffinio
gan y gromlin a'r echelin x negatif. Mae'r rhanbarth
meidraidd R_2 wedi ei ffinio gan y gromlin, yr echelin x
bositif ac AB, lle mae $A(2, 24)$ a $B(b, 0)$.

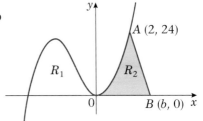

Arwynebedd R_1 = arwynebedd R_2.
a Darganfyddwch arwynebedd R_1.
b Darganfyddwch werth b.

11.5 Weithiau efallai y byddwch eisiau darganfod yr arwynebedd o dan gromlin ond
efallai na fyddwch yn gallu integru'r hafaliad. Gallwch ddarganfod brasamcan o'r
arwynebedd drwy ddefnyddio'r rheol trapesiwm.

Ystyriwch y gromlin $y = f(x)$:

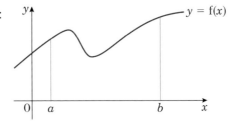

Er mwyn darganfod yr arwynebedd a roddir gan $\int_a^b y \, dx$,
rydym yn rhannu'r arwynebedd yn n stribed hafal.

Bydd lled pob stribed yn h, felly mae $h = \dfrac{b - a}{n}$.

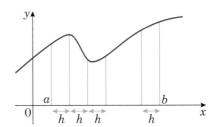

Wedyn, rydym yn cyfrifo gwerth y yn achos pob gwerth x sy'n
ffurfio ffin un o'r stribedi. Felly rydym yn darganfod y yn achos
$x = a$, $x = a + h$, $x = a + 2h$, $x = a + 3h$ ac yn y blaen hyd at $x = b$.
Gallwn labelu'r gwerthoedd hyn yn $y_0, y_1, y_2, y_3, \ldots, y_n$.

> **Awgrym:** Sylwch, yn
> achos n stribed, y
> bydd $n + 1$ gwerth x
> ac $n + 1$ gwerth y.

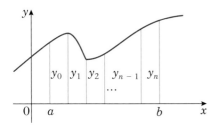

Yn olaf, rydym yn cysylltu pwyntiau cyfagos i ffurfio *n* trapesiwm ac yn cael bras werth yr arwynebedd gwreiddiol drwy adio arwynebeddau'r *n* trapesiwm hyn.

Efallai eich bod yn cofio, o waith TGAU mathemateg, bod arwynebedd trapesiwm fel hwn:

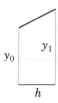

yn cael ei roi gan $\frac{1}{2}(y_0 + y_1)h$. Rhoddir yr arwynebedd sydd ei angen o dan y gromlin felly gan:

$$\int_a^b y \, \mathrm{d}x \approx \tfrac{1}{2}h(y_0 + y_1) + \tfrac{1}{2}h(y_1 + y_2) + \ldots + \tfrac{1}{2}h(y_{n-1} + y_n)$$

Mae ffactorio yn rhoi:

$$\int_a^b y \, \mathrm{d}x \approx \tfrac{1}{2}h(y_0 + y_1 + y_1 + y_2 + y_2 \ldots + y_{n-1} + y_{n-1} + y_n)$$

neu $\displaystyle\int_a^b y \, \mathrm{d}x \approx \tfrac{1}{2}h[y_0 + 2(y_1 + y_2 \ldots + y_{n-1}) + y_n]$

Rhoddir y fformiwla hon yn y llyfryn fformiwlâu fel rheol, ond bydd angen i chi wybod sut i'w defnyddio.

■ **Y rheol trapesiwm:**

$$\int_a^b y \, \mathrm{d}x \approx \tfrac{1}{2}h[\boldsymbol{y_1} + 2(\boldsymbol{y_1} + \boldsymbol{y_2} \ldots + \boldsymbol{y_{n-1}}) + \boldsymbol{y_n}]$$

lle mae $h = \dfrac{b-a}{n}$ ac $y_i = \mathrm{f}(a + ih)$.

> **Awgrym:** Nid oes angen i chi gofio sut i gyrraedd y canlyniad hwn.

Enghraifft 8

Defnyddiwch y rheol trapesiwm yn achos
a 4 stribed   **b** 8 stribed
i amcangyfrif yr arwynebedd o dan y gromlin sydd â'r hafaliad $y = \sqrt{(2x + 3)}$ rhwng y llinellau $x = 0$ ac $x = 2$.

a Bydd lled pob stribed yn $\dfrac{2-0}{4} = 0.5$.

x	0	0.5	1	1.5	2
$y = \sqrt{(2x + 3)}$	1.732	2	2.236	2.449	2.646

Yn gyntaf cyfrifwch werth y ar ffiniau pob un o'r stribedi.

Weithiau mae'n ddefnyddiol rhoi eich gwaith cyfrifo mewn tabl.

Felly arwynebedd $\approx \dfrac{1}{2} \times 0.5 \times [1.732$

$\qquad\qquad + 2(2 + 2.236 + 2.449) + 2.646]$

$\qquad = \dfrac{1}{2} \times 0.5 \times [17.748]$

$\qquad = 4.437$ neu 4.44

b Bydd lled pob stribed yn $\dfrac{2-0}{8} = 0.25$.

x	0	0.25	0.5	0.75	1	1.25	1.5	1.75	2
y	1.732	1.871	2	2.121	2.236	2.345	2.449	2.550	2.646

Felly arwynebedd $\approx \dfrac{1}{2} \times 0.25 \times [1.732 + 2(1.871 + 2 + 2.121 + 2.236 + 2.345$

$$+ 2.449 + 2.550) + 2.646]$$

$$= \dfrac{1}{2} \times 0.25 \times [35.522]$$

$$= 4.440\,25 \text{ neu } 4.44 \text{ (2 le degol)}$$

Gwerthoedd y.

Y gwir arwynebedd yn yr achos hwn yw 4.441 368 … a gallwch weld (o edrych ar y cyfrifiadau i 3 lle degol) yn yr enghraifft uchod y dylai cynyddu nifer y stribedi (neu leihau eu lled) wella cywirdeb y brasamcan.

Mae braslun o $y = \sqrt{(2x + 3)}$ yn edrych fel hyn:

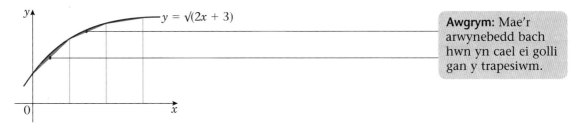

Awgrym: Mae'r arwynebedd bach hwn yn cael ei golli gan y trapesiwm.

Gallwch weld y bydd y rheol trapesiwm bob amser yn rhoi amcangyfrif rhy isel o'r arwynebedd gan fod y gromlin yn plygu 'tuag allan'.

Yn Adran 11.2 crybwyllwyd sut y gellir defnyddio cyfrifianellau graffigol i enrhifo integrynnau pendant. Fel arfer mae cyfrifianellau yn defnyddio dull ychydig yn wahanol i'r rheol trapesiwm i wneud y cyfrifiadau hyn ac fel arfer byddant yn fwy cywir. Felly, er y gall y cyfrifiannell fod yn ddefnyddiol i wirio, dylech gofio bod y rheol trapesiwm yn cael ei defnyddio i *amcangyfrif* y gwerth ac ni ddylech ddisgwyl i'r amcangyfrif hwn fod yr un fath ag ateb cyfrifiannell graffig.

Ymarfer 11D

1 Copïwch a chwblhewch y tabl isod a defnyddiwch y rheol trapesiwm i amcangyfrif $\displaystyle\int_{1}^{3} \dfrac{1}{x^2 + 1}\,\mathrm{d}x$:

x	1	1.5	2	2.5	3
$y = \dfrac{1}{x^2 + 1}$	0.5	0.308		0.138	

2 Defnyddiwch y tabl isod i amcangyfrif $\displaystyle\int_{1}^{2.5} \sqrt{(2x - 1)}\,\mathrm{d}x$ gan ddefnyddio'r rheol trapesiwm:

x	1	1.25	1.5	1.75	2	2.25	2.5
$y = \sqrt{(2x - 1)}$	1	1.225	1.414	1.581	1.732	1.871	2

3 Copïwch a chwblhewch y tabl isod a'i ddefnyddio, ynghyd â'r rheol trapesiwm, i amcangyfrif $\int_0^2 \sqrt{(x^3 + 1)}\, dx$:

x	0	0.5	1	1.5	2
$y = \sqrt{(x^3 + 1)}$	1	1.061	1.414		

4 **a** Defnyddiwch y rheol trapesiwm ag 8 stribed i amcangyfrif $\int_0^2 2^x\, dx$.

b Gan gyfeirio at fraslun o $y = 2^x$ eglurwch p'un ai yw eich ateb yn rhan **a** yn amcangyfrif rhy isel ynteu'n amcangyfrif rhy uchel o $\int_0^2 2^x\, dx$.

5 Defnyddiwch y rheol trapesiwm â 6 stribed i amcangyfrif $\int_0^3 \dfrac{1}{\sqrt{(x^2 + 1)}}\, dx$.

6 Mae'r diagram yn dangos braslun o ran o gromlin, hafaliad $y = \dfrac{1}{x + 2}$, $x > -2$.

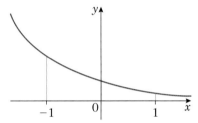

a Copïwch a chwblhewch y tabl isod a defnyddiwch y rheol trapesiwm i amcangyfrif yr arwynebedd a ffinnir gan y gromlin, echelin x a'r llinellau $x = -1$ ac $x = 1$.

x	-1	-0.6	-0.2	0.2	0.6	1
$y = \dfrac{1}{x + 2}$	1	0.714			0.385	0.333

b Nodwch, gan roi rheswm, a yw eich ateb yn rhan **a** yn amcangyfrif rhy uchel ynteu'n amcangyfrif rhy isel.

7 **a** Brasluniwch y gromlin, hafaliad $y = x^3 + 1$, pan yw $-2 < x < 2$.

b Defnyddiwch y rheol trapesiwm, â 4 stribed i amcangyfrif gwerth $\int_{-1}^1 (x^3 + 1)\, dx$.

c Integrwch i ddarganfod gwerth union gywir $\int_{-1}^1 (x^3 + 1)\, dx$.

ch Rhowch sylwadau ar eich atebion i rannau **b** ac **c**.

8 Defnyddiwch y rheol trapesiwm â 4 stribed i amcangyfrif $\int_0^2 \sqrt{(3^x - 1)}\, dx$.

9 Mae'r braslun yn dangos rhan o gromlin sydd â'r hafaliad $y = \dfrac{x}{x + 1}$, $x \geq 0$.

a Defnyddiwch y rheol trapesiwm â 6 stribed i amcangyfrif $\int_0^3 \dfrac{x}{x+1}\,dx$.

b Gan gyfeirio at y braslun, nodwch, gan roi rheswm, a yw'r ateb yn rhan **a** yn amcangyfrif rhy uchel ynteu'n amcangyfrif rhy isel.

10 a Defnyddiwch y rheol trapesiwm ag n stribed i amcangyfrif $\int_0^2 \sqrt{x}\,dx$ pan yw **i** $n = 4$ **ii** $n = 6$.

b Cymharwch eich atebion yn rhan **a** â gwerth union gywir yr integryn a chyfrifwch y cyfeiliornad canrannol ym mhob achos.

Ymarfer cymysg 11Dd

1 Mae'r diagram yn dangos cromlin, hafaliad $y = 5 + 2x - x^2$, a llinell, hafaliad $y = 2$. Mae'r gromlin a'r llinell yn croestorri ym mhwyntiau A a B.

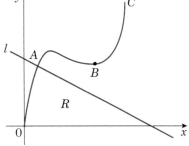

a Darganfyddwch gyfesurynnau x A a B.

b Mae rhanbarth, R, sydd wedi ei liwio, wedi ei ffinio gan y gromlin a'r llinell. Darganfyddwch arwynebedd R.

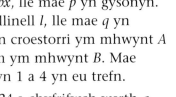

2 Mae'r diagram yn dangos rhan o gromlin C, hafaliad $y = x^3 - 9x^2 + px$, lle mae p yn gysonyn. $y + 2x = q$ yw hafaliad llinell l, lle mae q yn gysonyn. Mae C ac l yn croestorri ym mhwynt A ac mae gan C finimwm ym mhwynt B. Mae cyfesurynnau x A a B yn 1 a 4 yn eu trefn.

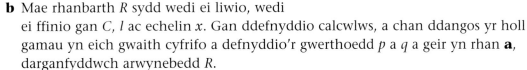

a Dangoswch fod $p = 24$ a chyfrifwch werth q.

b Mae rhanbarth R sydd wedi ei liwio, wedi ei ffinio gan C, l ac echelin x. Gan ddefnyddio calcwlws, a chan ddangos yr holl gamau yn eich gwaith cyfrifo a defnyddio'r gwerthoedd p a q a geir yn rhan **a**, darganfyddwch arwynebedd R.

3 Mae'r diagram yn dangos rhan o gromlin C, hafaliad $y = f(x)$, lle mae $f(x) = 16x^{-\frac{1}{2}} + x^{\frac{3}{2}}$, $x > 0$.

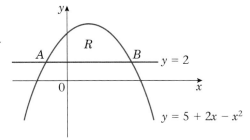

a Defnyddiwch galcwlws i ddarganfod cyfesuryn x pwynt minimwm C, gan roi eich ateb yn y ffurf $k\sqrt{3}$, lle mae k yn ffracsiwn union gywir.

Mae'r rhanbarth melyn a ddangosir yn y diagram wedi ei ffinio gan C, echelin x a'r llinellau sydd â'r hafaliadau $x = 1$ ac $x = 2$.

b Drwy integru a chan ddangos eich holl waith cyfrifo, darganfyddwch arwynebedd y rhanbarth melyn, gan roi eich ateb yn y ffurf $a + b\sqrt{2}$, lle mae a a b yn ffracsiynau union gywir.

4 **a** Darganfyddwch $\int (x^{\frac{1}{2}} - 4)(x^{-\frac{1}{2}} - 1)\,dx$.

   b Defnyddiwch eich ateb i ran **a** i enrhifo

$$\int_1^4 (x^{\frac{1}{2}} - 4)(x^{-\frac{1}{2}} - 1)\,dx.$$

   gan roi eich ateb ar ffurf ffracsiwn union gywir.

5 Mae'r diagram yn dangos rhan o gromlin, hafaliad $y = x^3 - 6x^2 + 9x$. Mae'r gromlin yn cyffwrdd echelin x yn A ac mae ganddi drobwynt macsimwm yn B.

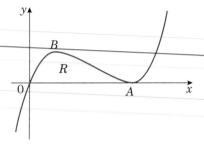

   a Dangoswch ei bod y bosibl ysgrifennu hafaliad y gromlin fel $y = x(x - 3)^2$, a thrwy wneud hynny ysgrifennwch gyfesurynnau A.

   b Darganfyddwch gyfesurynnau B.

   c Mae rhanbarth, R, sydd wedi ei liwio, wedi ei ffinio gan y gromlin ac echelin x. Darganfyddwch arwynebedd R.

6 O wybod bod $y^{\frac{1}{2}} = x^{\frac{1}{3}} + 3$:

   a Dangoswch fod $y = x^{\frac{2}{3}} + Ax^{\frac{1}{3}} + B$, lle mae A a B yn gysonion sydd angen eu darganfod.

   b Drwy wneud hyn darganfyddwch $\int y\,dx$.

   c Gan ddefnyddio'ch ateb i ran **b**, penderfynwch beth yw union werth $\int_1^8 y\,dx$.

7 O ystyried y ffwythiant $y = 3x^{\frac{1}{2}} - 4x^{-\frac{1}{2}}$, $x > 0$:

   a Darganfyddwch $\dfrac{dy}{dx}$.

   b Darganfyddwch $\int y\,dx$.

   c Drwy wneud hyn dangoswch fod $\int_1^3 y\,dx = A + B\sqrt{3}$, lle mae A a B yn gyfanrifau sydd angen eu darganfod.

8 Mae'r diagram yn dangos braslun o gromlin sydd â'r hafaliad $y = 2x - x^2$ a llinell ON sy'n normal i'r gromlin yn nharddbwynt O.

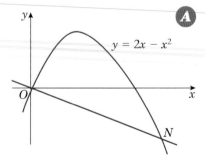

   a Darganfyddwch hafaliad ON.

   b Dangoswch fod cyfesuryn x pwynt N yn $2\frac{1}{2}$ a phennwch ei gyfesuryn y.

   c Mae'r rhanbarth a ddangosir mewn lliw wedi ei ffinio gan y gromlin a llinell ON. Heb ddefnyddio cyfrifiannell, pennwch arwynebedd y rhanbarth lliw.

9 Mae'r diagram yn dangos braslun o gromlin sydd â'r hafaliad $y = 12x^{\frac{1}{2}} - x^{\frac{3}{2}}$ pan yw $0 \leqslant x \leqslant 12$.

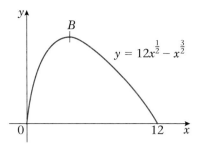

a Dangoswch fod $\dfrac{dy}{dx} = \dfrac{3}{2}x^{-\frac{1}{2}}(4 - x)$.

b Ym mhwynt B ar y gromlin mae'r tangiad i'r gromlin yn baralel i echelin x. Darganfyddwch gyfesurynnau pwynt B.

c Darganfyddwch arwynebedd y rhanbarth meidraidd a ffinnir gan y gromlin ac echelin x i 3 ffigur ystyrlon.

10 Mae'r diagram yn dangos cromlin C, hafaliad $y = x(8 - x)$, a llinell, hafaliad $y = 12$, sy'n croesi ym mhwyntiau L ac M.

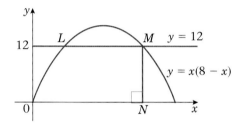

a Pennwch gyfesurynnau pwynt M.

b O wybod bod N yn droed i'r perpendicwlar o M i echelin x, cyfrifwch arwynebedd y rhanbarth sydd mewn lliw a ffinnir gan NM, cromlin C ac echelin x.

11 Mae'r diagram yn dangos y llinell $y = x - 1$ yn croesi cromlin, hafaliad $y = (x - 1)(x - 5)$, yn A ac C. Mae'r gromlin yn croesi echelin x yn A a B.

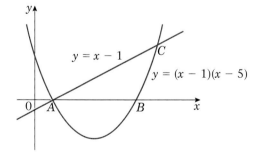

a Ysgrifennwch gyfesurynnau A a B a darganfyddwch gyfesurynnau C.

b Darganfyddwch arwynebedd y rhanbarth sydd wedi ei liwio a ffinnir gan y llinell, y gromlin ac echelin x.

12 Mae *A* a *B* yn ddau bwynt ar gromlin *C*, hafaliad
$y = -x^2 + 5x + 6$. Mae'r diagram yn dangos *C* a llinell *l*
sy'n mynd drwy *A* a *B*.

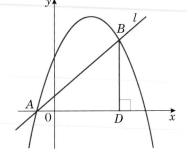

a Cyfrifwch raddiant *C* yn y pwynt lle mae $x = 2$.
Mae llinell *l* yn mynd drwy'r pwynt sydd â
chyfesurynnau $(2, 3)$ ac mae hi'n baralel i'r tangiad i *C*
yn y pwynt lle mae $x = 2$.

b Darganfyddwch hafaliad *l*.

c Darganfyddwch gyfesurynnau *A* a *B*.
Troed y perpendicwlar o *B* i echelin *x* yw pwynt *D*.

ch Darganfyddwch arwynebedd y rhanbarth a ffinnir gan *C*, echelin *x*, echelin *y* a *BD*.

d Drwy wneud hyn darganfyddwch arwynebedd y rhanbarth sydd wedi ei liwio.

13 Mae'r diagram yn dangos rhan o gromlin, hafaliad
$y = p + 10x - x^2$, lle mae *p* yn gysonyn, a rhan o linell *l*,
hafaliad $y = qx + 25$, lle mae *q* yn gysonyn. Mae llinell *l* yn
torri'r gromlin ym mhwyntiau *A* a *B*. Mae cyfesurynnau *x*
A a *B* yn 4 ac 8 yn eu trefn. Mae'r llinell drwy *A* sy'n
baralel i echelin *x* yn croestorri'r gromlin eto ym mhwynt *C*.

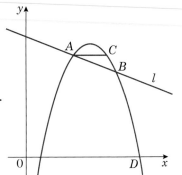

a Dangoswch fod $p = -7$ a chyfrifwch werth *q*.

b Cyfrifwch gyfesurynnau *C*.

c Mae'r rhanbarth sydd wedi ei liwio yn y diagram
wedi ei ffinio gan y gromlin a llinell *AC*. Drwy
ddefnyddio integru algebraidd a chan ddangos eich
holl waith cyfrifo, cyfrifwch arwynebedd y rhanbarth
sydd wedi ei liwio.

Crynodeb o'r pwyntiau allweddol

1 Mae'r integryn pendant $\int_a^b f'(x)\,dx = f(b) - f(a)$.

2 Mae'r arwynebedd o dan y gromlin sydd â'r hafaliad $y = f(x)$ a rhwng llinellau $x = a$ ac $x = b$ yn

$$\text{arwynebedd} = \int_a^b f(x)\,dx$$

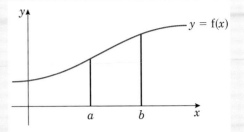

3 Rhoddir yr arwynebedd sydd rhwng llinell (hafaliad y_1) a chromlin (hafaliad y_2) gan

$$\text{arwynebedd} = \int_a^b (y_1 - y_2)\,dx$$

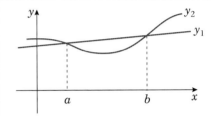

4 **Rheol trapesiwm (yn y llyfryn fformiwlâu):**

$$\int_a^b y\,dx \approx \tfrac{1}{2}h[y_0 + 2(y_1 + y_2 \ldots + y_{n-1}) + y_n]$$

lle mae $h = \dfrac{b - a}{n}$ ac $y_i = f(a + ih)$.

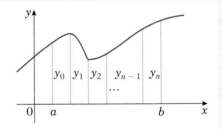

(Dangosir y marciau mewn cromfachau.)

1 Mae sector AOB yn cael ei dynnu o gylch, radiws 5 cm.
   Mae $\angle AOB$ yn 1.4 radian ac mae $OA = OB$.

   a Darganfyddwch berimedr sector AOB. (3)

   b Darganfyddwch arwynebedd sector AOB. (2)

2 O wybod bod $\log_2 x = p$:

   a darganfyddwch $\log_2 (8x^2)$ yn nhermau p. (4)

   b O wybod hefyd bod $p = 5$, darganfyddwch werth x. (2)

3 **a** Darganfyddwch werth cysonyn a fel bod $(x - 3)$ yn ffactor o $x^3 - ax - 6$. (3)

   b Gan ddefnyddio'r gwerth a hwn, ffactoriwch $x^3 - ax - 6$ yn llwyr. (4)

4 **a** Darganfyddwch gyfernod x^{11} a chyfernod x^{12} yn ehangiad binomaidd $(2 + x)^{15}$. (4)
   Mae cyfernod x^{11} a chyfernod x^{12} yn ehangiad binomaidd $(2 + kx)^{15}$ yn hafal.

   b Darganfyddwch werth y cysonyn k. (3)

5 **a** Profwch fod:
$$\frac{\cos^2 \theta}{\sin \theta + \sin^2 \theta} \equiv \frac{1 - \sin \theta}{\sin \theta}, \quad 0 < \theta < 180°.$$ (4)

   b Drwy wneud hyn, neu fel arall, datryswch yr hafaliad canlynol pan yw $0 < \theta < 180°$:
$$\frac{\cos^2 \theta}{\sin \theta + \sin^2 \theta} = 2$$

   Rhowch eich atebion i'r radd agosaf. (4)

6 **a** Dangoswch fod canol y cylch, hafaliad $x^2 + y^2 = 6x + 8y$ yn (3, 4) a darganfyddwch radiws y cylch. (5)

   b Darganfyddwch union hyd y tangiadau o'r pwynt (10, 0) i'r cylch. (4)

7 Mae tad yn addo rhoi anrheg dragwyddol i'w ferch ar ei phen-blwydd. Ar y diwrnod cyntaf mae hi'n cael £75 a phob diwrnod canlynol mae'n cael $\frac{2}{3}$ o'r swm a gafodd y diwrnod cynt. Mae ei thad yn addo y bydd hyn yn parhau am byth.

   a Dangoswch y bydd y ferch wedi cael £125 ar ôl 2 ddiwrnod. (2)

   b Darganfyddwch faint o arian y dylai'r tad ei roi o'r neilltu i sicrhau y bydd yn gallu talu am yr anrheg. (3)

   Ar ôl k diwrnod bydd cyfanswm yr arian y bydd y ferch wedi ei dderbyn yn fwy na £200.

   c Darganfyddwch werth lleiaf k. (5)

8 O wybod bod $I = \int_1^3 \left(\dfrac{1}{x^2} + 3\sqrt{x} \right) dx$:

   a defnyddiwch y rheol trapesiwm â'r tabl isod i amcangyfrif I i 3 ffigur ystyrlon.   (4)

x	1	1.5	2	2.5	3
y	4	4.119	4.493	4.903	5.307

   b Darganfyddwch union werth I.   (4)

   c Cyfrifwch y cyfeiliornad canrannol a geir, i 1 ffigur ystyrlon, drwy ddefnyddio'r rheol trapesiwm fel yn rhan **a** i amcangyfrif I.   (2)

9 Hafaliad cromlin C yw $y = 6x^{\frac{7}{3}} - 7x^2 + 4$.

   a Darganfyddwch $\dfrac{dy}{dx}$.   (2)

   b Darganfyddwch $\dfrac{d^2y}{dx^2}$.   (2)

   c Defnyddiwch eich atebion i rannau **a** a **b** i ddarganfod cyfesurynnau'r pwyntiau sefydlog ar C a phennwch eu natur.   (9)

Fformiwlâu y mae angen i chi eu cofio

Dyma'r fformiwlâu y mae angen i chi eu cofio ar gyfer yr arholiadau. Ni fyddant yn cael eu cynnwys mewn llyfrynnau fformiwlâu.

Deddfau logarithmau

$$\log_a x + \log_a y \equiv \log_a (xy)$$

$$\log_a x - \log_a y \equiv \log_a \left(\frac{x}{y}\right)$$

$$k \log_a x \equiv \log_a (x^k)$$

Trigonometreg

Yn nhriongl ABC

$$\frac{a}{\sin A} = \frac{b}{\sin B} = \frac{c}{\sin C}$$

$$\text{arwynebedd} = \tfrac{1}{2} ab \sin C$$

Arwynebedd

$$\text{arwynebedd o dan gromlin} = \int_a^b y \, dx \ (y \geqslant 0)$$

Rhestr o symbolau a nodiant

Bydd y nodiant canlynol yn cael ei ddefnyddio yn arholiadau mathemateg y mwyafrif o'r byrddau arholi:

$\in$	yn elfen o
$\notin$	ddim yn elfen o
$\{x_1, x_2, \ldots\}$	y set gydag elfennau x_1, x_2, $\ldots$
$\{x: \ldots\}$	y set o'r holl x fel bo $\ldots$
$n(A)$	nifer yr elfennau yn set A
$\varnothing$	y set wag
ξ	y set gynhwysol
A'	cyflenwad set A
$\mathbb{N}$	set y rhifau naturiol, $\{1, 2, 3, \ldots\}$
$\mathbb{Z}$	set y cyfanrifau, $\{0, \pm 1, \pm 2, \pm 3, \ldots\}$
$\mathbb{Z}^+$	set y cyfanrifau positif, $\{1, 2, 3, \ldots\}$
$\mathbb{Z}_n$	set y cyfanrifau modwlo n, $\{1, 2, 3, \ldots, n-1\}$
$\mathbb{Q}$	set y rhifau cymarebol, $\left\{\dfrac{p}{q}: p \in \mathbb{Z}_u, q \in \mathbb{Z}^+\right\}$
$\mathbb{Q}^+$	set y rhifau cymarebol positif, $\{x \in \mathbb{Q}: x > 0\}$
$\mathbb{Q}_0^+$	set y rhifau cymarebol positif a sero, $\{x \in \mathbb{Q}: x \geqslant 0\}$
$\mathbb{R}$	set y rhifau real
$\mathbb{R}^+$	set y rhifau real positif, $\{x \in \mathbb{R}: x > 0\}$
$\mathbb{R}_0^+$	set y rhifau real positif a sero, $\{x \in \mathbb{R}: x \geqslant 0\}$
$\mathbb{C}$	set y rhifau cymhlyg
(x, y)	y pâr trefnedig x, y
$A \times B$	lluosymiau cartesaidd setiau A a B, h.y. $A \times B = \{(a, b): a \in A, b \in B\}$
$\subseteq$	yn is-set o
$\subset$	yn is-set briodol o
$\cup$	uniad
$\cap$	croestoriad
$[a, b]$	y cyfwng caeedig, $\{x \in \mathbb{R}: a \leqslant x \leqslant b\}$
$[a, b)$, $[a, b[$	y cyfwng, $\{x \in \mathbb{R}: a \leqslant x < b\}$
$(a, b]$, $]a, b]$	y cyfwng, $\{x \in \mathbb{R}: a < x \leqslant b\}$
(a, b), $]a, b[$	y cyfwng agored, $\{x \in \mathbb{R}: a < x < b\}$
$y \, R \, x$	y yn perthyn i x trwy'r berthynas R
$y \sim x$	y yn gywerth ag x, yng nghyd-destun rhyw berthynas cywerthedd
$=$	yn hafal i
$\neq$	ddim yn hafal i
$\equiv$	yn unfath â neu yn gyfath i
$\approx$	tua'r un faint â/ag
$\cong$	yn isomorffig i
$\propto$	mewn cyfrannedd â/ag
$<$	yn llai na/nag
$\leqslant$, $\ngtr$	yn llai na neu'n hafal i, ddim yn fwy na

$>$	yn fwy na/nag
$\geqslant$, $\not<$	yn fwy na neu'n hafal i, ddim yn llai na
∞	anfeidredd
$p \wedge q$	p a q
$p \vee q$	p neu q (neu'r ddau)
$\sim p$	nid p
$p \Rightarrow q$	p yn ymhlygu q (os p yna q)
$p \Leftarrow q$	p a ymhlygir gan q (os q yna p)
$p \Leftrightarrow q$	p yn ymhlygu ac a ymhlygir gan q (p yn gywerth â q)
$\exists$	mae yna
$\forall$	ar gyfer yr holl
$a + b$	a adio b
$a - b$	a tynnu b
$a \times b$, ab, $a.b$	a wedi'i luosi â b
$a \div b$, $\dfrac{a}{b}$, a/b	a wedi'i rannu â b
$\displaystyle\sum_{i=1}^{n}$	$a_1 + a_2 + \ldots + a_n$
$\displaystyle\prod_{i=1}^{n}$	$a_1 \times a_2 \times \ldots \times a_n$
$\sqrt{a}$	ail isradd positif a
$|a|$	modwlws a
$n!$	n ffactorial
$\dbinom{n}{r}$	y cyfernod binomaidd $\dfrac{n!}{r!(n-r)!}$ ar gyfer $n \in \mathbb{Z}^{+}$
	$\dfrac{n(n-1)\ldots(n-r+1)}{r!}$ ar gyfer $n \in \mathbb{Q}$
f(x)	gwerth ffwythiant f yn x
f$:A \rightarrow B$	ffwythiant yw f fel bo gan bob elfen o set A ddelwedd yn set B
f$:x \rightarrow y$	mae ffwythiant f yn mapio elfen x i elfen y
f^{-1}	ffwythiant gwrthdro ffwythiant f
g $_\circ$ f, gf	ffwythiant cyfun f ac g sy'n cael ei ddiffinio gan (g $_\circ$ f)(x) neu gf(x) = g(f(x))
$\displaystyle\lim_{x \to a}$ f(x)	terfan f(x) wrth i x agosáu at a
Δx, δx	cynnydd x
$\dfrac{\mathrm{d}y}{\mathrm{d}x}$	deilliad y mewn perthynas ag x
$\dfrac{\mathrm{d}^n y}{\mathrm{d}x^n}$	$n$fed deilliad y mewn perthynas ag x
f$'(x)$, f$''(x)$, $\ldots$, f$^{(n)}(x)$	deilliad cyntaf, ail ddeilliad, $\ldots$, $n$fed deilliad f(x) mewn perthynas ag x
$\displaystyle\int y \,\mathrm{d}x$	integryn amhendant y mewn perthynas ag x
$\displaystyle\int_{b}^{a} y \,\mathrm{d}x$	integryn pendant y mewn perthynas ag x rhwng y terfannau
$\dfrac{\partial V}{\partial x}$	deilliad rhannol V mewn perthynas ag x
$\dot{x}$, $\ddot{x}$, $\ldots$	deilliad cyntaf, ail ddeilliad, $\ldots$ x mewn perthynas â t

e	bôn y logarithmau naturiol
e^x, exp x	ffwythiant esbonyddol x
$\log_a x$	logarithm x i'r bôn a
$\ln x$, $\log_e x$	logarithm naturiol x
$\lg x$, $\log_{10} x$	logarithm x i'r bôn 10
sin, cos, tan, cosec, sec, cot $\Big\}$	y ffwythiannau cylchol
arcsin, arccos, arctan, arccosec, arcsec, arccot $\Big\}$	y ffwythiannau cylchol gwrthdro
sinh, cosh, tanh, cosech, sech, coth $\Big\}$	y ffwythiannau hyperbolig
arsinh, arcosh, artanh, arcosech, arsech, arcoth $\Big\}$	y ffwythiannau hyperbolig gwrthdro
i, j	ail isradd -1
z	rhif cymhlyg, $z = x + iy$
Re z	rhan real z, Re $z = x$
Im z	rhan ddychmygol z, Im $z = y$
$|z|$	modwlws z, $|z| = \sqrt{(x^2 + y^2)}$
arg z	yr arg o z, arg $z = \theta$, $-\pi < \theta \leqslant \pi$
z^*	cyfiau cymhlyg z, $x - iy$
$\mathbf{M}$	matrics $\mathbf{M}$
$\mathbf{M}^{-1}$	gwrthdro matrics $\mathbf{M}$
$\mathbf{M}^{\mathrm{T}}$	trawsddodyn matrics $\mathbf{M}$
det $\mathbf{M}$ neu $|\mathbf{M}|$	determinant y matrics sgwâr $\mathbf{M}$
$\mathbf{a}$	fector $\mathbf{a}$
$\overrightarrow{AB}$	y fector a gynrychiolir mewn maint a chyfeiriad gan y segment llinell cyfeiriol AB
$\hat{a}$	fector uned yng nghyfeiriad $\mathbf{a}$
$\mathbf{i}$, $\mathbf{j}$, $\mathbf{k}$	fectorau uned yng nghyfeiriadau'r echelinau cyfesurynnol cartesaidd
$|\mathbf{a}|$, a	maint $\mathbf{a}$
$|\overrightarrow{AB}|$	maint $\overrightarrow{AB}$
$\mathbf{a} \cdot \mathbf{b}$	lluoswm sgalar $\mathbf{a}$ a $\mathbf{b}$
$\mathbf{a} \times \mathbf{b}$	lluoswm fector $\mathbf{a}$ a $\mathbf{b}$

Atebion

Ymarfer 1A

1 **a** $4x^3 + 5x - 7$ **b** $7x^7 - 5x^4 + 9x^2 + x$

   c $-2x^2 + 1$ **ch** $-x^3 + 4x + \dfrac{6}{x}$

   d $7x^4 - x^2 - \dfrac{4}{x}$ **dd** $4x^3 - 2x^2 + 3$

   e $3x - 4x^2 - 1$ **f** $2x^4 - \dfrac{x^2}{2}$

   ff $\dfrac{7x^2}{5} - \dfrac{x^3}{5} - \dfrac{2}{5x}$ **g** $2x - 3x^3 + 1$

   ng $\dfrac{x^7}{2} - \dfrac{9x^3}{2} - \dfrac{3}{x}$ **h** $3x^8 + 2x^3 + \dfrac{2}{3x}$

2 **a** $x + 3$ **b** $x + 4$ **c** $x + 3$

   ch $x + 7$ **d** $x + 5$ **dd** $x + 4$

   e $\dfrac{x - 4}{x - 3}$ **f** $\dfrac{x + 2}{x + 4}$ **ff** $\dfrac{x + 4}{x - 6}$

   g $\dfrac{2x + 3}{x - 5}$ **ng** $\dfrac{2x - 3}{x + 1}$ **h** $\dfrac{x - 2}{x + 2}$

   i $\dfrac{2x + 1}{x - 2}$ **j** $\dfrac{x + 4}{3x + 1}$ **l** $\dfrac{2x + 1}{2x - 3}$

Ymarfer 1B

1 **a** $x^2 + 5x + 3$ **b** $x^2 + 6x + 1$ **c** $x^2 + x - 9$
   ch $x^2 + 4x - 2$ **d** $x^2 - 3x + 7$ **dd** $x^2 + 4x + 5$
   e $x^2 - 3x + 2$ **f** $x^2 - 2x + 6$ **ff** $x^2 - 3x - 2$
   g $x^2 + 2x + 8$

2 **a** $6x^2 + 3x + 2$ **b** $4x^2 + x - 5$
   c $3x^2 + 2x - 2$ **ch** $3x^2 + 4x + 8$
   d $2x^2 - 2x - 3$ **dd** $2x^2 - 3x - 4$
   e $-3x^2 + 5x - 7$ **f** $-2x^2 - 3x + 5$
   ff $-5x^2 + 3x + 5$ **g** $-4x^2 + x - 1$

3 **a** $x^3 + 3x^2 - 4x + 1$ **b** $x^3 + 6x^2 - 5x - 4$
   c $4x^3 + 2x^2 - 3x - 5$ **ch** $3x^3 + 5x^2 - 3x + 2$
   d $-3x^3 + 3x^2 - 4x - 7$
   dd $3x^4 + 2x^3 - 8x^2 + 2x - 5$
   e $6x^4 - x^3 - 2x^2 - 5x - 2$
   f $-5x^4 + 2x^3 + 4x^2 - 3x + 7$
   ff $2x^5 - 3x^4 + 2x^3 - 8x^2 + 4x + 6$
   g $-x^5 + x^4 - x^3 + x^2 - 2x + 1$

Ymarfer 1C

1 **a** $x^2 - 2x + 5$ **b** $2x^2 - 6x + 1$
   c $-3x^2 - 12x + 2$
2 **a** $x^2 + 4x + 12$ **b** $2x^2 - x + 5$
   c $-3x^2 + 5x + 10$
3 **a** $x^2 - 5$ **b** $2x^2 + 7$ **c** $-3x^2 - 4$
4 **a** -8 **b** -7 **c** -12
7 $(x + 4)(5x^2 - 20x + 7)$
8 $3x^2 + 6x + 4$
9 $x^2 + x + 1$
10 $x^3 - 2x^2 + 4x - 8$

Ymarfer 1Ch

2 $(x - 1)(x + 3)(x + 4)$
3 $(x + 1)(x + 7)(x - 5)$
4 $(x - 5)(x - 4)(x + 2)$
5 $(x - 2)(2x - 1)(x + 4)$

6 **a** $(x + 1)(x - 5)(x - 6)$
   b $(x - 2)(x + 1)(x + 2)$
   c $(x - 5)(x + 3)(x - 2)$
7 **a** $(x - 1)(x + 3)(2x + 1)$ **b** $(x - 3)(x - 5)(2x - 1)$
   c $(x + 1)(x + 2)(3x - 1)$ **ch** $(x + 2)(2x - 1)(3x + 1)$
   d $(x - 2)(2x - 5)(2x + 3)$
8 2
9 -16
10 $p = 3, q = 7$

Ymarfer 1D

1 **a** 27 **b** -6 **c** 0 **ch** 1
   d $2\frac{1}{4}$ **dd** 8 **e** 14 **f** 0
   ff $-15\frac{1}{3}$ **g** 20.52
2 -1
3 18
4 30
7 -9
8 $8\frac{8}{27}$
9 $a = 5, b = -8$
10 $p = 8, q = 3$

Ymarfer cymysg 1Dd

1 **a** $x^3 - 7$ **b** $\dfrac{x + 4}{x - 1}$ **c** $\dfrac{2x - 1}{2x + 1}$

2 $3x^2 + 5$
3 $2x^2 - 2x + 5$
4 $A = 2, B = 4, C = -5$
5 $p = 1, q = 3$
6 $(x - 2)(x + 4)(2x - 1)$
7 7
8 $7\frac{1}{4}$
9 **a** $p = -1, q = -15$ **b** $(x + 3)(2x - 5)$
10 **a** $r = 3, s = 0$ **b** $1\frac{13}{27}$
11 **a** $(x - 1)(x + 5)(2x + 1)$ **b** $-5, -\frac{1}{2}, 1$
12 -2
13 -18
14 $2, -\dfrac{3}{2} \pm \dfrac{\sqrt{5}}{2}$
15 $\frac{1}{2}, 3$

Ymarfer 2A

1 **a** 15.2 cm   **b** 9.57 cm   **c** 8.97 cm   **ch** 4.61 cm
2 **a** $x = 84, y = 6.32$
   b $x = 13.5, y = 16.6$
   c $x = 85, y = 13.9$
   ch $x = 80, y = 6.22$ (Δ isosgeles)
   d $x = 6.27, y = 7.16$
   dd $x = 4.49, y = 7.49$ (ongl sgwâr)
3 **a** 1.41 cm ($\sqrt{2}$ cm)   **b** 1.93 cm
4 **a** 6.52 km   **b** 3.80 km
5 **a** 7.31 cm   **b** 1.97 cm

Ymarfer 2B

1 **a** 36.4 **b** 35.8 **c** 40.5 **ch** 130
2 **a** 48.1 **b** 45.6 **c** 14.8
   ch 48.7 **d** 86.5 **dd** 77.4

3 $\angle QPR = 50.6°$, $\angle PQR = 54.4°$
4 a $x = 43.2$, $y = 5.02$ **b** $x = 101$, $y = 15.0$
   c $x = 6.58$, $y = 32.1$ **ch** $x = 54.6$, $y = 10.3$
   d $x = 21.8$, $y = 3.01$ **dd** $x = 45.9$, $y = 3.87$

5 Gan ddefnyddio'r rheol sin, $x = \dfrac{4\sqrt{2}}{2 + \sqrt{2}}$; gan gymarebu

$$x = \frac{4\sqrt{2}(2 - \sqrt{2})}{2} = 4\sqrt{2} - 4 = 4(\sqrt{2} - 1).$$

Ymarfer 2C

1 a $70.5°$, $109°$ $(109.5°)$
2 a $x = 74.6$, $y = 65.4$
       $x = 105$, $y = 34.6$
   b $x = 59.8$, $y = 48.4$
       $x = 120$, $y = 27.3$
   c $x = 56.8$, $y = 4.37$
       $x = 23.2$, $y = 2.06$
3 a 5 cm $(\angle ACB = 90°)$ **b** $24.6°$
   c $45.6°$, $134(.4)°$
4 2.96 cm
5 Mewn un triongl $\angle ABC = 101°$ $(100.9°)$; yn y llall $\angle BAC = 131°$ $(130.9°)$.

Ymarfer 2Ch

1 a 3.19 cm   **b** 1.73 cm $(\sqrt{3}$ cm$)$
   c 9.85 cm   **ch** 4.31 cm
   d 6.84 cm (isosgeles)   **dd** 9.80 cm
2 11.2 km
3 302 llath $(301.5...)$
4 4.4
5 42
6 b Minimwm $AC^2 = 60.75$;
     mae'n digwydd pan yw $x = \frac{1}{2}$.

Ymarfer 2D

1 a $108(.2)°$ **b** $90°$ **c** $60°$
   ch $52.6°$ **d** $137°$ **dd** $72.2°$
2 $128.5°$ neu $031.5°$ $(\angle BAC = 48.5°)$
3 $\angle ACB = 22.3°$
4 $\angle ABC = 108(.4)°$
5 $104°$ $(104.48°)$
6 b 3.5

Ymarfer 2Dd

1 a $x = 37.7$, $y = 86.3$, $z = 6.86$
   b $x = 48$, $y = 19.5$, $z = 14.6$
   c $x = 30$, $y = 11.5$, $z = 11.5$
   ch $x = 21.0$, $y = 29.0$, $z = 8.09$
   d $x = 93.8$, $y = 56.3$, $z = 29.9$
   dd $x = 97.2$, $y = 41.4$, $z = 41.4$
   e $x = 45.3$, $y = 94.7$, $z = 14.7$
       neu $x = 134.7$, $y = 5.27$, $z = 1.36$
   f $x = 7.07$, $y = 73.7$, $z = 61.2$
       neu $x = 7.07$, $y = 106$, $z = 28.7$
   ff $x = 49.8$, $y = 9.39$, $z = 37.0$
2 a $\angle ABC = 108°$, $\angle ACB = 32.4°$, $AC = 15.1$ cm
   b $\angle BAC = 41.5°$, $\angle ABC = 28.5°$, $AB = 9.65$ cm
3 a 8 km   **b** $060°$
4 107 km
5 12 km
6 a 5.44 **b** 7.95 **c** 36.8
7 a $AB + BC > AC \Rightarrow x + 6 > 7 \Rightarrow x > 1$;
       $AC + AB > BC \Rightarrow 11 > x + 2 \Rightarrow x < 9$
   b i $x = 6.08$ o $x^2 = 37$,
     ii $x = 7.23$ o
          $x^2 - 4(\sqrt{2} - 1)x - (29 + 8\sqrt{2}) = 0$

8 $x = 4$
9 $AC = 1.93$ cm
10 b $\frac{1}{2}$
11 $4\sqrt{10}$
12 $AC = 1\frac{2}{3}$ cm a $BC = 6\frac{1}{3}$ cm

Ymarfer 2E

1 a 23.7 cm^2 **b** 4.31 cm^2 **c** 20.2 cm^2
2 a $x = 41.8$ neu $138(.2)$
   b $x = 26.7$ neu $153(.3)$
   c $x = 60$ neu 120
3 $275(.3)$ m (trydedd ochr $= 135.3$ m)
4 3.58
5 b Macsimwm $A = 3\frac{1}{16}$, pan yw $x = 1\frac{1}{2}$
6 b 2.11

Ymarfer cymysg 2F

1 a $155°$
   b 13.7 cm
2 a $x = 49.5$, arwynebedd $= 1.37$ cm^2
   b $x = 55.2$, arwynebedd $= 10.6$ cm^2
   c $x = 117$, arwynebedd $= 6.66$ cm^2
3 6.50 cm^2
4 a 36.1 cm^2 **b** 12.0 cm^2
5 a 5 **b** $\dfrac{25\sqrt{3}}{2}$ cm^2
7 b $1\frac{1}{2}$ cm^2
8 a 4 **b** $\dfrac{15\sqrt{3}}{4}$ (6.50) cm^2

Ymarfer 3A

1 a
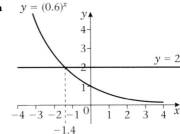

   b $x \approx 2.6$
2 a
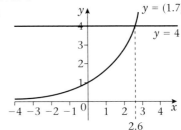

   b $x \approx -1.4$
3

Ymarfer 3B

1 a $\log_4 256 = 4$ **b** $\log_3\left(\frac{1}{9}\right) = -2$
   c $\log_{10} 1\,000\,000 = 6$ **ch** $\log_{11} 11 = 1$
   d $\log_{0.2} 0.008 = 3$

2 a $2^4 = 16$ **b** $5^2 = 25$
   c $9^{\frac{1}{2}} = 3$ **ch** $5^{-1} = 0.2$
   d $10^5 = 100\,000$

3 a 3   **b** 2   **c** 7   **ch** 1   **d** 6
   dd $\frac{1}{2}$ **e** -1 **f** -2 **ff** 10   **g** -2

4 a 625   **b** 9   **c** 7   **ch** 2

Ymarfer 3C

1 1.30   **2** 0.602   **3** 3.85   **4** -0.105
5 1.04   **6** 1.55   **7** -0.523 **8** 3.00

Ymarfer 3Ch

1 a $\log_2 21$ **b** $\log_2 9$ **c** $\log_5 80$
   ch $\log_6\left(\frac{64}{81}\right)$ **d** $\log_{10} 120$

2 a $\log_2 8 = 3$ **b** $\log_6 36 = 2$ **c** $\log_{12} 144 = 2$
   ch $\log_8 2 = \frac{1}{3}$ **d** $\log_{10} 10 = 1$

3 a $3\log_a x + 4\log_a y + \log_a z$
   b $5\log_a x - 2\log_a y$
   c $2 + 2\log_a x$
   ch $\log_a x + \frac{1}{2}\log_a y - \log_a z$
   d $\frac{1}{2} + \frac{1}{2}\log_a x$

Ymarfer 3D

1 a 6.23   **b** 2.10   **c** 0.431   **ch** 1.66
   d -3.22 **dd** 1.31   **e** -3.24 **f** -0.0617
   ff 1.42   **g** -0.542

2 a 0, 2.32   **b** 1.26, 2.18   **c** 1.21
   ch 0.631   **d** 0.565, 0.712

Ymarfer 3Dd

1 a 2.460   **b** 3.465   **c** 4.248
   ch 0.458   **d** 0.774

2 a 1.27   **b** 2.09   **c** 0.721
3 a $\frac{1}{2}$, 512   **b** $\frac{1}{16}$, $\frac{1}{4}$ **c** 2.52

Ymarfer cymysg 3E

1 $x = -1, x = 0$
2 a $2\log_a p + \log_a q$ **b** $\log_a p = 4, \log_a q = 1$
3 a $\frac{1}{4}p$ **b** $\frac{3}{4}p + 1$
4 a 9   **b** 12   **c** $\frac{1}{9}$, 9
5 b 2.32
6 $x = \frac{3}{22}, y = \frac{24}{11}$
7 $\frac{1}{3}$, 9
8 $-\frac{1}{3}$, -2
9 (4, 16) neu (16, 4)
11 b $x = \dfrac{\sqrt{3}}{4}, y = \dfrac{\sqrt{3}}{2}$
12 b $\alpha = \frac{1}{4}, \beta = \frac{3}{2}$ **ch** 0.585

Ymarfer 4A

1 a (5, 5)   **b** (6, 4)   **c** $(-1, 4)$
   ch (0, 0)   **d** (1, 4)   **dd** (2, 1)
   e $\left(-8, \frac{3}{2}\right)$ **f** $(4a, 0)$ **ff** $(3p, 2q)$
   g $\left(\dfrac{3s}{2}, -3t\right)$ **ng** $\left(-\dfrac{u}{2}, -v\right)$ **h** $(2a, a - b)$
   i $(3\sqrt{2}, 4)$ **j** $\left(2\sqrt{3}, \dfrac{5\sqrt{5}}{2}\right)$ **l** $(2\sqrt{2}, \sqrt{2} + 3\sqrt{3})$

2 $\left(\frac{3}{2}, 7\right)$
3 $\left(\dfrac{3a}{5}, \dfrac{b}{4}\right)$
4 $\left(\frac{3}{2}, 3\right)$
5 $\left(\frac{1}{8}, \frac{5}{3}\right)$
6 $\left(3, -\frac{7}{2}\right)$
7 (10, 5)
8 $(-7a, 17a)$
9 $p = 8, q = 7$
10 $a = -2, b = 4$

Ymarfer 4B

1 $y = -x + 7$
2 $2x - y - 8 = 0$
3 a $(10, -10)$
   b $y = \frac{3}{4}x - \frac{35}{2}$
4 $y = -\frac{7}{3}x - 50$
6 $8x + 6y - 5 = 0$
7 $(-3, 2)$
8 $(8, 0)$
9 a i $y = 2x$ **ii** $y = -x + 9$
   b $(3, 6)$
10 $(-3, 6)$

Ymarfer 4C

1 a 10   **b** 13   **c** 5
   ch $\sqrt{5}$ **d** $2\sqrt{10}$ **dd** $\sqrt{106}$
   e $\sqrt{113}$ **f** $a\sqrt{53}$ **ff** $3b\sqrt{5}$
   g $5c$ **ng** $d\sqrt{61}$ **h** $2e\sqrt{5}$
   i $\sqrt{10}$ **j** $5\sqrt{3}$ **l** $4\sqrt{2}$

2 10
4 $\sqrt{10}$
5 (3, 6)
7 a i $2\sqrt{5}$ **ii** 5
   b $\sqrt{10}$
8 (2, 3)
9 15
10 b 50   **c** (3, 6)

Ymarfer 4Ch

1 a $(x - 3)^2 + (y - 2)^2 = 16$
   b $(x + 4)^2 + (y - 5)^2 = 36$
   c $(x - 5)^2 + (y + 6)^2 = 12$
   ch $(x - 2a)^2 + (y - 7a)^2 = 25a^2$
   d $(x + 2\sqrt{2})^2 + (y + 3\sqrt{2})^2 = 1$

2 a $(-5, 4), 9$ **b** $(7, 1), 4$
   c $(-4, 0), 5$ **ch** $(-4a, -a), 12a$
   d $(3\sqrt{5}, -\sqrt{5}), 3\sqrt{3}$

4 $(x - 8)^2 + (y - 1)^2 = 25$
5 $\left(x - \frac{3}{2}\right)^2 + (y - 4)^2 = \frac{65}{4}$
6 $\sqrt{5}$
8 a $3\sqrt{10}$
9 a $(x - 4)^2 + (y - 6)^2 = 73$ **b** $3x + 8y + 13 = 0$
10 a $(0, -17), (17, 0)$ **b** 144.5

Ymarfer 4D

1 $(7, 0), (-5, 0)$
2 $(0, 2), (0, -8)$
3 $a = -2, 8$ $b = -8, 2$
4 $(6, 10), (-2, 2)$
5 $(4, -9), (-7, 2)$
9 $(0, -2), (4, 6)$
10 a 13   **b** 1, 5

Ymarfer cymysg 4Dd

1 $(x - 2)^2 + (y + 4)^2 = 20$
2 a $2\sqrt{29}$ **b** 12
3 $(-1, 0), (11, 0)$
4 $m = 7 - \sqrt{105}, n = 7 + \sqrt{105}$
5 4
6 $x + y + 10 = 0$
7 a $a = 3, b = \sqrt{91} - 8$
  b $y = \left(\dfrac{8 - \sqrt{91}}{3}\right)(x - 3)$

8 a $c = 10, d = \sqrt{165} + 5$ **b** $5(\sqrt{165} + 5)$
9 a $p = 0, q = 24$ **b** $(0, 49), (0, -1)$
11 $(1, 3)$
12 $(x - 2)^2 + (y + 2)^2 = 61$
13 a i $y = -4x - 4$ **ii** $x = -2$ **b** $(-2, 4)$
14 b $\sqrt{106}$
15 a $(4, 0), (0, 12)$ **b** $(2, 6)$
  c $(x - 2)^2 + (y - 6)^2 = 40$
16 $(x + 2)^2 + y^2 = 34$
17 60
19 a $r = 2$
20 a $p = 1, q = 4$ **b i** $-\frac{2}{3}$ **ii** $\frac{3}{2}$

Ymarfer 5A

1 a $x^4 + 4x^3y + 6x^2y^2 + 4xy^3 + y^4$
  b $p^5 + 5p^4q + 10p^3q^2 + 10p^2q^3 + 5pq^4 + q^5$
  c $a^3 - 3a^2b + 3ab^2 - b^3$
  ch $x^3 + 12x^2 + 48x + 64$
  d $16x^4 - 96x^3 + 216x^2 - 216x + 81$
  dd $a^5 + 10a^4 + 40a^3 + 80a^2 + 80a + 32$
  e $81x^4 - 432x^3 + 864x^2 - 768x + 256$
  f $16x^4 - 96x^3y + 216x^2y^2 - 216xy^3 + 81y^4$
2 a 16 **b** -10 **c** 8 **ch** 1280
  d 160 **dd** -2 **e** 40 **f** -96
3 ch $1 + 9x + 30x^2 + 44x^3 + 24x^4$
4 $8 + 12y + 6y^2 + y^3, 8 + 12x - 6x^2 - 11x^3 + 3x^4 + 3x^5 - x^6$
5 -143
6 ± 3
7 $\frac{5}{2}, -1$
8 $\frac{3}{4}$

Ymarfer 5B

1 a 24 **b** 720 **c** 56
  ch 10 **d** 6 **dd** 28
  e 10 **f** 20 **ff** 10
  g 15 **ng** 56 **h** $\dfrac{n(n - 1)(n - 2)}{6}$
2 a 1 **b** 4 **c** 6 **ch** 4 **d** 1
3 a $\binom{3}{0}\binom{3}{1}\binom{3}{2}\binom{3}{3}$ **b** $\binom{5}{0}\binom{5}{1}\binom{5}{2}\binom{5}{3}\binom{5}{4}\binom{5}{5}$
4 a Mae dewis grŵp o 4 o 6 yn creu grŵp o 2.
  b $^6C_2 = 15, \binom{6}{4} = 15$

Ymarfer 5C

1 a $16x^4 + 32x^3y + 24x^2y^2 + 8xy^3 + y^4$
  b $p^5 - 5p^4q + 10p^3q^2 - 10p^2q^3 + 5pq^4 - q^5$
  c $1 + 8x + 24x^2 + 32x^3 + 16x^4$
  ch $81 + 108x + 54x^2 + 12x^3 + x^4$
  d $1 - 2x + \frac{3}{2}x^2 - \frac{1}{2}x^3 + \frac{1}{16}x^4$
  dd $256 - 256x + 96x^2 - 16x^3 + x^4$
  e $32x^5 + 240x^4y + 720x^3y^2 + 1080x^2y^3$
      $+ 810xy^4 + 243y^5$
  f $x^6 + 12x^5 + 60x^4 + 160x^3 + 240x^2 + 192x + 64$

2 a $90x^3$ **b** $80x^3y^2$ **c** $-20x^3$
  ch $720x^3$ **d** $120x^3$ **dd** $-4320x^3$
  e $1140x^3$ **f** $-241\,920x^3$
3 a $1 + 10x + 45x^2 + 120x^3$
  b $1 - 10x + 40x^2 - 80x^3$
  c $1 + 18x + 135x^2 + 540x^3$
  ch $256 - 1024x + 1792x^2 - 1792x^3$
  d $1024 - 2560x + 2880x^2 - 1920x^3$
  dd $2187 - 5103x + 5103x^2 - 2835x^3$
  e $x^8 + 16x^7y + 112x^6y^2 + 448x^5y^3$
  f $512x^9 - 6912x^8y + 41\,472x^7y^2 - 145\,152x^6y^3$
4 $a = \pm\frac{1}{2}$
5 $b = -2$
6 $1, \dfrac{5 \pm \sqrt{105}}{8}$

7 $1 - 0.6x + 0.15x^2 - 0.02x^3, 0.941\,48$, yn gywir i 5 lle degol
8 $1024 + 1024x + 460.8x^2 + 122.88x^3, 1666.56$, yn gywir i 3 ffig. yst.

Ymarfer 5Ch

1 a $1 + 8x + 28x^2 + 56x^3$
  b $1 - 12x + 60x^2 - 160x^3$
  c $1 + 5x + \frac{45}{4}x^2 + 15x^3$
  ch $1 - 15x + 90x^2 - 270x^3$
  d $128 + 448x + 672x^2 + 560x^3$
  dd $27 - 54x + 36x^2 - 8x^3$
  e $64 - 576x + 2160x^2 - 4320x^3$
  f $256 + 256x + 96x^2 + 16x^3$
  ff $128 + 2240x + 16\,800x^2 + 70\,000x^3$
3 $a = 162, b = 135, c = 0$
4 a $p = 5$ **b** -10 **c** -80
5 $1 + 16x + 112x^2 + 448x^3, 1.171\,648$, yn gywir i 4 ffig. yst.

Ymarfer cymysg 5D

1 a $p = 16$ **b** 270 **c** -1890
2 a $A = 8192, B = -53\,248, C = 159\,744$
3 a $1 - 20x + 180x^2 - 960x^3$
  b $0.817\,04, x = 0.01$
4 a $1024 - 153\,60x + 103\,680x^2 - 414\,720x^3$
  b 880.35
5 a $81 + 216x + 216x^2 + 96x^3 + 16x^4$
  b $81 - 216x + 216x^2 - 96x^3 + 16x^4$
  c 1154
6 a $n = 8$ **b** $\frac{35}{8}$
7 a $81 + 1080x + 5400x^2 + 12\,000x^3 + 10\,000x^4$
  b $1\,012\,054\,108\,081, x = 100$
8 a $1 + 24x + 264x^2 + 1760x^3$
  b $1.268\,16$
  c $1.268\,241\,795$
  ch $0.006\,45\%$ (3 ffig. yst.)
9 $x^5 - 5x^3 + 10x - \dfrac{10}{x} + \dfrac{5}{x^3} - \dfrac{1}{x^5}$
10 b $\dfrac{4096}{729} + \dfrac{2048}{81}x + \dfrac{1280}{27}x^2 + \dfrac{1280}{27}x^3$
11 a $64 + 192x + 240x^2 + 160x^3 + 60x^4 + 12x^5 + x^6$
  b $k = 1560$
12 a $k = 1.25$ **b** 3500
13 a $A = 64, B = 160, C = 20$ **b** $x = \pm\sqrt{\frac{3}{2}}$
14 a $p = 1.5$ **b** 50.625

Ymarfer 6A

1 a $9°$ **b** $12°$ **c** $75°$
  ch $90°$ **d** $140°$ **dd** $210°$
  e $225°$ **f** $270°$ **ff** $540°$

2 a 26.4°   **b** 57.3°   **c** 65.0°   **ch** 99.2°
   d 143.2°   **dd** 179.9°   **e** 200.0°

3 a 0.479   **b** 0.156   **c** 1.74
   ch 0.909   **d** -0.897

4 a $\dfrac{2\pi}{45}$ **b** $\dfrac{\pi}{18}$ **c** $\dfrac{\pi}{8}$ **ch** $\dfrac{\pi}{6}$
   d $\dfrac{\pi}{4}$ **dd** $\dfrac{\pi}{3}$ **e** $\dfrac{5\pi}{12}$ **f** $\dfrac{4\pi}{9}$
   ff $\dfrac{5\pi}{8}$ **g** $\dfrac{2\pi}{3}$ **ng** $\dfrac{3\pi}{4}$ **h** $\dfrac{10\pi}{9}$
   i $\dfrac{4\pi}{3}$ **j** $\dfrac{3\pi}{2}$ **l** $\dfrac{7\pi}{4}$ **ll** $\dfrac{11\pi}{6}$

5 a 0.873   **b** 1.31   **c** 1.75
   ch 2.79   **d** 4.01   **dd** 5.59

Ymarfer 6B

1 a i 2.7   **ii** 2.025   **iii** 7.5π (23.6)
   b i $16\frac{2}{3}$ **ii** 1.8   **iii** 3.6
   c i $1\frac{1}{3}$ **ii** 0.8   **iii** 2

2 $\dfrac{10\pi}{3}$ cm

3 2π

4 $5\sqrt{2}$ cm

5 a 10.4 cm   **b** $1\frac{1}{4}$

6 7.5

7 0.8

8 a $\dfrac{\pi}{3}$ **b** $\left(6+\dfrac{4\pi}{3}\right)$ cm

9 6.8 cm

10 a $(R-r)$ cm   **c** 2.43

Ymarfer 6C

1 a 19.2 cm²   **b** 6.75π cm²   **c** 1.296π cm²
   ch 38.3 cm²   **d** $5\frac{1}{3}\pi$ cm²   **dd** 5 cm²

2 a 4.47   **b** 3.96   **c** 1.98

3 12 cm²

4 b 120 cm²

5 $40\frac{2}{3}$ cm

6 a 12   **c** 1.48 cm²

8 38.7 cm²

9 8.88 cm²

10 a 1.75 cm²   **b** 25.9 cm²   **c** 25.9 cm²

11 9 cm²

12 b 28 cm

13 78.4 ($\theta=0.8$)

14 b 34.1 m²

Ymarfer cymysg 6Ch

1 a $\dfrac{\pi}{3}$ **b** 8.56 cm²

2 a 120 cm²   **b** 2.16   **c** 161.07 cm²

3 a 1.839   **b** 11.03

4 a $\dfrac{p}{r}$ **c** 12.206 cm²
   ch $1.106<\theta<1.150$

5 a 1.28   **b** 16   **c** 1 : 3.91

6 b $(3\pi+12)$ cm
   c $\left(18+\dfrac{3\pi}{2}\right)$ cm
   ch 12.9 mm

7 c f(2.3) = -0.033, f(2.32) = $+0.034$

8 b i 6.77   **ii** 15.7   **iii** 22.5

9 b 15.7   **c** 5.025 cm²

11 a $2\sqrt{3}$ cm   **b** 2π cm²

12 b i 80.9 m   **ii** 26.7 m   **iii** 847 m²

13 c 20.7 cm²

14 b 16π cm   **c** 177 cm²

Ymarfer 7A

1 a Geometrig $r=2$ **b** Ddim yn geometrig
   c Ddim yn geometrig   **ch** Geometrig $r=3$
   d Geometrig $r=\frac{1}{2}$ **dd** Geometrig $r=-1$
   e Geometrig $r=1$ **f** Geometrig $r=-\frac{1}{4}$

2 a 135, 405, 1215   **b** -32, 64, -128
   c 7.5, 3.75, 1.875   **ch** $\frac{1}{64}, \frac{1}{256}, \frac{1}{1024}$
   d p^3, p^4, p^5 **dd** $-8x^4$, $16x^5$, $-32x^6$

3 a $3\sqrt{3}$ **b** $9\sqrt{3}$

Ymarfer 7B

1 a 486, 39 366, $2\times3^{n-1}$
   b $\dfrac{25}{8}, \dfrac{25}{128}, \dfrac{100}{2^{n-1}}$
   c -32, -512, $(-2)^{n-1}$
   ch 1.610 51, 2.357 95, $(1.1)^{n-1}$

2 10, 6250

3 $a=1$, $r=2$

4 $\pm\frac{1}{8}$

5 -6 (o $x=0$), 4 (o $x=10$)

Ymarfer 7C

1 a 220   **b** 242   **c** 266   **ch** 519

2 57.7, 83.2

3 £18 000, ar ôl 7.88 blwyddyn

4 34

5 11fed term

6 59 diwrnod

7 20.15 blwyddyn

8 11.2 blwyddyn

Ymarfer 7Ch

1 a 255   **b** 63.938 (3 lle degol)
   c -728 **ch** $546\frac{2}{3}$
   d 5460   **dd** 19 680
   e 5.994 (3 lle degol)   **f** 44.938 (3 lle degol)

2 $\frac{5}{4}, -\frac{9}{4}$

3 $2^{64}-1=1.84\times10^{19}$

4 a £49 945.41   **b** £123 876.81

5 a 2.401   **b** 48.8234

6 19 term

7 22 term

8 26 diwrnod, 98.5 milltir ar y 25ain diwrnod

9 25 mlynedd

Ymarfer 7D

1 a $\frac{10}{9}$ **b** Ddim yn bodoli
   c $6\frac{2}{3}$ **ch** Ddim yn bodoli
   d Ddim yn bodoli   **dd** $4\frac{1}{2}$
   e Ddim yn bodoli   **f** 90
   ff $\dfrac{1}{1-r}$ if $|r|<|$ **g** $\dfrac{1}{1+2x}$ if $|x|<\frac{1}{2}$

2 $\frac{2}{3}$

3 $-\frac{2}{3}$

4 20

5 $\frac{40}{3}=13\frac{1}{3}$

6 $\frac{23}{99}$

7 4

8 40 m

9 $r < 0$ oherwydd $S_\infty < S_3$, $a = 12$, $r = -\frac{1}{2}$

10 $r = \pm\sqrt{\dfrac{2}{3}}$

Ymarfer cymysg 7Dd

1 **a** Ddim yn geometrig **b** Geometrig $r = 1.5$
  c Geometrig $r = \frac{1}{2}$ **ch** Geometrig $r = -2$
  d Ddim yn geometrig **dd** Geometrig $r = 1$

2 **a** 0.8235 (4 lle degol), $10 \times (0.7)^{n-1}$
  b 640, $5 \times 2^{n-1}$
  c -4, $4 \times (-1)^{n-1}$
  ch $-\frac{3}{128}$, $3 \times (-\frac{1}{2})^{n-1}$

3 **a** 4092 **b** 19.98 (2 le degol)
  c 50 **ch** 3.33 (2 le degol)

4 **a** 9 **b** $\frac{8}{3}$
  c Ddim yn cydgyfeirio **ch** $\frac{16}{3}$

5 **b** 60.75 **c** 182.25 **ch** 3.16

6 **b** 200 **c** $333\frac{1}{3}$ **ch** 8.95×10^{-4}

7 **a** 76, 60.8 **b** 0.876 **c** 367 **ch** 380

8 **a** 1, $\frac{1}{3}$, $-\frac{1}{9}$

9 **a** 0.8 **b** 10 **c** 50 **ch** 0.189 (3 ffig. yst.)

10 **a** $V = 2000 \times 0.85^a$ **b** £8874.11
  c 9.9 blwyddyn

11 **a** $-\frac{1}{2}$ **b** $\frac{3}{4}$, -2 **c** 14 **ch** 867.62

12 **b** £12 079.98

13 **a** 1 awr 21 munud **c** 3 awr 25 munud

14 **a** 136 litr **c** 872

15 **b** 2015 **c** £23 700 (£23 657)

16 25 mlynedd

Ymarfer 8A

1 **a**

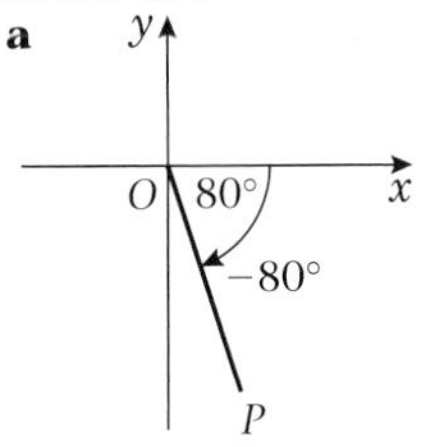

b

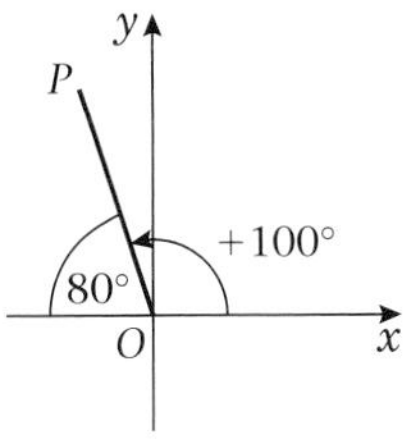

c

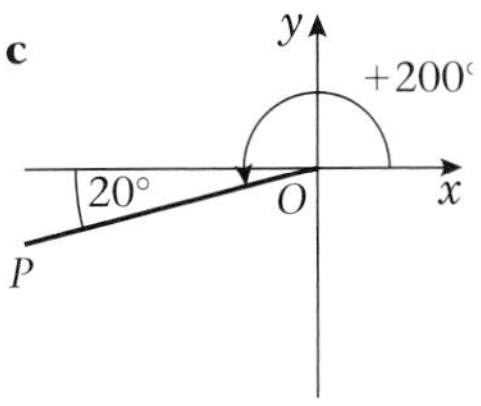

ch

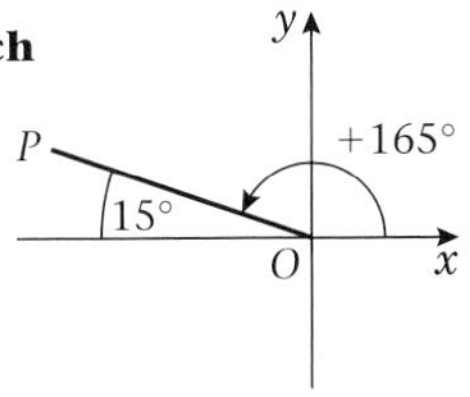

d

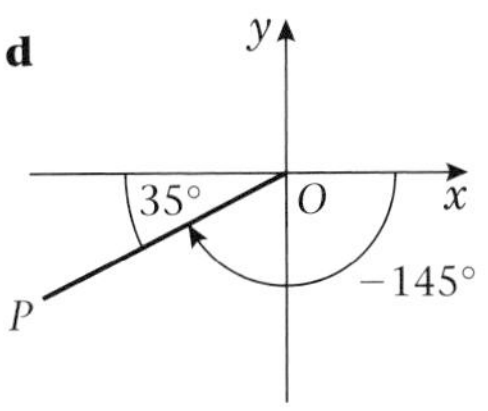

dd

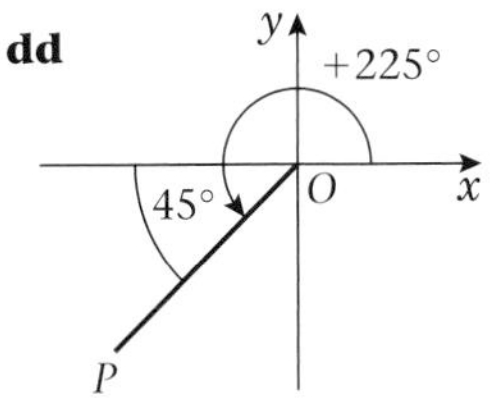

e

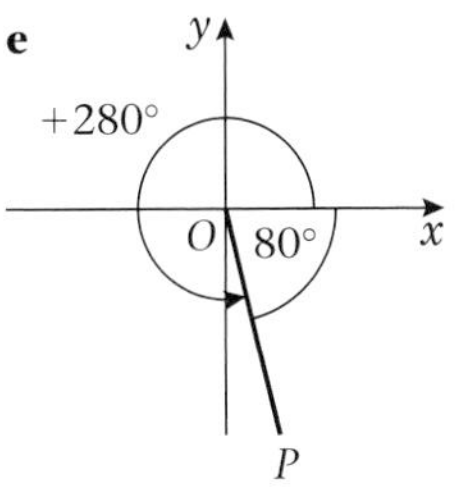

f

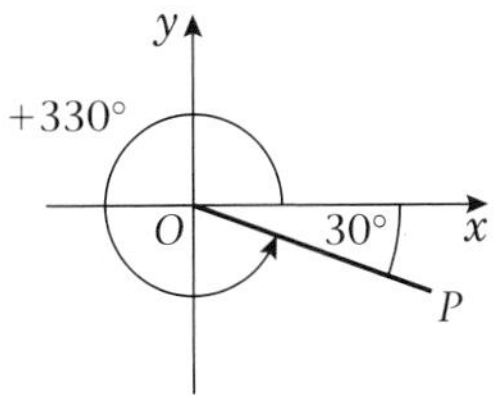

ff

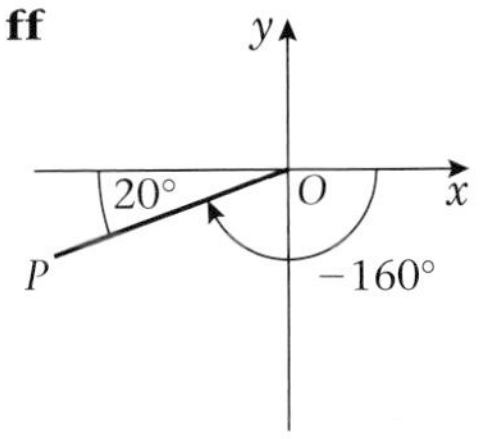

g

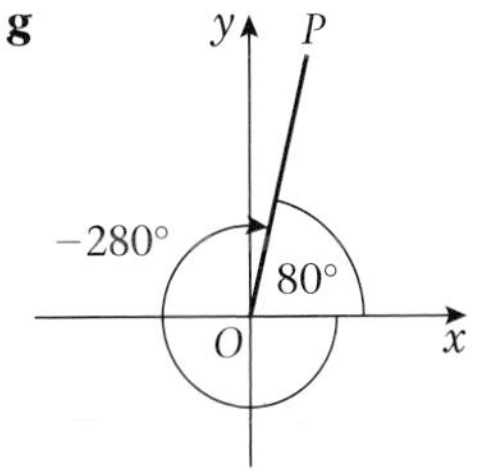

ng

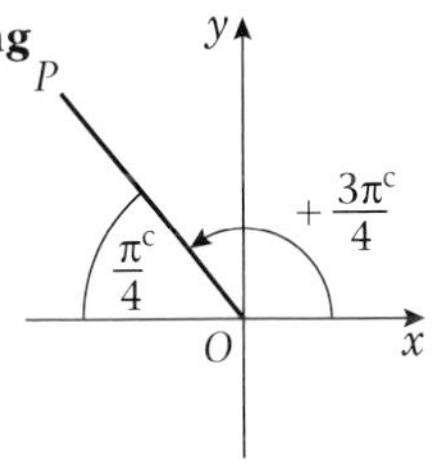

h

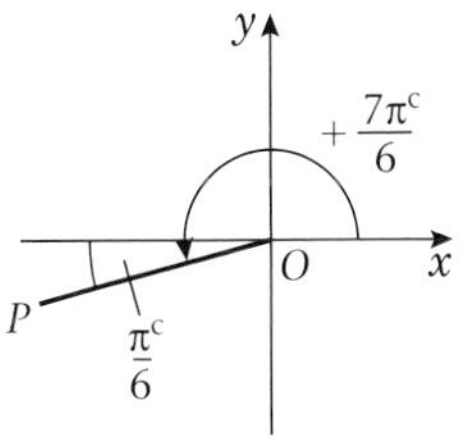

i

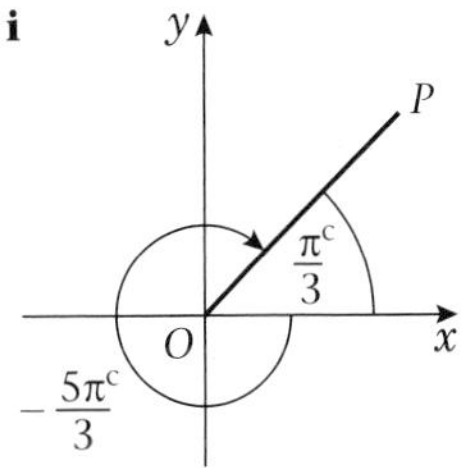

j

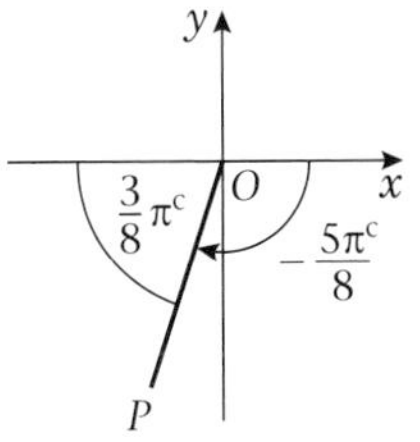

l

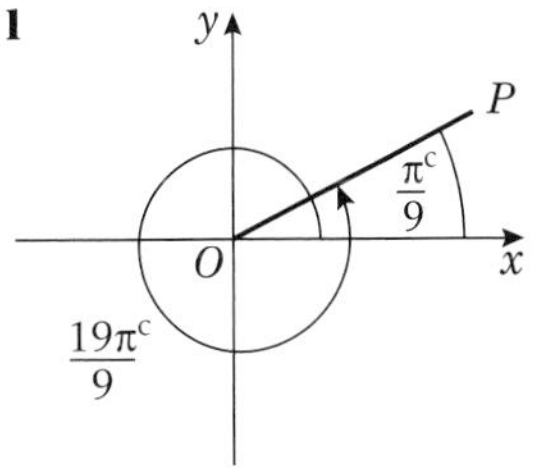

2 **a** Cyntaf **b** Ail **c** Ail **ch** Trydydd
  d Trydydd **dd** Ail **e** Cyntaf **f** Pedwerydd

Ymarfer 8B

1 **a** -1 **b** 1 **c** 0 **ch** -1
  d -1 **dd** 0 **e** 0 **f** 0
  ff 0 **g** 0

2 **a** -1 **b** -1 **c** 0 **ch** -1
  d 1 **dd** -1 **e** 0 **f** 0
  ff 0 **g** 0

Ymarfer 8C

1 **a** $-\sin 60°$ **b** $-\sin 80°$ **c** $\sin 20°$
  ch $-\sin 60°$ **d** $\sin 80°$ **dd** $-\cos 70°$
  e $-\cos 80°$ **f** $\cos 50°$ **ff** $-\cos 20°$
  g $-\cos 5°$ **ng** $-\tan 80°$ **h** $-\tan 35°$
  i $-\tan 30°$ **j** $\tan 5°$ **l** $\tan 60°$
  ll $-\sin\frac{\pi}{6}$ **m** $-\cos\frac{\pi}{3}$ **n** $-\cos\frac{\pi}{4}$
  o $\tan\frac{2\pi}{5}$ **p** $-\tan\frac{\pi}{3}$ **ph** $\sin\frac{\pi}{16}$
  r $\cos\frac{2\pi}{5}$ **rh** $-\sin\frac{\pi}{7}$ **s** $-\tan\frac{\pi}{8}$

2 **a** $-\sin\theta$ **b** $-\sin\theta$ **c** $-\sin\theta$
  ch $\sin\theta$ **d** $-\sin\theta$ **dd** $\sin\theta$
  e $-\sin\theta$ **f** $-\sin\theta$ **ff** $\sin\theta$

3 a $-\cos\theta$ **b** $-\cos\theta$ **c** $\cos\theta$
   ch $-\cos\theta$ **d** $\cos\theta$ **dd** $-\cos\theta$
   e $-\tan\theta$ **f** $-\tan\theta$ **ff** $\tan\theta$
   g $\tan\theta$ **ng** $-\tan\theta$ **h** $\tan\theta$

4 Mae $\sin\theta$ a $\tan\theta$ yn ffwythiannau odrif
   Mae $\cos\theta$ yn ffwythiant eilrif

Ymarfer 8Ch

1 a $\dfrac{\sqrt{2}}{2}$ **b** $-\dfrac{\sqrt{3}}{2}$ **c** $-\dfrac{1}{2}$

   ch $\dfrac{\sqrt{3}}{2}$ **d** $\dfrac{\sqrt{3}}{2}$ **dd** $-\dfrac{1}{2}$

   e $\dfrac{1}{2}$ **f** $-\dfrac{\sqrt{2}}{2}$ **ff** $-\dfrac{\sqrt{3}}{2}$

   g $-\dfrac{\sqrt{2}}{2}$ **ng** -1 **h** -1

   i $\dfrac{\sqrt{3}}{3}$ **j** $-\sqrt{3}$ **l** $\sqrt{3}$

2

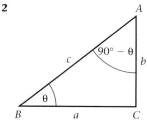

$\angle CAB = (90° - \theta)$

Felly $\cos(90° - \theta) = \dfrac{AC}{AB} = \dfrac{b}{c} = \sin\theta$

$\sin(90° - \theta) = \dfrac{BC}{AB} = \dfrac{a}{c} = \cos\theta$

$\tan(90° - \theta) = \dfrac{BC}{AC} = \dfrac{a}{b} = \dfrac{1}{\left(\dfrac{b}{a}\right)} = \dfrac{1}{\tan\theta}$

Ymarfer 8D

1

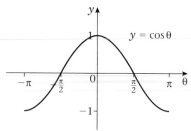

2

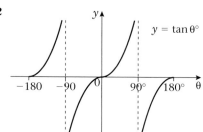

3

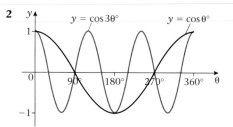

Ymarfer 8Dd

1 a i $1, x = 0$ **ii** $-1, x = 180$
   b i $4, x = 90$ **ii** $-4, x = 270$
   c i $1, x = 0$ **ii** $-1, x = 180$
  ch i $4, x = 90$ **ii** $2, x = 270$
   d i $1, x = 270$ **ii** $-1, x = 90$
  dd i $1, x = 30$ **ii** $-1, x = 90$

2

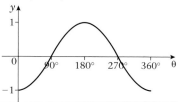

3 a Graff $y = -\cos\theta$ yw graff $y = \cos\theta$ wedi ei
     adlewyrchu yn echelin θ.

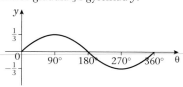

    Mae'n croesi echelin θ yn $(90°, 0)$, $(270°, 0)$
    Mae'n croesi echelin y yn $(0°, -1)$
    Macsimwm yn $(180°, 1)$
    Minimwm yn $(0°, -1)$ a $(360°, -1)$

  b Graff $y = \tfrac{1}{3}\sin\theta$ yw graff $y = \sin\theta$ wedi ei estyn â
     ffactor graddfa $\tfrac{1}{3}$ i gyfeiriad y.

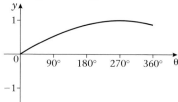

    Mae'n croesi echelin θ yn $(0°, 0)$, $(180°, 0)$, $(360°, 0)$
    Mae'n croesi echelin y yn $(0°, 0)$
    Macsimwm yn $(90°, \tfrac{1}{3})$
    Minimwm yn $(270°, -\tfrac{1}{3})$

  c Graff $y = \sin\tfrac{1}{3}\theta$ yw graff $y = \sin\theta$ wedi ei estyn â
     ffactor graddfa 3 i gyfeiriad θ.

    Mae'n croesi'r echelin yn y tarddbwynt yn unig.
    Macsimwm yn $(270°, 1)$

ch Graff $y = \tan(\theta - 45°)$ yw graff $\tan \theta$ wedi ei drawsfudo 45° i'r dde.

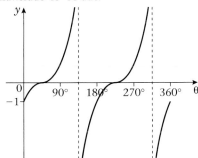

Mae'n croesi echelin θ yn (45°, 0), (225°, 0)
Mae'n croesi echelin y yn (0°, -1)
[Asymptotau yn $\theta = 135°$ a $\theta = 315°$]

4 a Dyma graff $y = \sin \theta°$ wedi ei estyn â ffactor graddfa -2 i gyfeiriad y (h.y. wedi ei adlewyrchu yn echelin θ ac yna dyblu pob cyfesuryn y).

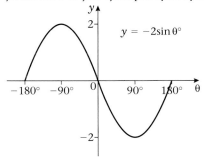

Mae'n croesi echelin θ yn ($-180°$, 0), (0, 0), (180, 0)
Macsimwm yn ($-90°$, 2)
Minimwm yn (90°, -2).

b Dyma graff $y = \tan \theta°$ wedi ei drawsfudo 180° i'r chwith.

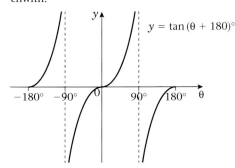

Oherwydd bod gan $\tan \theta°$ gyfnod o 180°
$\tan(\theta + 180)° = \tan \theta°$
Mae'n croesi echelin θ yn ($-180°$, 0), (0, 0), (180°, 0)
Mae'n croesi echelin y yn (0, 0)

c Dyma graff $y = \cos \theta°$ wedi ei estyn â ffactor graddfa $\frac{1}{4}$ yn llorweddol.

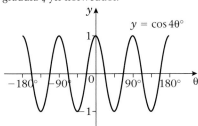

Mae'n croesi echelin θ yn ($-157\frac{1}{2}°$, 0),
($-112\frac{1}{2}°$, 0), ($-67\frac{1}{2}°$, 0), ($-22\frac{1}{2}°$, 0), ($22\frac{1}{2}°$, 0),
($67\frac{1}{2}°$, 0), ($112\frac{1}{2}°$, 0), ($157\frac{1}{2}°$, 0)
Mae'n croesi echelin y yn (0, 1)
Pwyntiau macsimwm yn ($-90°$, 1), (0°, 1), (90°, 1),
(180°, 1)
Pwyntiau minimwm yn ($-135°$, -1), ($-45°$, -1),
(45°, -1), (135°, -1)

ch Dyma graff $y = \sin \theta°$ wedi ei adlewyrchu yn echelin y. (Mae hyn yr un fath ag $y = -\sin \theta°$.)

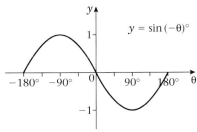

Mae'n croesi echelin θ yn ($-180°$, 0), (0°, 0), (180°, 0)
Macsimwm yn ($-90°$, 1)
Minimwm yn (90°, -1)

5 a Dyma graff $y = \sin \theta$ wedi ei estyn â ffactor graddfa 2 yn llorweddol.
Cyfnod $= 4\pi$

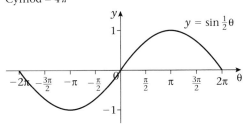

b Dyma graff $y = \cos \theta$ wedi ei estyn â ffactor graddfa $-\frac{1}{2}$ yn fertigol (cywerth ag adlewyrchiad yn echelin θ ac estyn yn fertigol â ffactor $+\frac{1}{2}$).
Cyfnod $= 2\pi$

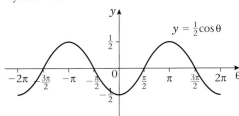

c Dyma graff $y = \tan \theta$ wedi ei drawsfudo $\frac{\pi}{2}$ i'r dde.

Cyfnod $= \pi$

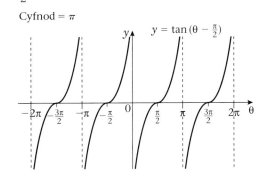

ch Dyma graff $y = \tan \theta$ wedi ei estyn â ffactor graddfa $\frac{1}{2}$ yn llorweddol. Cyfnod $= \dfrac{\pi}{2}$

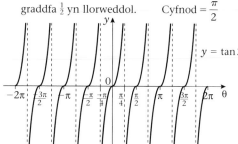

b $\sin(90° - \theta) = -\sin\{-(90° - \theta)\} = -\sin(\theta - 90°)$
  gan ddefnyddio (a)(ii)
  $= -(-\cos\theta)$ gan ddefnyddio (a)(iii)
  $= \cos\theta$

c Gan ddefnyddio (a)(i) $\cos(90° - \theta) = \cos\{-(90° - \theta)\}$
  $= \cos(\theta - 90°)$,
  ond $\cos(\theta - 90°) = \sin\theta$, felly $\cos(90° - \theta) = \sin\theta$

Ymarfer cymysg 8E

1 a $-\cos 57°$ **b** $-\sin 48°$ **c** $+\tan 10°$
  ch $+\sin 0.84^c$ **d** $+\cos\left(\dfrac{\pi}{15}\right)$

2 a -1 **b** $-\dfrac{\sqrt{2}}{2}$ **c** -1 **ch** $+\sqrt{3}$ **d** -1
  dd $+\dfrac{\sqrt{3}}{2}$ **e** $-\dfrac{\sqrt{3}}{2}$ **f** $-\dfrac{1}{2}$ **ff** 0 **g** $+\dfrac{1}{2}$

3 a Estyniad, ffactor graddfa 2, i gyfeiriad x.
  b Trawsfudiad $+3$ i gyfeiriad y.
  c Adlewyrchiad yn echelin x.
  ch Trawsfudiad o $+20$ i gyfeiriad x (h.y. 20 i'r dde).

4 a

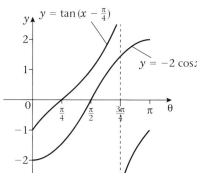

6 a i Mae $y = \cos(-\theta)$ yn adlewyrchiad o $y = \cos\theta$ yn echelin y, sydd yr un gromlin, felly $\cos\theta = \cos(-\theta)$.

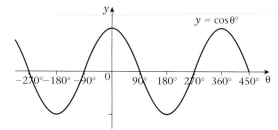

b Nid oes datrysiadau $\tan\left(x - \dfrac{\pi}{4}\right) + 2\cos x = 0$ yn y cyfwng $0 \leqslant x \leqslant \pi$, gan nad yw $y = \tan\left(x - \dfrac{\pi}{4}\right)$ ac $y = -2\cos x$ yn croestorri yn y cyfwng.

5 a 300 **b** (30, 1) **c** 60 **ch** $\dfrac{\sqrt{3}}{2}$

ii Mae $y = \sin(-\theta)$ yn adlewyrchiad o $y = \sin\theta$ yn echelin y.

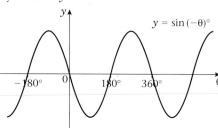

6 a Dyma graff $y = \sin x$ wedi ei estyn i gyfeiriad x. Mae gan bob 'hanner ton' gyfwng o $\dfrac{\pi}{5}$.

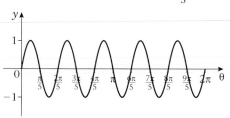

Mae $y = -\sin(-\theta)$ yn adlewyrchiad o $y = \sin(-\theta)$ yn echelin θ, sy'n graff o $y = \sin\theta$, felly $-\sin(-\theta) = \sin\theta$.

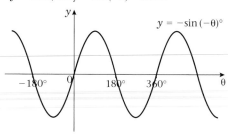

b $\dfrac{2\pi}{5}$ **c** 5

7 a Mae'r pedwar rhanbarth sydd wedi eu lliwio yn gyfath.

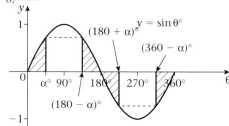

iii Mae $y = \sin(\theta - 90°)$ yn graff o $y = \sin\theta$ wedi ei drawsfudo $90°$ i'r dde, sy'n graff o $y = -\cos\theta$, felly $\sin(\theta - 90°) = -\cos\theta$.

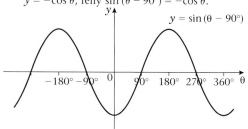

b Mae gan sin $\alpha°$ a sin$(180 - \alpha)°$ yr un gwerth y
(galwch hwn yn k)
felly sin $\alpha°$ = sin$(180 - \alpha)°$
mae gan sin$(180 - \alpha)°$ a sin$(360 - \alpha)°$ yr un
gwerth y (fydd yn $-k$)
felly sin $\alpha°$ = sin$(180 - \alpha)°$
$\qquad = -\sin(180 + \alpha)°$
$\qquad = -\sin(360 - \alpha)°$

8 a
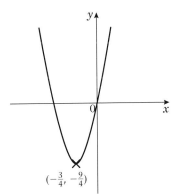

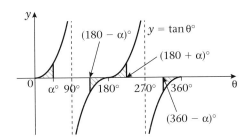

b i O graff $y = \cos \theta°$, sy'n dangos pedwar
rhanbarth cyfath wedi eu lliwio, os yw gwerth
y yn $\alpha°$ yn k, yna mae y yn $(180 - \alpha)°$ yn $-k$,
y yn $(180 - \alpha)°$ = $-k$ ac y yn $(360 - \alpha)°$ = $+k$
felly cos $\alpha°$ = $-\cos(180 - \alpha)°$
$\qquad = -\cos(180 + \alpha)°$
$\qquad = \cos(360 - \alpha)°$

ii O graff $y = \tan \theta°$, os yw gwerth y yn $\alpha°$ yn k,
yna yn $(180 - \alpha)°$ mae'n $-k$, yn $(180 + \alpha)°$
mae'n $+k$ ac yn $(360 - \alpha)°$ mae'n $-k$,
felly tan $\alpha°$ = $-\tan(180 - \alpha)°$
$\qquad = +\tan(180 + \alpha)°$
$\qquad = -\tan(360 - \alpha)°$

Ymarfer 9A

1 a $x > -\frac{4}{3}$ **b** $x < \frac{2}{3}$

  c $x < -2$ **ch** $x < 2, x > 3$

  d $x \in \mathbb{R}, x \neq 1$ **dd** $x \in \mathbb{R}$

  e $x > 0$ **f** $x > 6$

2 a $x < 4.5$ **b** $x > 2.5$

  c $x > -1$ **ch** $-1 < x < 2$

  d $-3 < x < 3$ **dd** $-5 < x < 5$

  e $0 < x < 9$ **f** $-2 < x < 0$

Ymarfer 9B

1 a -28

  b -17

  c $-\frac{1}{5}$

2 a 10

  b 4

  c 12.25

3 a $\left(-\frac{3}{4}, -\frac{9}{4}\right)$ minimwm

  b $\left(\frac{1}{2}, 9\frac{1}{4}\right)$ macsimwm

  c $\left(-\frac{1}{3}, 1\frac{5}{27}\right)$ macsimwm, $(1, 0)$ minimwm

  ch $(3, -18)$ minimwm, $\left(-\frac{1}{3}, \frac{14}{27}\right)$ macsimwm

  d $(1, 2)$ minimwm, $(-1, -2)$ macsimwm

  dd $(3, 27)$ minimwm

  e $\left(\frac{9}{4}, -\frac{9}{4}\right)$ minimwm

  f $(2, -4\sqrt{2})$ minimwm

  ff $(\sqrt{6}, -36)$ minimwm, $(-\sqrt{6}, -36)$ minimwm,
$(0, 0)$ macsimwm

4 a
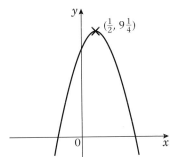

b
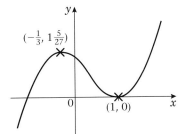

c
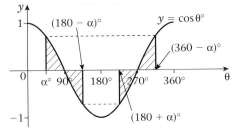

ch
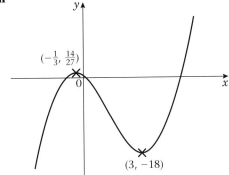

5 Ffurfdro (1, 1) (graddiant yn bositif bob ochr i'r pwynt)

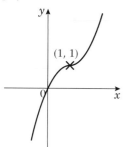

6 Gwerth macsimwm yw 27; f(x) ⩽ 27

Ymarfer 9C

1 20 m × 40 m; 800 m²

2 2000π cm²

3 40 cm

4 $\dfrac{800}{4 + \pi}$ cm²

5 27 216 mm²

Ymarfer cymysg 9Ch

1 a $x = 4$, $y = 20$

　b $\dfrac{d^2y}{dx^2} = \dfrac{15}{8} > 0$ ∴ minimwm

2 $(1, -11)$ a $(\frac{7}{3}, -12\frac{5}{27})$

3 a $7\frac{31}{32}$

　b $\dfrac{x^3}{3} - 2x - \dfrac{1}{x} - 2\frac{2}{3}$

　c $f'(x) = \left(x - \dfrac{1}{x}\right)^2 > 0$ yn achos holl werthoedd x.

4 $(1, 4)$

5 a $y = 1 - \dfrac{x}{2} - \dfrac{\pi x}{4}$　　**c** $\dfrac{2}{4 + \pi}$ m² (0.280 m²)

6 b $t = 2$　　**c** $\sqrt{101} = 10.0$ (3 ffig. yst.)

7 b $\frac{10}{3}$　　**c** $\dfrac{d^2V}{dx^2} < 0$ ∴ macsimwm

　ch $\dfrac{2300\pi}{27}$　　**d** $22\frac{2}{9}\%$

8 c $x = 20\sqrt{2}$, $S = 1200$ m²

　ch $\dfrac{d^2S}{dx^2} > 0$

9 a $\dfrac{250}{x^2} - 2x$

　b $(5, 125)$

10 b $x = \pm 2\sqrt{2}$, neu $x = 0$

　c $OP = 3$; f″(x) > 0 felly minimwm pan yw $x = \pm 2\sqrt{2}$ (macsimwm pan yw $x = 0$)

11 b A yw $(-1, 0)$; B yw $(\frac{5}{3}, 9\frac{13}{27})$

Ymarfer 10A

1 a $\sin^2 \dfrac{\theta}{2}$　　**b** 5　　**c** $-\cos^2 A$

　ch $\cos \theta$　　**d** $\tan x^0$　　**dd** $\tan 3A$

　e 4　　**f** $\sin^2 \theta$　　**ff** 1

2 $1\frac{1}{2}$

3 $\tan x = 3 \tan y$

4 a $1 - \sin^2 \theta$　　**b** $\dfrac{\sin^2 \theta}{1 - \sin^2 \theta}$　　**c** $\sin \theta$

　ch $\dfrac{1 - \sin^2 \theta}{\sin \theta}$　　**d** $1 - 2\sin^2 \theta$

5 (Rhoddir un enghraifft amlinellol o brawf)

　a Ochr Chwith ≡ $\sin^2 \theta + \cos^2 \theta + 2 \sin \theta \cos \theta$
　　　　　　　≡ $1 + 2 \sin \theta \cos \theta$
　　　　　　　= Ochr Dde

　b Ochr Chwith ≡ $\dfrac{1 - \cos^2 \theta}{\cos \theta} \equiv \dfrac{\sin^2 \theta}{\cos \theta} \equiv \sin \theta \times \dfrac{\sin \theta}{\cos \theta}$

　　　　　　　≡ $\sin \theta \tan \theta$ = Ochr Dde

　c Ochr Chwith ≡ $\dfrac{\sin x^\circ}{\cos x^\circ} + \dfrac{\cos x^\circ}{\sin x^\circ} = \dfrac{\sin^2 x^\circ + \cos^2 x^\circ}{\sin x^\circ \cos x^\circ}$

　　　　　　　≡ $\dfrac{1}{\sin x^\circ \cos x^\circ}$ = Ochr Dde

　ch Ochr Chwith ≡ $\cos^2 A - (1 - \cos^2 A) \equiv 2 \cos^2 A - 1$
　　　　　　≡ $2 (1 - \sin^2 A) - 1 \equiv 1 - 2 \sin^2 A$ = Ochr Dde

　d Ochr Chwith ≡ $(4 \sin^2 \theta - 4 \sin \theta \cos \theta + \cos^2 \theta)$
　　　　　　　　　$+ (\sin^2 \theta + 4 \sin \theta \cos \theta + 4 \cos^2 \theta)$
　　　　　　≡ $5(\sin^2 \theta + \cos^2 \theta) = 5$ = Ochr Dde

　dd Ochr Chwith ≡ $2 - (\sin^2 \theta - 2 \sin \theta \cos \theta + \cos^2 \theta)$
　　　　　　≡ $2(\sin^2 \theta + \cos^2 \theta)$
　　　　　　　$- (\sin^2 \theta - 2 \sin \theta \cos \theta + \cos^2 \theta)$
　　　　　　≡ $\sin^2 \theta + 2 \sin \theta \cos \theta + \cos^2 \theta$
　　　　　　≡ $(\sin \theta + \cos \theta)^2$ = Ochr Dde

　e Ochr Chwith ≡ $\sin^2 x(1 - \sin^2 y) - (1 - \sin^2 x) \sin^2 y$
　　　　　　≡ $\sin^2 x - \sin^2 y$ = Ochr Dde

6 a $\sin \theta = \dfrac{5}{13}$, $\cos \theta = \dfrac{12}{13}$

　b $\sin \theta = \dfrac{4}{5}$, $\tan \theta = -\dfrac{4}{3}$

　c $\cos \theta = \dfrac{24}{25}$, $\tan \theta = -\dfrac{7}{24}$

7 a $-\dfrac{\sqrt{5}}{3}$　　**b** $-\dfrac{2\sqrt{5}}{5}$

8 a $-\dfrac{\sqrt{3}}{2}$　　**b** $\dfrac{1}{2}$

9 a $-\dfrac{\sqrt{7}}{4}$　　**b** $-\dfrac{\sqrt{7}}{3}$

10 a $x^2 + y^2 = 1$

　b $4x^2 + y^2 = 4$　$\left(\text{or } x^2 + \dfrac{y^2}{4} = 1\right)$

　c $x^2 + y = 1$

　ch $x^2 = y^2 (1 - x^2)$　$\left(\text{or } x^2 + \dfrac{x^2}{y^2} = 1\right)$

　d $x^2 + y^2 = 2$　$\left\{\text{or } \dfrac{(x + y)^2}{4} + \dfrac{(x - y)^2}{4} = 1\right\}$

Ymarfer 10B

1 a 270°　　**b** 60°, 240°　　**c** 60°, 300°

　ch 15°, 165°　　**d** 140°, 220°　　**dd** 135°, 315°

　e 90°, 270°　　**f** 230°, 310°　　**ff** 45.6°, 134.4°

　g 135°, 225°　　**ng** 30°, 210°　　**h** 135°, 315°

　i 131.8°, 228.2°

　j 90°, 126.9°, 233.1°

　l 180°, 199.5°, 340.5°, 360°

2 a $-120, -60, 240, 300$ **b** $-171, -8.63$

c $-144, 144$ **ch** $-327, -32.9$

d $150, 330, 510, 690$ **dd** $251, 431$

3 a $-\pi, 0, \pi, 2\pi$ **b** $-\dfrac{4\pi}{3}, -\dfrac{2\pi}{3}, \dfrac{2\pi}{3}$

c $\dfrac{-7\pi}{4}, \dfrac{-5\pi}{4}, \dfrac{\pi}{4}, \dfrac{3\pi}{4}$ **ch** $\pi, 2\pi$

d $-0.14, 3.00, 6.14$ **dd** $0.59, 3.73$

Ymarfer 10C

1 a $0°, 45°, 90°, 135°, 180°, 225°, 270°, 315°, 360°$

b $60°, 180°, 300°$

c $22\frac{1}{2}°, 112\frac{1}{2}°, 202\frac{1}{2}°, 292\frac{1}{2}°$

ch $30°, 150°, 210°, 330°$

d $300°$

dd $225°, 315°$

e $90°, 270°$

f $50°, 170°$

ff $165°, 345°$

g $65°, 245°$

2 a $250°, 310°$

b $16.9°, 123°$

c $-77.3°, -17.3°, 42.7°, 103°, 163°$

ch $-42.1°, -2.88°, 47.9°, 87.1°$

3 a $-\dfrac{7\pi}{12}, -\dfrac{\pi}{12}$

b $-0.986, 0.786$

c $0, \dfrac{\pi}{2}, \pi, \dfrac{3\pi}{2}, 2\pi$

ch $1.48, 5.85$

Ymarfer 10Ch

1 a $60°, 120°, 240°, 300°$

b $45°, 135°, 225°, 315°$

c $0°, 180°, 199°, 341°, 360°$

ch $77.0°, 113°, 257°, 293°$

d $60°, 300°$

dd $204°, 336°$

e $30°, 60°, 120°, 150°, 210°, 240°, 300°, 330°$

f $0°, 75.5°, 180°, 284°, 360°$

ff $270°$

g $0°, 90°, 180°, 270°, 360°$

ng $0°, 18.4°, 180°, 198°, 360°$

h $90°, 104°, 256°, 270°$

i $72.0°, 144°, 216°, 288°$

j $0°, 60°, 300°, 360°$

l $194°, 270°, 346°$

ll $0°, 360°$

2 a $\pm45°, \pm135°$ **b** $-180°, -117°, 0°, 63.4°, 180°$

c $\pm114°$ **ch** $-127°, -73.4°, 53.4°, 107°$

d $\pm180°, \pm60°$ **dd** $\pm41.8°, \pm138°$

e $38.2°, 142°$ **f** $\pm106°$

3 a $\dfrac{\pi}{2}, \dfrac{3\pi}{2}$ **b** $\dfrac{5\pi}{12}, \dfrac{11\pi}{12}, \dfrac{17\pi}{12}, \dfrac{23\pi}{12}$

c $0, 0.983, \pi, 4.12, 2\pi$ **ch** $0, 2.03, \pi, 5.18, 2\pi$

d $0.841, \dfrac{2\pi}{3}, \dfrac{4\pi}{3}, 5.44$ **dd** $4.01, 5.41$

e $1.11, 2.68, 4.25, 5.82$

Ymarfer cymysg 10D

1 Gan ddefnyddio $\sin^2 A = 1 - \cos^2 A$,

$$\sin^2 A = 1 - \left(-\sqrt{\frac{7}{11}}\right)^2 = \frac{4}{11}.$$

Gan fod ongl A yn aflem, mae yn yr ail bedrant ac mae $\sin$ yn bositif, felly $\sin A = +\dfrac{2}{\sqrt{11}}$.

Yna $\tan A = \dfrac{\sin A}{\cos A} = \dfrac{2}{\sqrt{11}} \times \left(-\sqrt{\dfrac{11}{7}}\right) = -\dfrac{2}{\sqrt{7}} = -\dfrac{2}{7}\sqrt{7}$.

2 a $-\dfrac{\sqrt{21}}{5}$ **b** $-\dfrac{2}{5}$

3 a $(-240, 0), (-60, 0), (120, 0), (300, 0)$

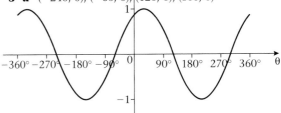

b $(-270, 0), (-30, 0), (90, 0), (330, 0)$

4 a $\cos^2 \theta - \sin^2 \theta$ **b** $\sin^4 3\theta$ **c** 1

5 a 1 **b** $\tan y = \dfrac{4 + \tan x}{2\tan x - 3}$

6 a Ochr Chwith $\equiv (1 + 2\sin\theta + \sin^2\theta) + \cos^2\theta$
$\equiv 1 + 2\sin\theta + 1$
$\equiv 2 + 2\sin\theta$
$\equiv 2(1 + \sin\theta) =$ Ochr Dde

b Ochr Chwith $\equiv \cos^4\theta + \sin^2\theta$
$\equiv (1 - \sin^2\theta)^2 + \sin^2\theta$
$\equiv 1 - 2\sin^2\theta + \sin^4\theta + \sin^2\theta$
$\equiv (1 - \sin^2\theta) + \sin^4\theta$
$\equiv \cos^2\theta + \sin^4\theta =$ Ochr Dde

7 a Dim datrysiadau: $-1 \leqslant \sin\theta \leqslant 1$

b 2 ddatrysiad: mae gan $\tan\theta = -1$ ddau ddatrysiad yn y cyfwng.

c Dim datrysiadau: $2\sin\theta + 3\cos\theta > -5$ felly ni all $2\sin\theta + 3\cos\theta +6$ fyth fod yn hafal i 0.

ch Dim datrysiadau: nid oes gan $\tan^2\theta = -1$ ddatrysiadau real.

8 a $(4x - y)(y + 1)$ **b** $14.0°, 180°, 194°$

9 a $3\cos 3\theta°$ **b** $16.1, 104, 136, 224, 256, 344$

10 $0.73, 2.41, 4.71$

11 a $2\sin 2\theta = \cos 2\theta \Rightarrow \dfrac{2\sin 2\theta}{\cos 2\theta} = 1$
$\Rightarrow 2\tan 2\theta = 1 \Rightarrow \tan 2\theta = 0.5$

b $13.3, 103.3, 193.3, 283.3$

12 a $225, 345$

b $22.2, 67.8, 202.2, 247.8$

13 a $(0, 1)$

b $\dfrac{17\pi}{24}, \dfrac{23\pi}{24}, \dfrac{41\pi}{24}, \dfrac{47\pi}{24}$

14 a $\dfrac{11\pi}{12}, \dfrac{23\pi}{12}$

b $\dfrac{2\pi}{3}, \dfrac{5\pi}{6}, \dfrac{5\pi}{3}, \dfrac{11\pi}{6}$

15 $30°, 150°, 210°$

16 $36°, 84°, 156°$

17 $0°, 131.8°, 228.2°$

18 a 90   **b** $x = 120$ neu 300

19 a 60, 150, 240, 330

     b i (340, 0)   **ii** $p = \frac{3}{2}$, $q = 60$

20 a 30

     b Yn C (45, 0) mae'r gromlin yn croesi'r echelin x bositif am y tro cyntaf, felly $1 + 2\sin(45p° + 30°) = 0$. Mae hyn yn rhoi $(45p° + 30°) = 210°$.

     c B (15, 3), D (75, 0)

Ymarfer 11A

1 a $5\frac{1}{4}$ **b** 10   **c** $11\frac{5}{6}$ **ch** $8\frac{1}{2}$ **d** $60\frac{1}{2}$

2 a $16\frac{2}{3}$ **b** $6\frac{1}{2}$ **c** $46\frac{1}{2}$ **ch** $\frac{11}{14}$ **d** $2\frac{1}{2}$

Ymarfer 11B

1 a 8   **b** $9\frac{3}{4}$ **c** $19\frac{2}{3}$ **ch** 21   **d** $8\frac{5}{12}$

2 4

3 6

4 $10\frac{2}{3}$

5 $21\frac{1}{3}$

6 $1\frac{1}{3}$

Ymarfer 11C

1 $1\frac{1}{3}$

2 $20\frac{5}{6}$

3 $40\frac{1}{2}$

4 $1\frac{1}{3}$

5 $21\frac{1}{12}$

Ymarfer 11Ch

1 a A (−2, 6), B (2, 6)   **b** $10\frac{2}{3}$

2 a A (1, 3), B (3, 3)   **b** $1\frac{1}{3}$

3 $6\frac{2}{3}$

4 4.5

5 a (2, 12)   **b** $13\frac{1}{3}$

6 a $20\frac{5}{6}$ **b** $17\frac{1}{6}$

7 c $y = x - 4$ **ch** $8\frac{3}{5}$

8 $3\frac{3}{8}$

9 b 7.2

10 a $21\frac{1}{3}$ **b** $2\frac{5}{9}$

Ymarfer 11D

1 0.473

2 2.33

3 3.28

4 a 4.34

     b Amcangyfrif rhy uchel; cromlin yn plygu 'tuag i mewn'

5 1.82

6 a 1.11

     b Amcangyfrif rhy uchel; cromlin yn plygu 'tuag i mewn'

7 a

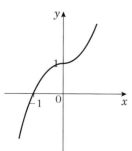

b 2

c 2

ch Yr un fath; mae'r rheol trapesiwm yn rhoi amcangyfrif rhy isel o'r arwynebedd rhwng $x = -1$ ac $x = 0$, ac amcangyfrif rhy uchel rhwng $x = 0$ ac $x = 1$, ac mae'r rhain yn canslo.

8 2.87

9 a 1.59

     b Amcangyfrif rhy isel; cromlin yn plygu 'tuag allan'.

10 a i 1.8195   **ii** 1.8489

     b $\frac{4\sqrt{2}}{3}$ **i** 3.51%   **ii** 1.95%

Ymarfer cymysg 11Dd

1 a −1, 3   **b** $10\frac{2}{3}$

2 a $q = 18$ **b** $73\frac{1}{4}$

3 a $\frac{4}{3}\sqrt{3}$ **b** $\frac{168}{5}\sqrt{2} - \frac{162}{5}$

4 a $5x - 8x^{\frac{1}{2}} - \frac{2}{3}x^{\frac{3}{2}} + c$ **b** $2\frac{1}{3}$

5 a (3, 0)   **b** (1, 4)   **c** $6\frac{3}{4}$

6 a $A = 6$, $B = 9$

     b $\frac{3}{5}x^{\frac{5}{3}} + \frac{9}{2}x^{\frac{4}{3}} + 9x + c$

     c $149\frac{1}{10}$

7 a $\frac{3}{2}x^{-\frac{1}{2}} + 2x^{-\frac{3}{2}}$

     b $2x^{\frac{3}{2}} - 8x^{\frac{1}{2}} + c$

     c $6 - 2\sqrt{3}$

8 a $2y + x = 0$ **b** $y = -1\frac{1}{4}$ **c** $2\frac{29}{48}$

9 b (4, 16)   **c** 133 (3 ffig. yst.)

10 a (6, 12)   **b** $13\frac{1}{3}$

11 a A (1, 0), B (5, 0), C (6, 5)   **b** $10\frac{1}{6}$

12 a 1

     b $y = x + 1$

     c A(−1, 0), B (5, 6)   **ch** $50\frac{5}{6}$

     d $33\frac{1}{3}$

13 a $q = -2$ **b** C (6, 17)   **c** $1\frac{1}{3}$

Papur arholiad enghreifftiol (C2)

1 a 17 cm   **b** 17.5 cm²

2 a $3 + 2p$ **b** 32

3 a 7   **b** $(x - 3)(x + 2)(x + 1)$

4 a 21 840; 3640   **b** 6

5 a Ochr Chwith $\equiv \dfrac{1 - \sin^2\theta}{\sin\theta(1 + \sin\theta)}$

     $\equiv \dfrac{(1 - \sin\theta)(1 + \sin\theta)}{\sin\theta(1 + \sin\theta)} \equiv$ Ochr Dde

     b 19, 161

6 a 5   **b** $2\sqrt{10}$

7 b £225   **c** 6

8 a 9.084 25   **b** $6\sqrt{3} - \frac{4}{3}$ **c** 0.3

9 a $14x^{\frac{4}{3}} - 14x$

     b $\frac{56}{3}x^{\frac{1}{3}} - 14$

     c (0, 4) macsimwm, (1, 3) minimwm

Mynegai